LE CERCLE DES HÉRITIÈRES

DU MÊME AUTEUR
CHEZ LE MÊME ÉDITEUR

Sacrifier une reine

Titre original :
A Monstrous Regiment of Women

© Laurie King.
© Éditions Michel Lafon, 2004, pour la traduction française.
7-13 boulevard Paul-Émile-Victor, Ile de la Jatte
92 521 Neuilly-sur-Seine Cedex

Laurie R. KING

LE CERCLE
DES HÉRITIÈRES

Les aventures de Mary Russell et Sherlock Holmes

Traduit de l'anglais (États-Unis)
par François Thibaux

Pour Zoé

Car qui peut nier que ce serait insulter la nature que de laisser les aveugles guider ceux qui voient, les faibles, les malades et les infirmes nourrir les bien portants et protéger les forts, les idiots, les fous et les forcenés régner sur les sages ? Ainsi doit-on, la comparant à l'homme, considérer toute femme exerçant le pouvoir.

JOHN KNOX
The First Blast of the Trumpet Against the Monstrous Regiment of Women
(publié en 1558 contre Marie Tudor ;
appliqué par la suite à Marie Stuart.
Regiment doit être entendu au sens de *régime).*

1

Dimanche 26 – lundi 27 décembre 1920

*La femme est imprudente et malléable. Impru-
dente car elle se montre incapable de considérer
avec sagesse et raison ce qu'elle entend et voit ;
malléable parce qu'elle se laisse facilement fléchir.*

SAINT JEAN CHRYSOSTOME

Je me renversai dans mon fauteuil, rebouchai mon stylo,
le fourrai dans le tiroir de mon bureau et m'abandonnai au
flot de fierté, de soulagement et de fébrilité que provoquait
ce simple geste. Je venais de corriger la dernière note de
mon essai, ma première œuvre d'étudiante diplômée, fruit
de plusieurs mois de dur labeur. Le bonheur de l'avoir terminé se doublait du plaisir d'avoir, grâce à lui, survécu aux
réjouissances obligatoires de Noël, fête qui, cette année-là,
marquait la fin du contrôle exercé par ma tante sur ce qu'elle
considérait comme la bourse familiale. Devant moi s'ouvrait
une semaine de liberté absolue, sans obligations ni responsabilités, qui aboutirait à mon vingt et unième anniversaire
et à tous les droits et privilèges de ma majorité. Dominant
mon excitation, je me levai et me dirigeai vers ma commode
pour m'habiller.

Bien que d'origine juive, ma tante avait abandonné depuis
longtemps son héritage pour adopter avec l'enthousiasme

d'une convertie les formes extérieures de la culture angli-
cane. Elle célébrait donc Noël dans les règles, avec une
gourmandise toute victorienne. Sa dernière année de tutrice
autoproclamée coïncidant avec la fin des restrictions sur le
sucre, le beurre et la viande imposées par la Grande Guerre,
les débordements affectifs s'étaient accompagnés de redou-
tables excès culinaires. J'avais réussi, prétextant les exi-
gences de mon travail, à me faire excuser pour la plupart
des agapes, mais ma machine à écrire étant désormais silencieuse, il ne me restait d'autre choix que la grossièreté et
la fuite immédiate. Ma première destination s'imposait
d'elle-même : je commencerais mon escapade par le cottage
de mon ami, mentor, précepteur, partenaire de prises de bec
et compagnon d'armes, Sherlock Holmes. D'où ma fébrilité.

Par réaction contre le décor de velours et de soie où j'avais
évolué pendant ce qui m'avait paru des semaines, je sortis
de mon armoire le plus mité des costumes de mon défunt
père, le passai sur une chemise de lin usée, d'une douceur
délicieuse, et un gros chandail sauvé des souris du grenier.
Les mains dans de chauds gants de daim, mes tresses épin-
glées sous une casquette de tweed trop grande, une écharpe
épaisse autour du cou, je réfléchis un instant. Quoi que je
fasse au cours des trois ou quatre jours à venir, cela se
passerait loin de chez moi. J'extirpai donc de la commode
une paire supplémentaire de bas de laine, puis, d'une niche
dissimulée derrière le lambris, une bourse de cuir où je
conservais secrètement l'argent de poche que j'avais économisé au cours des deux années précédentes. Je fus ravie
de constater qu'elle contenait un nombre considérable de
billets et de pièces. Elle se retrouva dans une poche intérieure, en compagnie d'un bout de crayon, de quelques
feuilles de papier pliées et d'un petit livre sur rabbi Akiba,
pour le plaisir. Je jetai un dernier coup d'œil à mon refuge,
verrouillai la porte derrière moi et, tenant à la main mes
chaussures montantes à semelle de caoutchouc, me faufilai
jusqu'à la porte de derrière.

J'espérais presque qu'un des membres de ma famille me hélerait à la dernière minute. Toutefois, groupés au salon, passionnés par leurs jeux de société ou plongés dans une torpeur bouffie, ils ne m'entendirent pas. Quant à la cuisinière et à son aide harassée, elles étaient si occupées à préparer déjà un autre plat qu'elles se contentèrent de répondre distraitement à mes vœux. Je me demandai combien je les payais pour travailler en ce jour traditionnellement chômé par tous les domestiques. Chassant cette pensée d'un haussement d'épaules, j'enfilai mes chaussures et le manteau défraîchi que je gardais dans le cagibi de l'escalier, puis m'échappai de la maison surchauffée et surpeuplée pour savourer l'air marin, clair et froid des Downs du Sussex. Mon souffle fuma autour de moi, mes pieds crissèrent dans les chemins non encore dégelés par le soleil mouillé. Lorsque j'atteignis le cottage de Holmes, cinq miles plus loin, je me sentais revigorée et calme pour la première fois depuis que j'avais quitté Oxford, à la fin du trimestre.

Holmes n'était pas chez lui.

Mme Hudson, elle, s'y trouvait. Je l'embrassai affectueusement et admirai le travail de couture qu'elle peaufinait devant le fourneau, tout en la taquinant sur sa mise négligée. Elle me répliqua d'un ton acerbe qu'elle ne nouait son tablier que pour exercer ses fonctions. Je rétorquai qu'elle devait sûrement le porter par-dessus sa chemise de nuit, car, d'après ce que j'avais pu constater, elle ne cessait de s'affairer quand Holmes était dans les parages. Pourquoi ne viendrait-elle pas s'occuper de ma maison pendant une semaine, pour que je puisse apprécier ses talents ? Elle se contenta de rire, sachant que je parlais en l'air, et posa la bouilloire sur le feu.

Il était parti pour Londres, me dit-elle en devançant ma question, vêtu comme un épouvantail, avec deux écharpes et un affreux chapeau de soie effiloché. Qu'est-ce que je préférais ? Scones ou muffins ?

– Les muffins sont déjà faits ?

– Oh, il en reste quelques-uns d'hier, mais je vais en préparer des frais.

– Aujourd'hui ? Votre seule journée de congé de l'année ? Jamais de la vie. Je raffole de vos muffins grillés, vous le savez. De toute façon, ils sont meilleurs le deuxième jour.

Elle se laissa convaincre. Je montai jusqu'à la chambre de Holmes et me livrai à une fouille minutieuse de ses commodes et de ses armoires. Ainsi que je m'y attendais, il avait pris les mitaines qu'il utilisait pour conduire les chevaux et l'outil dont il se servait pour ôter les cailloux de leurs sabots. Associés au chapeau, ces indices signifiaient qu'il circulait en fiacre. Je redescendis dans la cuisine en fredonnant.

Je fis griller les muffins sur le feu et bavardai joyeusement avec Mme Hudson jusqu'à ce qu'il fût temps pour moi de partir, gavée de muffins, de beurre, de confiture, de toasts aux anchois et d'un gâteau de Noël dont j'emportai, enfouie au fond d'une poche, une part enveloppée dans du papier paraffiné, pour attraper le train de 16 h 43 en direction de Londres.

J'avais longtemps trouvé curieux que les habitants généralement futés des bourgades voisines, notamment les chefs de gare qui vendaient les billets, ne commentent jamais l'apparition régulière, sur leurs quais, de deux étranges personnages, l'un vieux, l'autre jeune, indifféremment homme ou femme, et souvent ensemble. J'avais compris l'été précédent que nos villageois considéraient nos déguisements comme un secret partagé par tous. Ils mettaient un point d'honneur à ne jamais laisser transparaître leurs soupçons sur l'identité du garçon de ferme à la démarche traînante qu'ils croisaient dans la rue, à ne jamais sous-entendre qu'ils devinaient qu'il s'agissait peut-être d'une jeune fille en jupe de tweed et chapeau cloche qui, passant le trimestre à Oxford, revenait pour les vacances et, chaque fois qu'elle achetait chez les commerçants de petits gâteaux ou des instruments de jardinage, terminait sa tournée en buvant au comptoir une demi-pinte de bière. Je suis sûre que si un journaliste de l'*Evening Standard* débarquant dans le pays leur avait offert cent livres en échange d'une information confidentielle sur le célèbre détective, les gens l'auraient dévisagé avec cette expression flegmatique et typiquement campagnarde qui dissimule tant de choses, avant de lui demander de quoi il parlait.

Je m'égare. Les rues de Londres, lorsque je descendis du train, étaient encore animées. Je pris un taxi (une automobile, pour ne pas avoir à trop scruter le visage du conducteur) jusqu'à l'agence où Holmes se fournissait quand il avait besoin d'un cheval et d'un fiacre. Le propriétaire me connaissait. Du moins reconnut-il le jeune homme qui se tenait devant lui. Il m'apprit qu'en effet le gentleman (il ne parlait pas, bien entendu, d'un gentleman au sens propre) s'était présenté pour du travail ce jour-là. En fait, il était venu deux fois.

– Deux fois ? Vous voulez dire qu'il a ramené le fiacre ?

Déçue, j'envisageai d'abandonner la traque.

– Son bourrin boitait et y l'a ram'né. Y s'apprêtait à en atteler un autre quand il a vu rentrer un vieux *hansom*, un fiacre à l'ancienne, avec cocher à l'arrière. Ça l'a pris comme une envie d'pisser, il a voulu ç'ui-là, allez savoir pourquoi. On s'les gèle, sur ces machins, et ça rapporte des clopinettes, à moins qu'on tombe sur un couple d'excentriques qui veulent r'trouver le bon vieux temps, histoire de s'bidonner un coup. Ça peut arriver l'dimanche, ou le samedi soir à la sortie des théâtres. Par une nuit comme celle-là, y s'ra verni s'il arrive à s'faire un d'mi-penny.

Impassible, je me demandai combien son langage coloré se serait affadi s'il s'était trouvé en présence de la jeune femme distinguée que j'étais à l'occasion.

– Il a donc pris le *hansom* ?

– Aussi sec. À part lui, y sont pas nombreux à savoir conduire ces engins, faut lui r'connaître ça.

Son visage carré se perdit un moment dans la méditation de ce mélange incongru d'habileté et de démence chez l'homme qu'il connaissait sous le nom de Basil Josephs.

15

– En plus, j'lui ai r'filé un canasson pourri, qu'a jamais tiré un truc à deux roues, a jamais eu d'capuchon sur la tête et d'barda d'cuir autour des naseaux. J'espère que l'vieux Josephs a pas eu d'emmerdes, conclut-il avec une superbe indifférence, avant de se pencher en se raclant la gorge et de cracher délicatement dans le caniveau.

– Bien, dis-je, il ne doit pas y avoir de nombreux *hansoms* dans les environs. Je n'aurai sans doute pas trop de mal à le repérer. Pourriez-vous me décrire son cheval ?

– Un grand bai. Une grosse étoile, trois balzanes et des yeux mauvais, mais avec les œillères, tu les verras pas, débita-t-il à toute vitesse avant de préciser : Cab numéro 292.

Je le remerciai en lui refilant une pièce et partis m'enfoncer dans les rues tentaculaires du vaste cloaque londonien, à la recherche d'un cab fin de siècle, unique en son genre, et de son cocher.

La chasse n'était pas si désespérée qu'il y paraissait. À moins d'être sur une affaire (et Mme Hudson pensait que non), Holmes, à en juger par le choix de ses vêtements et du *hansom*, avait décidé de se distraire, ce qui l'entraînerait plutôt vers l'East End qu'à Piccadilly ou Saint John's Wood. Cela laissait néanmoins un vaste secteur à explorer. Je grelottai plusieurs heures sous des réverbères, à tendre le cou pour apercevoir les paturons des chevaux qui passaient (tous semblaient posséder une étoile et des balzanes) et à repousser les avances de jeunes filles et de femmes moins fraîches aux tenues sans équivoque. Enfin, vers minuit, la conversation merveilleusement instructive que j'entretenais avec l'une de ces dames fut interrompue par l'approche clopinante et grinçante d'une voiture à cheval. Un instant plus tard, le ton aigu d'une voix familière se répercutant dans la rue quasi déserte rendit inutile toute observation équine supplémentaire.

– Annalisa, ma chère petite, lança la voix qui, sans être criarde, portait dans les Downs à un mile à la ronde, ce

16

marmot à qui tu fais du gringue n'est-il pas un peu jeunot, même pour toi ? Regarde-le, il n'a pas un poil au menton.

La demoiselle pivota. Je m'excusai galamment et fis un pas dans la rue pour intercepter le fiacre. Son cocher avait un client, ou plutôt deux. Il ralentit quand même, rassembla les rênes dans sa main droite et tendit vers moi son interminable autre bras. Frustrée, ma séductrice abreuva Holmes d'une bordée d'insultes bien senties, auxquelles il répondit tout aussi vertement.

Le fiacre pencha de façon inquiétante et déséquilibra le cheval, qui fit un brusque écart. Aussitôt, un visage ahuri et moustachu apparut derrière la vitre craquelée de la fenêtre latérale et me jeta un regard peu amène. Délaissant la prostituée, Holmes se mit à injurier l'animal dans la plus pure tradition des cochers londoniens, lui fit baisser la tête et retrouver son équilibre d'un coup de rêne sur les reins, tout en continuant à me tirer vers lui et en lançant, en guise d'adieu à Annalisa qui s'éloignait, une série de jurons aussi affectueux que pittoresques. « Il adore s'immerger complètement dans ses rôles », songeai-je en me hissant sur le siège à une place.

– Bonsoir, Holmes.

– Bonjour, Russell, répondit-il en remettant son cheval au trot.

– Êtes-vous sur un job, Holmes ?

– Ma chère Russell, épargnez-moi vos américanismes, ils m'écorchent les oreilles. Un job ! Non, je ne suis pas sur une affaire. Simplement, j'entretiens ma forme.

– Et ça vous botte ?

– Si ça me botte ?

Il prononça ce mot avec une moue de dédain, puis me regarda en attendant que je rectifie ma phrase.

– Très bien. Cela vous plaît-il ?

Il considéra mon déguisement avant de se concentrer sur les rênes.

– Je devrais vous poser la même question, Russell.

– Oui, répliquai-je. En fait, je m'amuse énormément, Holmes ; énormément, merci.

Et, du mieux que je pus, je me calai sur le siège du cocher.

Même au centre de Londres, la circulation, à l'approche du dimanche, devenait de plus en plus fluide. Il était très agréable d'être ballotté sur un banc qui tanguait à huit pieds au-dessus des pavés, près de mon seul véritable ami, dans les rues faiblement éclairées où résonnaient l'écho des sabots du cheval et le grincement des roues, par une nuit assez froide pour étouffer les odeurs et éloigner le brouillard, mais pas assez pour endolorir les joues et le bout des doigts. Je jetai un coup d'œil à ceux de mon compagnon qui, sales, serrant le lourd cuir des rênes, guidaient le cheval encore nerveux avec la finesse dont ils faisaient preuve en tout domaine, aussi bien lors de délicates manipulations chimiques qu'au cours de l'exploration tactile d'un indice. Une pensée me frappa.

– Selon vous, Holmes, le froid d'une nuit claire est-il aussi nocif pour vos rhumatismes que l'humidité d'une nuit de brouillard ?

Il me dévisagea d'un air dubitatif. C'était, je m'en rendais compte, une entrée en matière peu conventionnelle pour une conversation. Mais Holmes était la dernière personne au monde à se formaliser d'une telle excentricité.

– Russell, dit-il enfin, c'est très gentil à vous d'être venue du fin fond du Sussex, d'avoir fait le pied de grue la moitié de la nuit au coin d'une rue glaciale, affronté des amitiés illicites et risqué une pneumonie dans le but de vous enquérir de ma santé, mais vous pourriez peut-être, m'ayant rejoint, en venir à votre véritable but.

– Je n'en ai aucun, protestai-je, abasourdie. Comme j'avais terminé mon mémoire plus vite que je ne l'aurais cru, j'ai eu envie de passer le reste de la journée avec vous, plutôt que d'écouter le bavardage et les jérémiades de ma famille. Ne vous ayant pas trouvé, j'ai décidé, sur un coup de tête, de vous pister et de voir si je réussirais à vous débusquer. Ce n'était qu'une toquade, répétai-je d'un ton ferme.

Peut-être trop ferme. Je m'empressai de changer de sujet.

— Que faites-vous ici, de toute façon ?

— Je conduis un fiacre, dit-il sur un ton qui me révéla qu'il n'était pas dupe de ma diversion. Allons, Russell, autant poser votre question. Il vous a fallu sept heures pour en arriver là. Ou devrais-je dire six ans ?

— De quoi diable parlez-vous ?

J'étais furieuse de voir ma belle soirée gâchée par son attitude sardonique et condescendante. Dieu sait pourtant que j'aurais dû, depuis le temps, m'y habituer.

— Je prends des vacances au milieu de mes vacances. Je me repose de la gaieté forcée de la semaine dernière. Une diversion amusante, rien de plus. Du moins était-ce le cas jusqu'à ce que votre esprit sarcastique vienne tout gâcher. Vraiment, Holmes, vous êtes parfois insupportable.

Mes vitupérations le laissèrent de marbre et il me jeta un coup d'œil pour me le faire savoir. Relevant le menton, je regardai dans la direction opposée.

— Ainsi, vous ne m'avez « pisté », pour reprendre votre expression, que pour vous entraîner, sans raison précise ni motif urgent ?

— Et pour jouir de ma liberté, oui.

— Vous mentez, Russell.

— Holmes, c'est intolérable. Si vous souhaitez vous débarrasser de moi, vous n'avez qu'à ralentir et me laisser descendre. Vous n'aviez nul besoin de vous montrer désobligeant. Je m'en vais.

— Russell, Russell, soupira-t-il en secouant la tête.

— Nom de Dieu, Holmes, qu'est-ce qui pourrait être assez urgent pour me pousser à accomplir tout ce chemin jusqu'ici pour vous en faire part ? Ce que, vous l'avez peut-être remarqué, je n'ai pas fait...

— Une question que, finalement, vous n'avez pas eu le cran de formuler.

— Et laquelle, je vous prie ?

Je lui tendais un bâton pour me faire battre. Mais une fois engagé dans un chemin, il est difficile de reculer.

– Je pense que vous êtes venue me demander de vous épouser.

J'en tombai presque du cab.

– Holmes ! Qu'est-ce que vous... Comment pouvez-vous...

Je bafouillai tellement que je ne pus poursuivre. Devant moi, sur le toit du fiacre, la trappe de communication se souleva. J'aperçus deux paires d'yeux, faiblement éclairées par les lanternes de la voiture et un réverbère devant lequel nous passions. L'une d'elles était surmontée d'un chapeau melon, la seconde d'un couvre-chef à fleurs. Elles se dressèrent devant nous comme deux lampes vagabondes, examinant, la mine perplexe, les deux hommes qui menaient au-dessus d'elles cet extravagant dialogue.

Mon compagnon souleva son gibus et les gratifia d'un sourire affable. Je l'imitai d'un air benêt. Les passagers nous fixèrent entre les rênes, bouche bée.

– Què'qu'chose pour vot'service, m'sieur ? s'enquit Holmes avec un fort accent cockney.

– Pourriez-vous m'expliquer la signification de cette ahurissante conversation que ma femme et moi avons été forcés d'entendre ?

L'homme ressemblait à un maître d'école au nez couperosé.

– Conversation ? Ah, oui, s'cusez. Z'avez dû nous trouver complètement zinzins. Acteur amateurs, m'sieur, ajouta-t-il en riant. On a monté une troupe, et on répète chaque fois qu'on a l'occasion de se voir. C'est une pièce d'Ibsen. Vous connaissez ?

Un hochement anima les deux têtes, qui se regardèrent.

– De chouettes répliques. Mais sorti du contexte, ça peut sonner dingo. Pardon d'vous avoir perturbés.

Les yeux nous étudièrent d'un air inquiet pendant encore un long moment, puis s'interrogèrent à nouveau. Enfin, les chapeaux replongèrent à l'intérieur du fiacre. Holmes éclata d'un rire contagieux. Une fois calmé, il s'essuya les joues avec ses gants sales, mit son cheval au trot et passa à un tout autre sujet.

— Bien, Russell. Ce gentleman et sa ravissante épouse se rendent au 17, Gladstone Terrace. Faites travailler votre mémoire et dites-moi où nous la trouverons.

C'était un examen. Ayant perdu l'habitude de ce genre d'exercice, je repassai mentalement en revue le plan des alentours.

— Encore neuf rues en remontant, sur la gauche.

— Dix. Vous avez oublié Hallicombe Alley.

— Désolée. J'admets que deux ou trois des quartiers que nous avons traversés font partie de ceux que je n'avais jamais vus auparavant.

— Permettez-moi d'en douter, dit-il d'un air guindé.

Il avait tendance à retrouver ses préjugés victoriens à l'égard de mon sexe aux moments les plus inattendus, ce qui me prenait toujours par surprise.

Il arrêta le fiacre dans une petite rue latérale déserte. Nos passagers se précipitèrent à l'abri du porche de leur sombre maison, accolée aux autres, sans même attendre leur monnaie. Holmes cria un remerciement à la porte qui se refermait. Sa voix rebondit contre les briques revêches et se perdit dans la nuit.

— Descendez et prenez la couverture qui se trouve à l'intérieur, voulez-vous, Russell.

Lorsque nous l'eûmes installée autour de nos genoux, il donna un petit coup sur les rênes. Le cheval fit demi-tour et nous ramena dans la rue principale. Nous prîmes un chemin différent pour retourner aux écuries, le long de rues plus ténébreuses, plus sales encore que celles que nous venions d'emprunter. Je recommençais, en dépit des cahots perpétuels, à me sentir détendue lorsque Holmes reprit la parole.

— Eh bien, Russell, je vous écoute. Avez-vous une question pour moi ?

Il est difficile à une femme de s'écarter d'un homme quand elle se trouve pressée contre son épaule et enveloppée dans une couverture, mais j'y parvins.

— Allons, Russell, vous avez toujours prôné l'émancipation de la femme. Vous êtes tout à fait capable d'assumer vos intentions dans cette petite affaire.

— Petite ?

J'avais saisi le mot au bond, comme il s'y attendait.

— D'abord, vous placez cette proposition dans ma bouche et, ensuite, vous la ridiculisez. Je ne sais pas pourquoi j'ai même...

Je ravalai mes paroles.

— Pourquoi vous y avez pensé la première ? Est-ce cela que vous vous apprêtiez à dire ?

Avant que j'aie pu répondre, un chien surgi de nulle part se planta devant le cheval et, les crocs scintillant à la pâle lueur de nos lanternes, se mit à aboyer avec furie. Holmes se leva brusquement, au risque de me renverser. Il rassembla les rênes et, tirant de toutes ses forces, empêcha le cheval de se cabrer. Toujours debout, il poursuivit d'une voix impassible, à peine essoufflée :

— Qu'aviez-vous en tête ? Vous ai-je donné la moindre raison de croire que j'accueillerais favorablement une telle proposition ? J'ai cinquante-neuf ans, Russell. Je suis habitué depuis longtemps aux commodités et à la liberté de la vie de célibataire. Qu'imaginiez-vous ? Que j'allais céder au despotisme des conventions sociales, vous conduire à l'autel pour faire taire les mauvaises langues qui cancanent quand on nous voit ensemble ? Ou succomber aux délices du lit conjugal ?

Ma patience était à bout. Je ne supportais plus cette ironie dévastatrice qui menaçait notre amitié et, je l'avoue, anéantissait toute espérance. J'arrachai la couverture, la jetai à la face de Holmes. Puis, en un geste acrobatique que je n'aurais jamais osé risquer si j'avais pris le temps de réfléchir, j'enjambai le rebord du siège et sautai. Je vacillai sur les pavés, me rétablis tant bien que mal. Une vive douleur traversa mon épaule blessée quelques années plus tôt. Rejetant la couverture, Holmes tenta de contrôler le cheval. Mais l'animal, le mors aux dents, rua des quatre fers. Je ramassai une bouteille de gin dans le caniveau, la fis rouler jusqu'à ses antérieurs. Un morceau de brique suivit. Un troisième projectile lancé contre ses postérieurs acheva de l'affoler. Il s'emballa et partit au galop.

Lorsque Holmes parvint à le maîtriser, j'étais déjà loin. J'avais traversé une ruelle, sauté par-dessus un mur, tourné à deux coins de rue et disparu dans un puits de ténèbres. Il ne me rattrapa jamais.

2

Lundi 27 décembre

Une femme perturbée est une fontaine troublée
Boueuse, maladive, en deuil de sa beauté
Où nul homme, même assoiffé,
Ne daigne s'abreuver.

WILLIAM SHAKESPEARE

Cela n'avait aucune importance. Je le sus au moment même où je m'éloignais du fiacre. Les disputes faisaient partie de la vie avec Holmes. Une semaine sans polémique entre nous m'aurait paru insipide. Notre algarade n'était qu'une peccadille comparée à celles qui nous avaient opposés au cours des cinq dernières années. Il se montrait irritable chaque fois qu'une affaire prenait mauvaise tournure ou lorsque nous n'avions pas été confrontés à un défi depuis trop longtemps. En ce qui concernait cette nuit-là, même si je n'en étais pas certaine, j'aurais parié sur le second cas. Quand nous nous reverrions, tout se passerait comme si notre prise de bec n'avait jamais existé. Et, en un sens, ce serait la vérité.

Ayant plutôt besoin d'un compagnon d'escapade que d'une langue de vipère, j'avais quand même tiré ma révérence. Cela m'arrivait rarement : son goût de l'affrontement était une des choses que je préférais chez Holmes. À l'issue de cette volte-face, je me retrouvai, à 1 heure du matin, dans

24

une rue sombre d'un quartier que je connaissais à peine. Je chassai Holmes de mon esprit, bien décidée à savourer le moment présent.

Vingt minutes plus tard, je me figeai sous un porche pour éviter un policier en patrouille dont la lampe balayait la chaussée, et retins mon souffle jusqu'à ce que son pas pesant se fût estompé. L'incongruité de ma conduite m'étonna. Voilà que Mary Russell, diplômée six mois auparavant avec les honneurs et force accolades par l'université la plus prestigieuse du monde, majeure dans moins d'une semaine, bientôt à la tête de ce qu'on pouvait appeler une fortune, confidente et parfois partenaire du légendaire Sherlock Holmes (qu'elle venait, qui plus est, de laisser brutalement en plan), errait incognito, déguisée en homme, sur les pavés crasseux de Londres. Personne, en cas de malheur, n'aurait pu me secourir. Pas un ami, pas un parent ne savait où j'étais. Loin de m'effrayer, cette situation me combla. Grisée par ma liberté, je partis, dans le noir, d'un grand rire silencieux.

Je déambulai sans but tout au long de cette nuit de rêve, en toute sécurité, sans être molestée par les habitants de l'ombre. À quelques pas de l'endroit où Jack l'Éventreur avait massacré Mary Kelly, deux belles de nuit m'accueillirent avec effusion. Je réchauffai mes mains aux cendres encore tièdes laissées sur son tonneau par un marchand de châtaignes, dégustant comme un mets de choix les restes farineux qu'il avait abandonnés. Attirée par un lointain air de musique, je pénétrai dans un club enfumé, rempli de jeunes gens désespérés et de femmes blafardes aux ongles peints. Je payai mon entrée, bus ma bière mousseuse avant de m'enfuir, avide d'air frais. J'enjambai un corps inerte assommé par le gin, évitai plusieurs agents municipaux. J'entendis des chats se battre, des ivrognes s'invectiver, les pleurs d'un bébé affamé apaisé par le sein de sa mère et, venant d'une chambre, un murmure se muer en sanglot. Je me cachai deux fois à l'approche d'un fiacre à deux roues. La seconde fois, je tombai sur un gamin de sept ans qui s'était tapi sous un escalier pour échapper à son père ivrogne. J'eus avec lui une conversation très sérieuse. Accroupis sur les pavés humides où la saleté s'était sans doute accumulée depuis la reconstruction de la ville après le Grand Incendie, deux siècles plus tôt, nous parlâmes d'économie. Il m'offrit la moitié de sa carotte de tabac et me donna une foule de conseils. En le quittant, je lui tendis un billet de cinq livres. Il me regarda d'un air extasié, comme s'il contemplait Dieu en personne.

La ville s'assoupit quelques heures, sous un ciel sans étoiles. Je m'imprégnai de son atmosphère comme si je ne l'avais jamais respirée auparavant, comme si je n'avais jamais croisé mes semblables, jamais senti mon sang couler dans mes veines.

À 5 heures apparurent les premiers signes du matin : « réveilleurs » pointant leur sarbacane sur les fenêtres de leurs clients privés de pendule, carrioles d'eau débordant le long des rues, voitures des livreurs de lait cahotant sur les pavés, forte odeur de levure des boulangeries, éclats de voix, roulement des charrettes et des véhicules chargés de vivres ou de combustible, fracas des trains de banlieue remplis de travailleurs. Des hommes passaient en trottinant, rapetissés par des paniers d'un demi-boisseau en équilibre sur leur tête. Écœurée par l'odeur du sang, je contournai le marché à viande de Spitalfields pour gagner des quartiers moins commerçants. Même là, pourtant, les gens s'agitaient, s'interpellaient. Londres revenait à la vie. Hébétée, la tête vide et sans volonté propre, je me sentis happée, entraînée par une marée d'ouvriers aux lourds souliers qui juraient et crachaient comme pour saluer le jour.

On me poussa enfin contre la devanture d'une échoppe où, épaule contre épaule, dans des vapeurs de bouilloire et de friture, des hommes à la voix râpeuse serraient entre leurs mains épaisses de grandes chopes ébréchées remplies de thé fumant. Alléchée par les parfums de bacon, de café et de toasts, j'y pénétrai bravement en essuyant mes lunettes cerclées de fer, me faufilai à travers la foule et, les pieds gonflés par des heures de marche, m'écroulai sur une chaise proche de la fenêtre.

L'unique serveuse de l'établissement, maigre créature aux dents gâtées qui semblait posséder six mains et tenait huit conversations à la fois, se fraya un chemin jusqu'à moi, posa une tasse de thé sur la table et, sans paraître m'écouter, prit ma commande d'œufs au plat garnis de frites et de haricots. L'assiette arriva avant que mon thé sucré couleur d'orange n'ait eu le temps de refroidir.

En un instant, il n'en resta plus rien. Lorsque la serveuse réapparut, je lui recommandai la même chose. Après m'avoir dévisagée pour la première fois, elle se tourna vers mes voisins et lança à la cantonade une plaisanterie salace, se demandant à haute voix ce que j'avais bien pu faire pour me goinfrer avec un tel appétit. Les hommes s'esclaffèrent. La rougeur qui se répandit sur mes joues imberbes accentua leur hilarité. Ils riaient encore en se levant, remontant leur pantalon dans des grands raclements de chaises. J'écartai la mienne du mur, engloutis, toujours goulûment, le contenu de ma seconde assiette. Je sauçai avec délice les vestiges de jaune d'œuf avec mon dernier bout de pain grillé, portai ma quatrième tasse de thé à mes lèvres et jetai un coup d'œil dehors.

Quelqu'un me fixait : une jeune femme dont le visage m'était familier et qui, une seconde plus tard, me reconnut.

Je lui fis signe d'attendre, me frayai un chemin en sens inverse entre les dos massifs et les larges épaules, fourrai un gros billet dans la poche de la serveuse et me précipitai dans la rue.

– Mary ? demanda la jeune femme, un doute dans la voix. C'est toi, n'est-ce pas ?

Lady Veronica Beaconsfield : mon ancienne condisciple, qui avait partagé mon logement à l'université et passé sa licence de lettres classiques un an avant moi ; une personne au physique ingrat qui raffolait des belles choses et, peut-être pour se faire pardonner, investissait une bonne part de son temps et de son argent en bonnes œuvres. Nous avions été très proches à une époque, mais des circonstances imprévues avaient refroidi son affection pour moi. À ma grande tristesse, nous n'avions pas réussi à renouer avant son départ d'Oxford. Nous nous étions revues pour la dernière fois sept mois plus tôt et avions échangé quelques lettres en septembre. Elle paraissait épuisée. La faible lumière de l'aube cachait mal ses cernes, sa coiffure en désordre et le débraillé de sa mise, d'ordinaire soignée.

– Bien sûr que c'est moi, Ronnie. Quelle surprise de te rencontrer ici !

Tendant la main, je heurtai presque un énorme terrassier qui sortait du café. Il poussa un juron menaçant. Je m'excusai. Il roula des épaules et s'écarta. Ronnie gloussa.

– Je vois que tu te déguises toujours en homme. Je croyais que ce n'était qu'une blague d'étudiante.

– « Quand nos barbes flotteront au vent, qui reconnaîtra en nous des femmes ? » Il y a des précédents fameux.

– Cher vieil Aristophane... Mais tu ne trouves pas dangereux, parfois, de t'habiller en homme ? J'ai cru que ce type allait te balancer un coup de poing.

– Ça n'est arrivé qu'une fois. Je n'avais pas eu le temps de me dégager d'une bagarre.

– Que s'est-il passé ?

– Oh, je n'ai pas cogné trop fort.

Elle rit encore, comme si j'en rajoutais. Je poursuivis :

– J'ai vécu une scène bien plus corsée pendant la guerre, avec une vieille dame têtue qui me traitait, me prenant pour un gaillard robuste, de « dégonflé ». Elle a refusé de me croire lorsque je lui ai assuré que l'armée n'avait pas voulu de moi pour raisons de santé. Elle m'a suivie dans la rue en me faisant bruyamment la leçon sur la lâcheté, la patrie et lord Kitchener.

Ronnie me considéra avec circonspection, ne sachant trop si je me moquais d'elle. En fait, je disais la vérité. La vieille dame s'était montrée exaspérante, pour la plus grande joie de Holmes, qui m'accompagnait ce jour-là et avait trouvé l'épisode très réjouissant. Mon amie secoua la tête, riant toujours.

– C'est merveilleux de te voir, Mary. Écoute, je m'apprête à rentrer chez moi. Est-ce que tu vas quelque part, ou peux-tu venir prendre un café ?

– Je ne vais nulle part. Je suis libre comme l'air et je ne boirai pas ton café, merci. J'ai déjà eu ma dose. Mais je viendrai volontiers bavarder et visiter tes W.-C., je veux dire ton petit coin...

Elle gloussa encore.

– Autre inconvénient du vêtement masculin, j'imagine ?

– Le pire, admis-je avec un grand sourire.

– Alors, viens.

Le jour était presque levé, mais lorsque nous pénétrâmes, quatre rues plus loin, dans une cour étroite au pavé noirâtre où une dizaine de bâtisses s'agglutinaient autour d'une pompe verte qui fuyait, l'obscurité nous recouvrit. Éventrée lors du bombardement de Londres, l'une des maisons creusait au milieu des autres un trou béant, comme une dent arrachée. À l'étage subsistait un mur dont le papier à fleurs se décollait. Toujours accroché à son clou, un tableau oscillait à vingt pieds au-dessus du sol. Je contemplai les façades. Derrière ces fenêtres, pensai-je, des enfants au visage sale et aux pieds nus, même en hiver, s'entassaient dans des pièces minuscules, avec leur mère enceinte, épuisée et anémique, leur grand-mère tuberculeuse et leur père ivre du matin au soir. Je réprimai un frisson. Le choix de ce voisinage correspondait bien à Veronica : elle provoquait sa famille, reniait ses origines, se rapprochait des gens qu'elle aidait. Mais avait-elle besoin d'afficher à ce point sa révolte ? Je levai les yeux vers les fenêtres délabrées et une pensée me traversa l'esprit.

– Ronnie, veux-tu que j'enlève une partie de mon accoutrement, pour qu'on ne croie pas que tu ramènes un homme chez toi ?

Elle se retourna, la clé à la main, regarda à son tour les maisons. Son ricanement, dur, amer, me surprit.

– Oh, non, ne t'inquiète pas de ça, Mary. Tout le monde s'en fiche.

Elle tourna la clé dans la serrure, ramassa le lait et me précéda dans un vestibule nu et lugubre. Au-delà, deux pièces meublées de vieilles chaises aboutissaient à un escalier muni d'une rampe sans couleur et sans âge. Un arbre de Noël richement décoré, dont le clinquant jurait avec la désolation de l'endroit, trônait à côté des marches. Mon amie déverrouilla la porte qui barrait le palier et m'introduisit dans un appartement fort différent du rez-de-chaussée.

Fascinée par les belles choses, Ronnie Beaconsfield avait les moyens de satisfaire sa passion, non par désir de possession, car c'était l'être le moins cupide du monde, mais par pur amour de la perfection. Elle avait un oncle duc, son grand-père avait été conseiller de la reine Victoria, elle comptait parmi sa proche parenté trois avocats et un juge de haute cour, son père occupait une position importante à la City, sa mère consacrait tout son temps à l'art. Veronica, elle, employait le plus clair de ses journées et de son argent à faire oublier tout cela. Même à l'époque où elle étudiait à Oxford, elle avait inspiré nombre de projets, depuis l'alphabétisation des femmes illettrées jusqu'à la lutte contre les mauvais traitements infligés aux chevaux de trait.

Elle était courtaude et sans grâce, ce qui la désespérait. Sa coiffure négligée soulignait son large nez et ses épais sourcils. Toutefois, quand elle souriait, la bonté, l'humour et l'autodérision qu'exprimaient ses yeux marron lui donnaient un charme singulier. L'amertume que je venais de découvrir en elle m'intriguait. Je me demandai ce qui l'avait provoquée.

Son appartement ressemblait à la Veronica que j'avais connue. Les parquets luisaient, les tapis étaient épais et authentiques. L'assortiment original de meubles et d'objets d'art – chaises modernes allemandes et canapé Louis XV sur un tapis chinois de soie, tissu égyptien rayé couvrant une méridienne – mettait en valeur la collection sans prix de dessins du xvıı^e siècle qui ornait un des murs, face à une petite œuvre abstraite – de Paul Klee, me sembla-t-il. Le tout témoignait d'un goût très sûr, sans ostentation. Veronica avait du chic.

Son logement comportait l'électricité. Dans la lumière crue, je distinguai les traces de lassitude sur son visage tandis qu'elle ôtait ses gants, son chapeau et son manteau. Elle avait passé la nuit dehors. À en croire ses vêtements modestes, elle ne s'était pas rendue à une réception mondaine, mais plutôt chez des pauvres qui, de toute évidence, lui causaient du souci. Je l'interrogeai à ce sujet lorsqu'elle sortit des toilettes (intérieures, alors que j'en avais vu dehors, au fond de la cour).

– Oh, oui, répondit-elle en préparant du café. Une des familles dont je m'occupe. Le fils, qui a treize ans, a été arrêté pour avoir chapardé le portefeuille d'un policier en civil.

Je ris, incrédule.

– Tu veux dire qu'il n'avait pas deviné à qui il s'attaquait ? Alors, c'est encore un bleu.

– Apparemment, oui. Je crains fort qu'il ne soit pas très intelligent.

Elle vacilla en saisissant sur l'étagère une tasse en porcelaine de Chine et la laissa presque tomber.

– Mon Dieu, Ronnie, tu es épuisée. Je devrais m'en aller et te laisser dormir.

– Non !

Cette fois, elle lâcha la tasse, qui se brisa en mille morceaux.

– La barbe ! gémit-elle. Tu as raison, je suis fatiguée. Mais j'ai tellement envie de parler avec toi ! Il y a quelque chose... Oh, non, c'est inutile. Je ne peux même pas commencer à y penser.

Elle s'agenouilla péniblement pour ramasser les morceaux, se planta un bout de porcelaine dans le doigt et en sanglota de colère.

Quelque chose la désespérait ; quelque chose d'infiniment plus grave qu'un pickpocket maladroit. Elle avait besoin de moi. Mon escapade aura été de courte durée. Impossible de me dérober.

– Ronnie, moi aussi, je n'en peux plus. Je suis debout depuis douze heures. Nous devrions dormir un peu et parler ensuite.

Le soulagement qui se peignit sur son visage augurait mal de mon avenir immédiat. Mais les dés étaient jetés. Sans tenir compte de ses molles protestations, je l'aidai à balayer les restes de la tasse puis l'envoyai se coucher.

Je n'eus pas besoin de froisser la méridienne. Il y avait une chambre d'amis. Et aussi une merveilleuse baignoire, assez vaste pour que j'y trempe mon épaule douloureuse en étirant les jambes. Ronnie me prêta une chemise de nuit et une robe de chambre. Je me glissai dans un lit profond, dont les draps frais m'enrobèrent avec une douceur exquise. Je m'endormis presque aussitôt.

Je m'éveillai au crépuscule. Un ciel lourd et mouillé pesait sur les toits. J'enfilai la robe de chambre matelassée et trop courte, gagnai la cuisine et fis bouillir de l'eau tout en me demandant si j'allais préparer un petit déjeuner ou un goûter. Question absurde : l'idée que Veronica se faisait d'une cuisine bien approvisionnée se résumait à des yoghourts, des biscuits et des pilules de vitamines (« Un esprit sain dans un corps sain »). Je réussis quand même à dénicher dans le placard des céréales aux allures de copeaux mais au goût supportable une fois mélangées à du lait, ainsi que de la confiture de framboise, un peu de pain rassis à griller et une part de gâteau de Noël à la pâte d'amande. Après m'être restaurée, je fis ma toilette, descendis chercher le journal, le remontai avec le courrier, allumai un feu de charbon dans le salon et lus les dernières nouvelles du monde, une tasse de café en équilibre sur mes genoux.

Ronnie apparut à 17 h 30, les cheveux en bataille. Elle proféra une série de sons inarticulés et se rendit à son tour dans la cuisine. Je savais qu'elle avait le réveil difficile. Je lui donnai donc le temps de boire son café avant de la rejoindre.

– Bonjour, Mary. Ou bon après-midi. Tu as mangé quelque chose ?

Je la rassurai en lui disant que j'avais pris soin de moi. Je me servis ensuite une autre tasse de café avant de m'asseoir à la petite table en attendant ses confidences.

Cela prit du temps. Les aveux auxquels on se livre volontiers la nuit ont, le jour, du mal à venir. La jeune femme qu'une petite coupure avait fait fondre en larmes avait retrouvé sa maîtrise. Nous évoquâmes ses familles nécessiteuses, la difficulté de les assister tout en respectant leur dignité. Elle m'interrogea sur mes centres d'intérêt. Je lui parlai de mon article sur le judaïsme rabbinique et le christianisme primitif du Ier siècle, que j'espérais voir publier, de mon travail à Oxford. Quand ses yeux devinrent vagues, mes questions se firent plus précises. Nous grignotâmes consciencieusement du fromage et des biscuits immangeables. Elle ouvrit une bouteille de délicieux vin blanc et commença enfin à s'abandonner.

Il y avait un homme ; plutôt, il y avait eu un homme. C'était une histoire tristement banale de ces années d'après-guerre. Simple ami en 1914, il avait été incorporé en 1915, expédié au front sans le moindre entraînement et blessé presque tout de suite. On l'avait renvoyé au pays pour une convalescence de huit semaines. Leur amitié s'était approfondie. Après son retour dans les tranchées, Ronnie et lui avaient échangé de nombreuses lettres. Gazé en 1917, de nouveau rapatrié, il lui avait offert une bague de fiançailles. Il avait regagné encore une fois le front, avant d'être démobilisé en janvier 1919. La guerre le laissait physiquement diminué, psychiquement atteint, ombre de lui-même, sujet à des crises de fureur alternant avec des périodes de gaieté maniaque suivies de moments d'abattement au cours desquels il grillait en silence cigarette sur cigarette, indifférent à la présence d'autrui. On appelait cet état le traumatisme des obus. Tous ceux qui avaient vécu l'enfer des tranchées en étaient atteints à des degrés divers. Certains, qui réussissaient à le dominer pendant la journée, n'y sombraient qu'au plus profond de la nuit. D'autres l'étouffaient en se jetant à corps perdu dans le travail. De très nombreux jeunes gens du même milieu que ce fiancé, cultivés, fortunés, issus de l'élite appelée à diriger la nation et dont la guerre, qu'ils avaient faite comme officiers subalternes, avait fauché la plus grande partie, étaient devenus vaniteux, arrogants, irresponsables, inconstants, incapables de réfléchir, de se concentrer. Et ils ne se liaient (là était le nœud du problème) qu'avec des femmes aussi volages, aussi frivoles qu'eux. Veronica ne portait plus la bague.

Je l'écoutai sans un mot. Ses yeux folâtraient derrière ses lunettes, se braquaient sur la nappe, le courrier, le reflet des vitres sombres, mais jamais sur mon visage. Quand elle se tut et baissa la tête, prête à s'effondrer, je lui tapotai affectueusement le bras.

— Cela prend du temps, ce genre de choses. Beaucoup d'hommes jeunes...

— Oh, je sais. C'est une situation classique. Je connais des dizaines de femmes qui ont traversé la même épreuve. Elles espèrent toutes qu'elle se résoudra d'elle-même, ce qui se produit le plus souvent. Mais pas avec Miles. Il se comporte comme... comme s'il n'était plus là. Il est... perdu.

Je mâchonnai pensivement ma lèvre inférieure. L'image des personnages blêmes entrevus dans la boîte de nuit me revint en mémoire. « Perdu » : ce mot qualifiait bien l'ensemble de notre génération.

— Drogue ? demandai-je, pas tout à fait au hasard.

Elle acquiesça, au bord des larmes.

— Quel genre ?

— N'importe lequel. On lui administré de la morphine à l'hôpital et il s'y est accoutumé. La cocaïne, bien sûr. Ils en prennent tous. Il va à ces soirées qui durent toute la nuit, un week-end, parfois plus longtemps. Une fois, il m'a emmenée à un bal costumé. On avait transformé toute la maison en fumerie d'opium. Incapable de supporter l'odeur, je suis partie. Il m'a raccompagnée chez moi. Puis il y est retourné. Plus tard, je crois que ça a été l'héroïne.

Cela ne me surprit guère. Apparue deux ans après ma naissance, l'héroïne était aussi répandue, en 1920, que la cocaïne, l'opium ou même la morphine, dont elle dérive. Je la connaissais bien : après un grave accident d'automobile, en 1914, on m'en avait prescrit à l'hôpital de San Francisco. On pensait alors qu'elle entraînait moins de dépendance que la morphine, ce qui, depuis, était contesté. Et une consommation régulière revenait extrêmement cher.

— L'as-tu accompagné souvent ? À la même maison ?

— Les quelques fois où je l'ai fait, cela se passait dans des endroits différents mais, la plupart du temps, avec les mêmes gens. À la longue, je n'ai plus supporté de le voir dans cet état. Je le lui ai dit. Il m'a répondu violemment. Il a eu des mots horribles, cruels, et il est parti en claquant la porte. C'était il y a presque deux mois. Depuis, je n'ai plus de contacts avec lui. Je l'ai aperçu voilà une dizaine de jours, sortant d'une boîte avec une... une poule pendue à son bras. Tous deux riaient de façon hystérique, comme lorsqu'on a pris quelque chose et que le monde entier nous paraît merveilleusement drôle. Il avait une mine épouvantable : une vraie tête de mort. Il toussait, comme lorsqu'il est revenu pour la seconde fois, après avoir été gazé. Cette scène m'a brisé le cœur. J'ai des nouvelles de lui par sa sœur, que je vois régulièrement. J'ai appris par elle qu'il ne rend jamais visite à ses parents, sauf pour leur demander de l'argent quand il a dilapidé le montant de sa pension.

— Et ils lui en donnent.

— Oui.

Elle se moucha puis me fixa droit dans les yeux. Je savais ce qui allait suivre. Et je le redoutais.

— Mary, pourrais-tu faire quelque chose ?

— Quoi, Ronnie ?

Je ne pris même pas la peine de feindre la surprise.

— Eh bien, tu... tu mènes des enquêtes. Vous connaissez des gens, toi et M. Holmes. Il doit bien exister une solution.

– Il y en a des tas. Tu peux le faire arrêter, demander qu'on l'enferme jusqu'à ce que son organisme se libère de sa dépendance. Étant donné son niveau d'intoxication, cela impliquera sans doute une hospitalisation. Toutefois, à moins qu'il vende lui-même de la drogue, ce qui paraît peu probable dans la mesure où ses parents le soutiennent financièrement, il sera libéré au bout de quelques jours et retournera aussitôt à ses démons. Tu l'auras mis dans une situation très difficile sans le moindre profit. Tu pourrais aussi le faire enlever, si tu n'as pas peur de te ruiner et de risquer la prison. Cela le retaperait un certain temps. Peine perdue : au bout du compte, tu te résignerais à le laisser partir ; et il recommencerait.

C'était cruel. Mais mieux valait ne pas susciter en elle de faux espoirs.

– Ronnie, tu connais la nature du problème. Tu sais très bien que nous ne pouvons rien : ni toi, ni moi, ni personne ; pas même le roi. Si Miles veut se droguer, il le fera. Si ce n'est pas de l'héroïne, ce sera de la morphine, ou de l'alcool. Comme tu l'as dit, il n'est pas là. Jusqu'à ce qu'il décide de réintégrer le monde des vivants, de faire marche arrière, le seul réconfort que tu puisses lui apporter est de lui tendre la main, de lui faire comprendre qu'il sera libre de la saisir quand il en aura besoin. Et de prier, conclus-je avec un pauvre sourire.

Elle s'effondra. Je lui caressai les cheveux. Elle se calma enfin, releva la tête. J'éprouvai alors de la pitié pour ce Miles confronté à l'amour sincère de cette femme obsédée par ses bonnes œuvres, mal coiffée, avec ses petits yeux enfoncés dans un visage potelé au teint brouillé, chiffonné par les larmes. À un homme effrayé par les responsabilités et les engagements, Veronica, incarnation de sa vie passée, devait paraître terrifiante. En dépit de la dureté de mes paroles, il fallait, pour son salut, que je me dévoue.

– Écoute, Ronnie, je vais voir ce que je peux faire. J'ai une relation à Scotland Yard (j'exagérais légèrement) qui serait susceptible de tenter quelque chose.

À tâtons, elle chercha son mouchoir trempé.

– Merci. Je souffre tellement de me se sentir impuissante alors que Miles est en train de se détruire... C'est... c'était un homme si bien...

Elle soupira et se redressa sur sa chaise, les mains sur les genoux. Nous restâmes ainsi, immobiles, comme pour une veillée funèbre. Tout à coup, elle leva les yeux vers la pendule. Ses traits s'animèrent quelque peu.

– Mary, as-tu prévu quelque chose pour ce soir ? J'aimerais te faire connaître une amie.

– Je n'ai aucune obligation. Je pensais aller passer deux jours à Oxford, mais cela n'a rien d'urgent.

– Oh, parfait. Je suis sûre que son discours te plaira. Je pourrais te la présenter après la réunion.

– Réunion ? murmurai-je d'un air dubitatif.

Elle rit, soudain rassérénée.

– C'est le terme qu'elle emploie. Cela ressemble un peu à un service religieux, en plus détendu. Elle prononce une sorte de sermon. Elle s'appelle Margery Childe. As-tu entendu parler d'elle ?

– Il me semble.

J'avais le vague souvenir d'un article étrange, dont le ton dédaigneux cachait mal une impression de malaise, comme si le journaliste, décontenancé, s'était réfugié dans le cynisme. Et aussi de la photographie d'une femme blonde serrant la main d'un officiel guindé qui se penchait vers elle.

– C'est une personne étonnante, très sensible. Et pourtant... comment dire... sainte, dans un sens, ajouta-t-elle avec un petit sourire embarrassé. J'assiste parfois à ses réunions, quand je suis libre. Elles me font toujours beaucoup de bien. Après l'avoir entendue, je me sens mieux : revigorée, plus forte. Margery m'a beaucoup aidée...

– Je serais heureuse de t'accompagner. Mais à part ce costume, je n'ai rien à me mettre.

– Tu trouveras de quoi t'habiller dans le coffre de vêtements destinés aux pauvres. Si tu n'es pas trop difficile...

C'est ainsi qu'une demi-heure plus tard, affublée de vieilles nippes dépareillées, je descendis d'un taxi en compagnie de Veronica Beaconsfield, la suivis sur le trottoir mouillé et pénétrai avec elle à l'intérieur du *Nouveau Temple de Dieu*, à la rencontre de la remarquable Margery Childe.

3

Lundi 27 septembre

Que vos femmes se taisent dans les assemblées, comme cela a lieu dans toutes les églises des saints : il ne leur est pas permis d'y prendre la parole ; elles doivent être soumises, comme la Loi le dit... Il est malséant à la femme de parler dans une assemblée.

SAINT PAUL
Première Épître aux Corinthiens, 14, 34-35

Le service était largement entamé lorsque nous arrivâmes et nous installâmes au fond. À ma grande surprise, l'assistance me fit penser plutôt à un public d'opéra qu'à une réunion de fidèles. Avec ses sièges en gradins, l'endroit, plus vaste qu'on ne l'aurait cru depuis la rue, évoquait moins une église qu'une salle de conférence. Sur la scène surélevée, presque nue, se tenait une toute petite femme blonde vêtue d'une longue robe de soie qui, d'un blanc tirant sur le rose, captait la lumière et scintillait quand elle bougeait. Elle parlait. Son sermon, si c'en était un, ne ressemblait à rien de ce que j'avais entendu auparavant. Sa voix était basse, presque rauque, ce qui ne l'empêchait pas de porter aux quatre coins de la pièce, donnant l'impression de s'adresser à chaque personne en particulier comme à une intime.

– Ce fut peu après, disait-elle, que, par un radieux dimanche matin, je me rendis au temple et entendis le prêcheur, un colosse à la voix de stentor, commenter l'injonction de la Première Épître aux Corinthiens : « Que les femmes se taisent dans les églises. »

Elle s'interrompit, ménageant ses effets, puis fit la grimace avant de reprendre :

– Inutile de vous dire que cela ne m'amusa pas du tout.

La salve de rires approbateurs qui parcourut la salle confirma que son auditoire – ou son groupe de disciples ? – était tout entier acquis à sa cause et lui vouait une admiration proche de l'adoration.

La tonalité de ces rires était presque exclusivement féminine. Sur trois cent cinquante personnes, on ne comptait qu'une vingtaine d'hommes. Parmi ceux qui m'entouraient, trois ne cachaient pas leur gêne, deux ricanaient nerveusement, un autre noircissait avec furie un bloc-notes de journaliste. Seul le dernier paraissait ravi. Toutefois, après l'avoir examiné plus en détail, je décidai qu'il ne s'agissait sans doute pas d'un être de sexe masculin.

L'hilarité s'apaisa peu à peu. L'oratrice attendit le retour complet du silence avant de poursuivre :

– Pourtant, je fus reconnaissante à ce tonitruant pasteur. Pas tout de suite, ajouta-t-elle, savourant de nouveau les gloussements qu'elle provoquait ; mais quand j'eus le loisir d'y repenser, je lui fus reconnaissante parce qu'il m'amenait à me demander : « Pourquoi veut-il que je me taise à l'église ? Pourquoi serait-ce si terrible de me laisser, moi, une femme, m'exprimer ? Qu'imagine-t-il en moi de si redoutable ? »

Elle marqua une pause de deux secondes.

– De quoi cet homme a-t-il peur ?

Silence total. Puis :

– Pourquoi, pourquoi cet homme me craint-il ? Moi, minuscule et qu'il domine de toute sa hauteur ? Il est diplômé de l'université alors que j'ai quitté l'école à quinze ans. C'est un homme installé, qui a une famille, une maison ; moi, je n'ai pas encore vingt ans et je vis dans un garni sans eau courante. Cet homme peut-il réellement avoir peur de moi ? Croit-il que mes propos risqueraient de le faire passer pour un imbécile ou... de ridiculiser son Dieu Lui-même ?... Oh, oui, j'ai pensé à cela longtemps, je vous l'assure. Et j'en ai conclu que, oui, oh oui, ce colosse, avec sa grosse voix et son grand Dieu dans sa belle église, avait peur de moi, si petite, si insignifiante.

Elle écarquilla les yeux, déclenchant d'autres rires. Elle les arrêta d'un geste, se pencha comme pour chuchoter une confidence.

– Et vous savez quoi ? Il avait raison d'avoir peur.

Une deuxième vague submergea la salle, orchestrée par l'oratrice qui se gaussait d'elle-même, de l'absurdité de tout cela, comme d'une bonne blague partagée entre amis. Au bout de quelques minutes, elle essuya ses larmes, imitée par la moitié de l'assemblée. Puis elle se figea, avant de secouer la tête dans le silence. Lorsqu'elle l'exposa de nouveau en pleine lumière, son visage avait perdu toute expression comique.

– Je n'avais aucune envie de l'humilier. Vous savez que ce n'est pas dans ma nature. Pourtant, une partie de moi brûlait de se dresser face à lui, de lui poser une foule de questions embarrassantes qui l'auraient mortifié. Je ne l'ai pas fait parce que, vraiment, c'était trop triste. Voilà un homme qui travaille avec Dieu, pense en fonction de Dieu, vit avec Dieu tous les jours. Pourtant, il ne Lui fait pas confiance. Au fond de lui, il n'est pas certain que son Dieu admette la critique, accepte de dialoguer avec cette femme prétentieuse aux questions incongrues. Il ne sait pas que son Dieu est assez grand pour ouvrir les bras à toute personne, puissante ou misérable, croyante ou sceptique, homme ou femme.

Elle marcha vers un petit podium, but deux gorgées d'un verre d'eau, revint au milieu de la scène.

– La Genèse donne deux versions de la création de l'homme. Dans le premier chapitre, Dieu « dit », et le pouvoir du mot est si fort que ce qu'il signifie « est ». À peine

41

prononcé, le mot *devient* la lumière et la nuit, le Soleil et la Lune, les montagnes, les arbres, les animaux... Dieu dit ensuite : « Faisons l'homme à notre ressemblance... » Puis, dans le deuxième chapitre, Il Se change en potier et sculpte dans la glaise une forme humaine.

Ses ongles vernis reflétèrent la lumière tandis que sa main, aussi menue que celle d'un enfant, dessinait une silhouette dans l'espace puis la balayait.

— Même Dieu, deux récits de sa Création. Mais est-il dit, dans l'un ou l'autre – réfléchissez-y maintenant –, que Dieu a fait l'homme meilleur que la femme ? Dans le premier, certainement pas ! « Dieu créa donc l'homme – l'humanité – à son image ; Il le créa à l'image de Dieu, et il les créa mâle et femelle. » Il *les* créa ! C'est l'humanité, homme et femme réunis, qui est à l'image de Dieu, pas seulement le mâle. Le texte insiste sur ce point, afin de le rendre bien clair.

Elle haussa le ton pour couvrir les murmures de protestations qui fusaient dans les rangées.

— Et l'autre récit, sur le Dieu sculpteur ? Je suis sûre que vous savez tous comment on l'interprète...

Sa voix monta, devint presque mielleuse :

— On dit que la femme a été tirée d'une côte de l'homme, pour se blottir contre lui et vivre sous sa protection...

Elle tordit la bouche, comme si elle venait de goûter quelque chose d'écœurant.

— Avez-vous déjà entendu une niaiserie aussi sentimentale, aussi condescendante ?

Elle contrôlait son débit de façon extraordinaire. Alors qu'elle semblait s'exprimer normalement, son dernier mot couvrit le torrent de clameurs et de rires.

— Si vous voulez rester logiques, ne me dites pas que la femme a été donnée à Adam pour être sa servante, une mule capable de tenir une conversation. Dites-moi ce que raconte vraiment le texte : Dieu, réalisant que sa Création était incomplète, a divisé l'être humain en deux et créé Ève, l'égale d'Adam. Avec elle, l'humanité a trouvé sa plénitude.

Adam a été le premier homme, mais Ève... Ève fut le couronnement de la Création divine.

À présent, il lui fallait crier :

– Voilà ce que craignait mon prédicateur : qu'on lui affirme que lui et ses pareils n'avaient pas plus le droit de m'interdire de parler dans la maison de Dieu que d'ordonner au soleil de ne plus briller. Mais maintenant, tout a changé, n'est-ce pas, mes amies ?

Une immense acclamation noya le début de la phrase suivante, jusqu'à :

– ... image de Dieu ! Vous avez le droit sacré de vous servir de votre esprit et de votre corps. Vous êtes à l'image de Dieu et je vous aime. À mardi, mes amies.

Brusquement, elle agita le bras et disparut dans un tourbillon d'or et de blanc. Les assistants se levèrent, s'interpellant, se congratulant, plaisantant, discutant, se bousculant. Ronnie se pencha vers moi et me dit très fort à l'oreille :

– Tout le monde va aller déguster du thé et des biscuits dans la pièce à côté. Mais si nous attendons quelques minutes, nous pourrons aller saluer Margery, si tu veux.

Je ne demandais pas mieux. J'étais fascinée, impressionnée, à la fois légèrement réticente et dévorée de curiosité. Cette femme avait joué de son public comme d'un instrument accordé à la perfection, en tenant à sa main près de quatre cents personnes avec l'aisance d'un vieux briscard de la politique. Même moi, mécréante et cynique, j'avais eu du mal à lui résister. Elle était féministe et possédait le sens de l'humour, combinaison plus que rare. Malgré ses convictions profondes, elle gardait assez de distance et d'humanité pour rire d'elle-même. Elle parlait bien sans céder à la grandiloquence. De toute évidence autodidacte, elle avait de la Bible une lecture rafraîchissante, pragmatique et, miracle des miracles, une théologie radicale mais saine.

Oh, oui, j'avais envie de la rencontrer.

Luttant contre le flot de spectatrices agitées et bavardes enveloppées par la fumée des hommes, je suivis Veronica jusqu'à une petite porte dérobée, proche de la scène. Un garde massif, en uniforme, salua Ronnie d'un « bonsoir, lady Beaconsfield » et m'examina en touchant sa casquette.

Derrière la porte régnait une atmosphère plus proche de l'animation des coulisses après une représentation que de la sérénité d'une sacristie. De jeunes élégantes, entre lesquelles se faufilaient des employées en pantalon qui brandissaient à bout de bras des projecteurs et du matériel de nettoyage, jacassaient en se donnant du « ma chérie ». Petit à petit, nous gagnâmes le fond de la pièce. Le visage de Veronica devenait de plus en plus radieux. Je me rendis compte alors non seulement de la profondeur de son engagement dans le mouvement, mais aussi de l'autorité qu'on lui reconnaissait. On s'écartait pour la laisser passer, avec des regards envieux soudain chargés de curiosité quand ils se posaient sur la silhouette bizarrement fagotée qui marchait dans son sillage.

Une seconde porte se referma derrière nous, étouffant tout à coup le brouhaha. Nous longeâmes ce qui ressemblait à un couloir de grand hôtel. Un énorme bouquet de lilas mêlés à des roses blanches s'épanouissait dans une niche. Veronica saisit deux roses. Sans un mot, elle m'en donna une avant de frapper à une porte. Je perçus, de l'autre côté, un léger bruit de voix ; personne ne répondit. Mon amie tritura timidement sa fleur, me jeta un coup d'œil gêné. Puis elle frappa plus fort. Cette fois, la porte s'entrouvrit sur une matrone de forte carrure et à l'air soupçonneux, vêtue d'une tenue grise de domestique, agrémentée d'une coiffe et d'un tablier amidonnés blancs.

– *Bonjour, Marie*, lança gaiement Veronica en français.

Elle avança d'un pas, poussa doucement la porte, qui s'ouvrit pour de bon et que la duègne, après m'avoir dévisagée, parut tentée de me fermer au nez, ce qu'elle n'osa pas.

Margery Childe tenait sa cour. On aurait pu croire, au premier abord, qu'elle prenait simplement le thé avec une dizaine d'amies. Mais l'expression béate de ses compagnes, qui semblaient savourer chacun de ses mots, témoignait d'une dévotion bien éloignée d'un bavardage mondain.

Margery leva les yeux à notre entrée, sourit en me jaugeant de la tête aux pieds, accueillit ensuite Veronica avec une affection non feinte. Ronnie lui tendit sa rose, la posa dans sa paume comme une offrande sur un autel. La toute petite femme blonde la porta à ses narines, la respira avant de la ranger sur un guéridon à côté d'autres fleurs délicates.

– Je suis heureuse que vous soyez là, Veronica, dit-elle d'une voix plus douce qu'auparavant, mais toujours aussi basse. Dimanche, vous nous avez manqué.

– Je sais, répliqua Ronnie. J'ai essayé de venir. Hélas, une de mes familles...

– Oui, vos familles. Pas plus tard que ce matin, je pensais aux problèmes que vous cause cette jeune fille... Emily ? Accepteriez-vous que nous en discutions seule à seule ?

– Certainement, Margery. Quand vous voudrez.

– Voyez avec Marie si elle peut me trouver un moment de libre demain ou après-demain. Elle connaît mon emploi du temps mieux que moi. Vous nous avez amené une amie, ce soir ?

Veronica se tourna vers moi, me prit le coude et m'entraîna au centre du cercle.

– Permettez-moi de vous présenter Mary Russell, une camarade d'Oxford.

Margery plongea dans les miens ses yeux bleu sombre, presque violets, profonds, magnétiques et paisibles, seule touche de beauté dans son visage aux pommettes trop larges. Son maquillage professionnel laissait entrevoir sa peau rugueuse au teint légèrement hâlé. Ses dents, quoique bien alignées, étaient un peu trop grandes, son nez gardait les traces d'une fracture mal soignée. Ce physique sans rapport avec les canons classiques, qui, chez elle, auraient paru insipides, ne la rendait que plus attachante. C'était une personne pleine d'énergie mais calme, sûre d'elle, dotée d'une puissance étonnante pour quelqu'un de son âge et, je dus l'admettre, extraordinairement attirante.

Ses admiratrices attendaient que je laisse moi aussi tomber ma rose à ses pieds, lui rendant hommage selon le rituel. Sans détacher mon regard du sien, je brandis ostensiblement ma fleur puis l'enfilai dans une boutonnière. Je fis alors un pas vers elle et lui tendis la main.

– Comment allez-vous ? lui demandai-je avec une politesse appuyée.

Après une seconde d'hésitation, elle se redressa, se pencha, mit sa petite main carrée et manucurée dans la mienne, qu'elle serra un peu plus longuement que nécessaire, un éclair de gaieté dans l'œil.

– Bienvenue, Mary Russell. Merci d'être venue.

– Ce fut un plaisir pour moi.

– J'espère que le service vous a plu.

– Je l'ai trouvé intéressant.

– Je vous en prie, servez-vous du thé ou une autre boisson, si vous le désirez.

– Volontiers, dis-je sans bouger.

– J'ai l'impression que nous avons quelque chose en commun, déclara-t-elle à brûle-pourpoint.

– Croyez-vous ?

Nos regards s'affrontèrent un long moment. Tout à coup, ses yeux se plissèrent.

– Peut-être pourriez-vous rester un peu après le départ de mes amies ? J'aimerais que nous parlions.

J'inclinai la tête en silence et allai m'asseoir dans un coin, ravie de cette escarmouche que n'aurait pas désavouée Holmes.

L'heure qui suivit m'aurait paru désespérément ennuyeuse sans la fascination qu'exerça sur moi l'attitude de Margery. Elle captivait son auditoire avec la même aisance que pendant son sermon, mais avec des intentions différentes. Alors qu'elle avait, dans la grande salle, manié le lyrisme, l'exhortation ou la provocation, elle se comportait à présent en guide spirituel et en mère attentive, poussant aux confidences les privilégiées groupées autour d'elle, les unissant dans une même complicité, une même ferveur : quatorze femmes, dont la plus âgée n'avait pas trente-cinq ans, toutes séduisantes, riches, intelligentes, bien nées et arborant l'air à la fois volontaire et modeste de celles qui, pendant la guerre, avaient payé de leur personne. Je découvris plus tard que seules deux d'entre elles s'étaient contentées de tricoter des chandails pour les soldats et qu'une troisième avait été retenue chez elle par ses parents invalides. Neuf avaient servi comme infirmières volontaires à un moment ou à un autre, dont trois de 1915 à l'armistice, s'occupant de jeunes combattants agonisant en France, dans le sud de l'Angleterre ou en Méditerranée, confrontées seize heures par jour à des plaies purulentes et à des pansements pleins de pus : effarant baptême du sang pour des demoiselles élevées dans la soie. Plusieurs, plus habituées à la chasse à courre qu'aux chevaux de labour, avaient passé des mois à la campagne comme filles de ferme, se cassant le dos en poussant la charrue ou en plantant des pommes de terre. Elles avaient eu des frères, des fiancés fauchés dans la boue d'Ypres et de Passchendäle, avaient vu leurs amis d'enfance revenir estropiés, amputés, aveugles, anéantis. Elles qui avaient rejoint leurs amoureux dans la gloire, la pureté d'une juste guerre et la fierté de servir leur pays avaient peu à peu, réduites à l'état de bêtes de somme, perdu leurs idéaux. Quatorze femmes au sang bleu, fortes, courageuses, devant qui, comme devant tous les fleurons de leur caste, je me sentais gauche, empruntée. Quatorze femmes brûlant de déposer aux pieds de leur inspiratrice, avec les fleurs qu'elles lui offraient, l'autorité innée et l'implacable maîtrise de soi propres à leur milieu, sans compter leur maturité si chèrement acquise au cours de ces années terribles.

Elle les interrogea tour à tour, les écouta chacune avec attention, commenta, suggéra, conseilla, dépositaire, semblait-il, de l'autorité et de la puissance divine. Toutes reçurent ses paroles comme un trésor ; et lorsque Margery se leva pour leur signifier la fin de l'entretien, elles s'en allèrent docilement et nous laissèrent, Veronica et moi, en tête à tête avec elle. Je n'avais toujours pas bougé de mon siège. Mon amie s'adressa à moi.

— Mary, veux-tu rentrer avec moi ou préfères-tu prendre un taxi plus tard ?

La soirée lui avait fait du bien. Elle était de nouveau calme, sûre d'elle, mais pensive. Je compris qu'elle préférait rester seule.

— Ronnie, si tu n'y vois pas d'inconvénient, j'irai directement à mon club tout à l'heure. J'y garde des vêtements et on m'y donnera une chambre. Je te renverrai demain ceux que tu m'as prêtés. À moins que nous nous retrouvions pour le déjeuner ?

Tournée vers elle, j'ignorais Margery, tout comme je ne lui avais pas laissé le dernier mot lors de notre premier échange. Mais je sentais très bien, dans mon dos, son regard amusé par mon petit jeu.

— Oh, oui ! s'écria Veronica avec enthousiasme. Où ?

— Au British Museum, devant la frise du Parthénon. À midi. Ensuite, nous irons chez Tonio. Ça te va ?

— Merveilleux ! Je ne suis pas allée au BM depuis une éternité. À demain, donc.

Elle salua Margery Childe avec déférence et sortit en virevoltant.

4

Lundi 27 décembre

*Le sexe féminin dans son ensemble a la compré-
hension lente.*

SAINT CYRILLE D'ALEXANDRIE

La porte se referma, étouffant la voix de Veronica, dont
les mots aimables à l'intention de Marie s'estompèrent le
long du couloir tandis que je me laissais scruter longuement,
attentivement, avec une insistance impassible. Lorsque la
femme blonde assise en face de moi se détourna enfin puis,
de deux coups d'orteil contre les talons, se débarrassa de
ses chaussures sous une table basse, je poussai le soupir que
je retenais depuis longtemps en rendant grâce à Holmes dont
les leçons, les piques et les sempiternelles critiques m'avaient
rendue capable de supporter un tel examen sans flancher,
du moins de façon visible.

Pieds nus, Margery marcha en silence sur le tapis épais
jusqu'aux bouteilles posées sur le buffet, remplit un verre
de glaçons et d'une grande rasade de gin-tonic. Elle se
tourna à demi vers moi d'un air interrogateur, enregistra
sans commentaire mon geste de refus, sortit d'un tiroir un
étui à cigarettes émaillé et une boîte d'allumettes assortie,
les plaça dans un cendrier qu'elle prit avec elle et revint
s'asseoir, avec une grâce féline dont elle n'avait pas
conscience. Elle replia ses pieds sous elle, comme le chat

dans la cuisine de Mme Hudson, alluma sa cigarette, abandonna l'allumette dans le cendrier en équilibre sur le bras
de son fauteuil et aspira une profonde bouffée avant de souf-
fler la fumée par le nez et la bouche. Elle savoura avec la
même délectation sa première gorgée d'alcool, ferma les
yeux une minute.

Lorsqu'elle les rouvrit, toute sa magie avait disparu. Elle
n'était plus, malgré sa belle robe, qu'une petite femme
épuisée et décoiffée qui buvait et fumait. Je révisai mon
estimation sur son âge, lui attribuai une petite quarantaine
et fus tentée de m'éclipser.

Elle me regarda encore, mais moins intensément. Enfin,
elle parla, d'une voix posée, sans artifices. Je me demandai
s'il ne s'agissait pas d'une stratégie délibérée, si elle ne
jouait pas l'honnêteté face à une personne qui s'était révélée
insensible à ses techniques habituelles, ou si elle avait tout
simplement, pour des raisons connues d'elle seule, renoncé
aux faux-semblants. Pourtant, je la sentais sur ses gardes.
Peut-être se cachait-elle derrière son naturel ?

Ses premiers mots confirmèrent mon intuition : sa simplicité était à la fois une réponse au problème que je lui
posais et une tactique réfléchie.

– Pourquoi êtes-vous là, Mary Russell ?

– Veronica m'a invitée. Je peux m'en aller, si vous
voulez.

Elle secoua la tête avec impatience, comme pour rejeter
à la fois ma réponse et mon offre.

– Je sais par expérience que les gens viennent toujours
ici pour une raison précise, murmura-t-elle ; parce qu'ils
recherchent une chose ou en ont une à donner. Certains ne
pensent qu'à m'agresser. Et vous ? Quels sont vos mobiles ?

Déconcertée, j'hésitai un instant.

– Je suis venue parce que mon amie avait besoin de moi,
finis-je par admettre.

Cette raison lui parut acceptable.

– Veronica, oui. Comment l'avez-vous connue ?

– Nous avons été condisciples à Oxford pendant un an.

Je décidai de passer sous silence les frasques auxquelles nous nous étions livrées ensemble et d'insister sur des actions dignes d'éloges.

– Ronnie avait organisé une représentation de *La Mégère apprivoisée* au profit des soldats blessés hébergés au collège. Elle avait aussi loué une salle pour une série de conférences et de débats sur les élections (nul besoin de préciser lesquelles), et m'avait amenée à y participer. Elle a un talent pour impliquer les autres. Vous avez dû vous en rendre compte. Son enthousiasme est contagieux. Je crois que cela tient à sa bonté naturelle. Nous sommes devenues amies. Je ne sais pas vraiment pourquoi.

Je restai stupéfaite, en m'interrompant, devant ma prolixité et la part de vérité que j'avais confiée à cette inconnue.

– L'attirance des contraires. Veronica est plus douce, plus généreuse qu'il ne le faudrait. Je doute qu'on puisse dire la même chose de vous. La dureté et la douceur, la force et l'amour se complètent à merveille, n'est-ce pas ?

Elle s'était exprimée sur le ton de la conversation la plus banale. Mais la redoutable simplicité de ses remarques me mit tout de suite sur la défensive. À tort, semblait-il, car elle poursuivit sans la moindre hostilité, après avoir bu une autre gorgée de gin :

– C'est la base de notre cycle de services du soir, pourrait-on dire. Et aussi de nos activités quotidiennes.

– Un cycle ?

– Ah, je vois que Veronica ne vous a pas expliqué grand-chose.

– Rien de très cohérent. Elle m'a beaucoup parlé d'amour et de droits des femmes.

Margery s'esclaffa : un rire profond, sonore.

– Chère Veronica, si enthousiaste ! Voyons si je parviendrai à combler les vides.

Elle écrasa sa cigarette, en ralluma tout de suite une autre, me fixa à travers la fumée.

– Les services du soir constituent ce que l'on pourrait appeler nos événements publics. Nombre de personnes venues par curiosité sont ainsi demeurées parmi nous. Le lundi, nous n'avons pas de thème précis. J'aborde un certain nombre de sujets, nous lisons parfois la Bible, prions en silence ou en groupe. Il nous arrive également de commenter l'actualité politique. Le lundi, je laisse l'Esprit me guider. Ces réunions rassemblent généralement un petit nombre d'amies cultivées, comme ce soir. Le mardi, c'est différent. Très différent.

Ses yeux s'assombrirent et un léger sourire apparut sur ses lèvres. Un bref instant, elle redevint la femme à la beauté magnétique que j'avais vue dix minutes plus tôt. Elle tapota sa cigarette au-dessus du cendrier, me fixa de nouveau.

– Le mardi, nous parlons d'amour. Ces soirées-là sont très courues, y compris par des hommes. Le samedi, enfin, nous évoquons l'autre extrémité du spectre : le pouvoir. La politique prend très vite le dessus et nos têtes les plus chaudes se libèrent sans complexe. Nous n'avons pas beaucoup d'hommes, le samedi. Et ceux qui se risquent jusqu'ici ne cherchent que l'affrontement. Les samedis peuvent être très excitants.

Son sourire s'épanouit.

– Je l'imagine sans peine, dis-je, en me souvenant des cris qui avaient ponctué la « paisible soirée » à laquelle j'avais assisté. Et ces autres activités ?

– Les services du soir ne forment que la partie visible de l'iceberg. Pour parler simplement, nous nous occupons de tout ce qui concerne la vie des femmes. Je sais que cela peut paraître prétentieux, ajouta-t-elle en riant encore une fois, mais il faut viser haut. Nous nous consacrons actuellement à quatre grandes questions : alphabétisation, santé, sécurité, réformes politiques. Veronica dirige le programme d'alphabétisation et accomplit de l'excellent travail. Elle apprend à lire et à écrire à environ quatre-vingts femmes.

– Toute seule ?

Son épuisement ne m'étonnait plus.

– Non, non. Chaque semaine, tous les adeptes du Temple consacrent bénévolement une part de leur temps à l'un ou l'autre de nos projets. Veronica coordonne l'action des institutrices, ce qui ne l'empêche pas d'enseigner elle aussi. Les choses se passent de la même manière pour les autres programmes. En ce qui concerne la santé, par exemple, nous bénéficions de la coopération d'un médecin et de plusieurs infirmières. Mais il s'agit surtout pour eux d'identifier les membres de la communauté qui ont besoin d'aide, de les mettre en contact avec les bonnes personnes. Une femme atteinte d'une infection pulmonaire chronique sera suivie par un praticien mais recevra également la visite d'un spécialiste de l'habitat qui examinera son logement pour savoir si l'on peut en améliorer l'aération. Une femme souffrant de maux de tête liés à une fatigue des yeux recevra une paire de lunettes et nous chercherons à augmenter l'éclairage de son lieu de travail grâce à des lampes à gaz, ou même en y installant l'électricité. À une autre, harassée par onze grossesses, nous apprendrons le contrôle des naissances, tout en la faisant bénéficier, elle et ses enfants, de nos distributions de nourriture.

— N'avez-vous pas eu de problèmes avec la contraception ? D'un point de vue légal, je veux dire ?

— Une fois ou deux. Une de nos adeptes a même passé, à cause de ça, une semaine derrière les barreaux. Depuis, nous nous efforçons de transmettre nos informations de vive voix plutôt qu'en imprimant des tracts. C'est grotesque, mais c'est ainsi. Les choses deviennent quand même plus faciles. Le docteur Stopes, que vous connaissez peut-être, a l'intention d'ouvrir à Londres, au printemps, un dispensaire spécialisé dans les méthodes contraceptives. Elle s'adressera à nos membres le mois prochain, si cela vous intéresse.

Je répliquai par un murmure dénué d'enthousiasme. Je ne pouvais m'empêcher d'imaginer les réactions de Holmes.

— Et la sécurité ?

— Elle a d'abord été une branche du programme de santé. À présent, elle nous occupe presque autant et nous cause beaucoup plus de soucis. Nous dirigeons un foyer pour les mères et leurs enfants qui n'ont plus de toit ou sont menacés par le père. Il est navrant de constater à quel point une femme désespérée et sans relations a du mal à trouver de l'aide. Les maris violents ne constituent pas une menace aux yeux de la loi, déclara-t-elle d'une voix égale mais les yeux chargés de colère, ce qui me rappela brutalement son nez fracturé. Il y a deux ans, une adepte nous a légué deux maisons adjacentes, tout à côté d'ici. Nous les avons transformées en foyer et avons fait savoir que toute femme ayant besoin d'un abri sûr y serait la bienvenue, avec ses enfants, bien entendu.

— Je m'étonne que vous ne soyez pas submergées.

— Nous ne les autorisons pas à rester indéfiniment. Nous les aidons à trouver un emploi et parfois à prendre soin de leurs enfants en bas âge, tout en essayant de remettre le mari dans le droit chemin. Nous ne concevons pas le foyer comme une solution permanente. Il existe encore des hospices pour cela, ajouta-t-elle avec une ironie amère.

— Uniquement des femmes, donc ?

— Uniquement des femmes. Nous tombons de temps à autre sur des hommes, qui nous prennent pour une soupe populaire. Nous leur servons un repas et nous les renvoyons. Les hommes ont d'autres possibilités. Les femmes, elles, ont besoin du soutien de leurs sœurs. Il est passionnant pour moi de mettre en contact des femmes de différents milieux et de me rendre compte de tout ce qui les rapproche. Nous sommes à la veille d'une révolution qui modifiera de fond en comble la place de la femme dans la société. Et nous voulons être sûres que les bouleversements à venir profiteront à toutes, riches ou pauvres.

— La plupart de celles que j'ai vues ce soir, même pendant le service, ne semblaient pas vraiment dans le besoin.

Elle refusa de tomber dans le piège et sourit doucement.

— Mon ministère a deux facettes. Il y a d'un côté mes sœurs les plus pauvres, dont les besoins, même désespérés, sont immédiats et relativement simples à satisfaire : lunettes, traitement contre la tuberculose, vêtements chauds pour les enfants. De l'autre côté, il y a celles que vous avez vues ce soir au service, plus celles qui se présentent elles-mêmes comme le « premier cercle » ; des personnes de votre âge qui ont mûri pendant la guerre, à une époque où il était banal de voir les femmes accomplir des tâches qui auraient été inconcevables dix ans plus tôt ; sans compter celles qui, plus âgées, ont porté pendant cinq ans le pays à bout de bras et qu'on traite aujourd'hui de viragos en les accusant de vouloir chasser les hommes de leurs emplois. Mon rôle consiste à réunir ces deux contraires.

Elle ne frappa pas dans ses mains, ce qu'elle faisait sans doute en public, mais l'idée y était.

— Pauvres petites filles riches, murmurai-je.

— Leurs aspirations sont réelles, répliqua-t-elle sèchement. Qu'elles soient spirituelles plutôt que matérielles n'en diminue en rien l'acuité. D'autant qu'elles ne doivent s'en prendre qu'à elles-mêmes. Un placard vide est un fait incontournable ; un cœur vide n'est que la conséquence d'une existence vaine.

— Et vous dites qu'elles menaient des existences vaines ?

Ce cliché m'agaçait, surtout ce soir, alors que j'avais encore en tête l'odeur des rues les plus sordides de Londres. Je résolus de la pousser dans ses retranchements, même si cela m'obligeait à taire mes propres opinions, à me faire l'avocat du diable.

— Je ne pense pas que la plupart des habitantes de ce quartier soient d'accord avec vous. Pour la plupart, elles seraient ravies d'échanger leurs placards vides contre les inconvénients d'une bonne éducation, d'une santé florissante et d'une vie d'oisiveté. Nous ne parlons pas de 1840. Ni de 1903. Nous sommes presque en 1921 et on ne force personne, que je sache, à revenir à l'époque des corsets et des jupes entravées. La moitié des femmes présentes ici ce soir ont sans doute le droit de vote.

— Ce droit n'a été qu'un hochet ! Affranchir une esclave après une vie de servitude ne rend pas l'esclavage acceptable. Et permettre à une petite minorité de femmes de se rendre aux urnes ne compense en rien le labeur fourni pendant la guerre par toutes les citoyennes de ce pays, sans parler des millénaires d'oppression qui ont précédé. Le droit de vote a brisé l'union des féministes, détruit leur solidarité. Nous nous sommes laissé berner par un leurre.

Ses mots paraissaient plus spontanés. Pourtant, même portés par une indignation sincère, ils avaient encore le côté convenu d'un discours de circonstance.

— Par conséquent, vous utilisez ces femmes. Vous les faites travailler sur vos projets en profitant de leur désir de se sentir utiles.

Loin de prendre ombrage de mon commentaire, elle éclata de rire et m'adressa un clin d'œil complice.

— Pensez à toute cette énergie qui n'aspire qu'à être employée. Et aucun homme n'y touchera. Les politiciens n'oseront jamais s'y frotter.

— Vous avez donc des ambitions politiques ?

La photographie aperçue dans un journal me revint en mémoire. L'avait-on prise à l'occasion d'une donation ? D'une contribution financière à une campagne électorale ?

— Je n'ai aucune ambition... pour moi-même.

— Pour l'Église ?

— Pour le Temple, je ferai ce qui devra être fait. Cela implique mon entrée dans l'arène politique.

— En aspirant toutes les énergies disponibles autour de vous, précisai-je avec ironie.

— Cela représente en effet un grand nombre de personnes.

— Et leurs comptes en banque.

Si j'avais voulu la provoquer, j'en étais pour mes frais. Même Holmes, jouant la comédie, n'aurait pu m'opposer une expression aussi gracieuse.

— Si vous parlez des fonds que nos membres mettent à la disposition du Temple, vous avez raison. Dieu Se montre très généreux avec nous. La plupart des adeptes versent une cotisation. Les autres donnent ce qu'elles peuvent.

Mes insinuations ne l'avaient pas troublée le moins du monde. J'eus la nette impression qu'elle y avait longtemps réfléchi et que sa bonne foi ne faisait pour elle aucun doute.

Elle attendit avec calme. Son verre n'était qu'à moitié vide : quels que fussent ses défauts, l'alcoolisme n'en faisait pas partie. Je changeai de sujet.

– Votre commentaire de la Genèse m'a intéressée. S'agissait-il d'une interprétation personnelle du récit de la Création ou d'un emprunt à l'ouvrage de quelqu'un d'autre ?

Cette fois, à ma grande stupeur, elle réagit vivement. Elle se redressa d'un mouvement brusque, aussi scandalisée que si lady Macbeth avait interrompu un de ses discours pour lui proposer une recette de cuisine.

– Mademoiselle Russell, pour quel journal travaillez-vous ?

À mon tour de m'offusquer.

– Un journal ? Grands dieux, est-ce vraiment ce que vous pensiez ?

Je ne savais si je devais rire ou jouer les offensées. Je comprenais enfin la raison de son ton à la fois familier et convenu. Elle me prenait pour une journaliste clandestine qui avait profité de la naïveté d'une personne ignorant sa profession pour s'introduire dans le Temple et débusquer la « véritable Margery Childe ». L'hilarité me parut plus appropriée.

– Non, mademoiselle Childe, je ne suis pas journaliste ; simplement une amie de Ronnie Beaconsfield.

– Alors, que faites-vous dans la vie ?

Question révélatrice : Margery ne voyait nullement en moi l'une de ces riches mondaines qui l'entouraient. Cela me fit plaisir.

– Je suis à Oxford. Je dirige, de façon officieuse, des groupes d'étudiants. Mais je fais surtout de la recherche.

– En quoi ?

– Sur la Bible, principalement.

– Je vois. Vous étudiez donc la théologie.

– Et la chimie.

– Étrange combinaison.

– Pas tellement. La chimie débusque les lois de l'univers physique, la théologie celles de l'univers humain. Leurs mécanismes sont assez proches.

Elle avait oublié son verre et sa cigarette, et semblait écouter une voix intérieure.

– Je vois, dit-elle encore, mais sans se référer, de toute évidence, à ma dernière phrase. Oui, je commence à comprendre. Mon commentaire sur la création de la femme vous a plu. Comment l'interpréteriez-vous ?

– À peu près comme vous, même si je suis parvenue à ces conclusions par des voies différentes des vôtres.

– Peu importe. Seul le résultat compte.

– Vous vous trompez.

Elle leva les yeux, frappée moins par le tranchant de ma voix que par mon jugement lui-même. Elle ne pouvait pas savoir qu'une analyse approximative des textes me paraissait bien plus impardonnable que la falsification des résultats d'une expérience chimique bâclée. J'esquissai un sourire pour adoucir le mordant de ma réplique puis tentai de m'expliquer.

– Interpréter la Bible sans formation préalable revient à chercher une adresse dans une ville étrangère sans en posséder le plan ni en parler la langue. Vous finirez peut-être par la trouver, mais vous aurez été obligée de vous fier à des renseignements plus ou moins fantaisistes, sans pouvoir démêler le vrai du faux. En ce qui concerne la Bible, vous restez à la merci de la tyrannie des traducteurs.

– Oh, peut-être pour quelques nuances subtiles...

– Et des contresens flagrants ou une occultation délibérée du sens originel.

– Par exemple ? lança-t-elle avec scepticisme.

– Deutéronome, chapitre 32, verset 18, rétorquai-je avec orgueil.

Un seul verbe, dans ce passage, nous avait occupés plusieurs semaines, moi et les bibliothécaires de la Bodléienne. Son exégèse était le clou de l'article que je venais de terminer et que je devais présenter d'ici trente jours. J'étais très fière d'avoir décortiqué ce verset. Il fallut un moment à Margery pour se le rappeler.

– « Tu as abandonné le rocher qui t'a fait naître, et tu as oublié le Dieu qui t'a engendré. »

Elle avait l'air intriguée. Ce passage, où Moïse exhorte son peuple à renoncer à ses pratiques païennes pour se tourner vers le roc qu'est son Dieu, n'avait apparemment rien d'obscur.

– Ce n'est pas ce qu'il dit, expliquai-je à Margery. Oh, c'est ce qu'indique la traduction autorisée, mais pas l'original. Le mot « engendré » ne figure nulle part dans le texte hébreu. Le verbe employé est *hul*, qui signifie « tordre ». On l'emploie pour désigner les contorsions de la danse ou, comme ici, celles de l'enfantement. Le verset devrait être traduit ainsi : « Tu as abandonné le rocher qui t'a fait naître, tu as oublié le Dieu qui s'est tordu de douleur en te mettant au monde. » Il s'agit de rappeler au peuple que Dieu procède à la fois du masculin et du féminin.

Fichtre, songeai-je en observant son visage, si les universitaires les plus pointus ne réagissent à mes déductions qu'avec le dixième de sa fougue, ce sera une séance mémorable.

Elle bondit de son siège comme un chat échaudé, traversa la pièce, se précipita vers un tiroir d'où elle sortit un livre usé, relié de cuir blanc, en tourna les pages d'une main experte et parcourut avidement le verset en question, comme si elle s'attendait à ce qu'il ait changé. Elle se tourna vers moi et brandit d'un geste accusateur le volume dans ma direction.

– Mais cela... cela veut dire...

– Oui, répondis-je, ravie de mon effet. Cela prouve que tout un vocabulaire faisant référence à l'aspect maternel de Dieu a été délibérément obscurci.

Je la regardai essayer de prendre la mesure de ce que je venais de déclarer, puis le résumai en une phrase que je n'emploierais certes pas lors de la présentation de mon article à Oxford.

– Dieu la Mère, cachée pendant des siècles.

Elle baissa les yeux vers le volume, comme si le sol, sous ses pieds, était subitement devenu instable et menaçant, tritura les pages à tranche dorée du livre, le reposa, retourna s'asseoir et, troublée, alluma une autre cigarette.

– Connaissez-vous d'autres exemples de ce genre ?

– On ne les compte plus.

Elle fuma en silence, me jeta un coup d'œil oblique.

– Oui, je vois, marmonna-t-elle encore, les prunelles dans le vague.

Une minute plus tard, elle se leva et se mit à arpenter la pièce. L'image du chat était si forte que je n'aurais pas été surprise de la voir sauter sur le buffet et se faufiler entre les bouteilles. Elle revint vers sa chaise, tapota nerveusement sa cigarette.

– Je comprends maintenant la raison de votre présence. Vous êtes venue pour m'initier.

Mes sourcils se soulevèrent : vieux réflexe hérité de Holmes.

– Pourriez-vous m'apprendre... à lire l'original ? souffla-t-elle, comme si elle se sentait prête à retrousser ses manches de soie et à commencer sur-le-champ.

– Ni l'hébreu ni le grec ne sont bien difficiles, répondis-je, ce qui ne m'engageait à rien. Avec un peu de temps...

– Il faut que vous fassiez découvrir ce Dieu Mère. Pourquoi n'en ai-je rien su ? Cela change tout. Il y a d'autres exemples, dites-vous ?

– En fouillant bien, on en trouve partout. Job, 38, Isaïe, 66, Josué, 11, Isaïe, 42. Et, bien sûr, les passages de la Genèse que vous avez cités ce soir.

Elle resta silencieuse un instant.

– Oui, bien sûr. Mais je n'aurais jamais pensé...

Là était le nœud. Elle avait assimilé les mots, leur avait donné une résonance qui abondait dans son sens, mais n'avait jamais eu l'idée de traquer leur signification cachée, de chercher des grilles de lecture autres que celles qui, acceptées depuis des siècles, excluaient l'idée dérangeante de la maternité de Dieu. Cette femme n'était pas une grande intellectuelle. Ses prières et ses méditations n'avaient rien d'analytique. Toutefois, je venais de déposer, comme sur une substance prête à recevoir un agent catalyseur, la première mesure d'un réactif dans son esprit rapide et avide. Il était temps de reculer.

Comme si elle avait lu dans mes pensées, elle leva la main pour m'empêcher de faire marche arrière, puis l'abaissa avec un sourire triste.

– Pardonnez-moi. Je m'emballe trop facilement et je veux tout, tout de suite. Vous avez votre propre travail à mener à bien.

Son sourire devint songeur.

– Quoi qu'il en soit, j'apprécierais toute aide que vous pourriez m'apporter. S'il existe des livres... Vous savez à quel point ce serait important pour moi, même si je me rends bien compte que vous n'avez guère le temps de passer vos journées ici pour me servir de préceptrice.

Je protestai que je serais heureuse de l'aider, puisque les responsabilités du prochain trimestre n'avaient pas encore été arrêtées. Je réalisai soudain que son humilité venait de me piéger, alors que son ascendant n'aurait eu sur moi aucune influence. Sa gratitude masquait mal son triomphe. Désarçonnée et réticente, j'acquiesçai avec un petit sourire contrit qui la fit rire.

– Je vous aime bien, Mary Russell. Soyez mon mentor, je vous en prie. Je suis sûre que j'apprendrai énormément de vous. Même en dehors de l'hébreu et de la théologie.

Je ris à mon tour. Elle se leva, remit ses chaussures et traversa le labyrinthe à présent silencieux qui menait à l'entrée. Elle parla de tout et de rien, de fleurs, de son regret de ne plus avoir le temps de jardiner, qui expliquait la manie de ses amies et disciples, gênante pour elle, de la couvrir de roses.

Elle se montra amicale, détendue et modeste. Pourtant, je ne parvenais pas à me sentir tout à fait à l'aise avec elle, en partie à cause de sa taille d'enfant, que, dans mes vêtements mal ajustés, je dominais comme une géante pataude, de sa façon de marcher si près de moi, son épaule frôlant parfois ma manche, si bien que je respirais son odeur de sueur et de soie, rehaussée d'une discrète senteur de musc ; et aussi à cause de l'habileté avec laquelle elle avait trouvé la faille dans mes défenses pour me pousser à accepter de l'aider. Au-delà, ma gêne venait surtout de la fascination et du trouble qu'elle continuait, maintenant, à provoquer en moi, comme une fleur tropicale hypnotisant les insectes dont elle se nourrit.

Elle m'avait piégée. Ce fut avec soulagement que je lui souhaitai bonne nuit.

Impavide, le portier interrompit la lecture de son roman à couverture jaune, se leva et déverrouilla pour moi la grande porte. Il pleuvait un peu. La rue, quoique éclairée, était déserte.

J'hésitai un moment, tentée de téléphoner pour appeler un taxi, mais l'image de la plante carnivore et l'attitude peu engageante du portier m'en dissuadèrent. En dépit de la pluie, je préférai quitter le bâtiment pour respirer, loin du parfum entêtant de Margery, l'air vivifiant du dehors. Je relevai le col de mon manteau, enfonçai mon chapeau sur mes lunettes et me dirigeai résolument vers les lumières les plus brillantes, au bout de la rue.

À mi-chemin, l'averse redoubla. Elle imbiba mes omoplates, pénétra mes chaussures. Je pestais contre le climat britannique tout en repensant avec des sentiments contradictoires à la femme que je venais de quitter, quand un mouvement furtif, sous le porche non éclairé devant lequel je passais, me fit brusquement m'accroupir et pivoter. Ombre parmi les ombres, une longue silhouette au visage blafard se dressa devant moi. Elle m'interpella de façon presque inaudible, en un chuintement salace qui dominait à peine le bruit de la pluie.

– Les jolies filles n'ont à rien faire dehors à cette heure de la nuit.

Je frissonnai. Mais avant que ce frisson ne se change en chair de poule, je me redressai en riant.

– Holmes ! Doux Jésus, que faites-vous ici ?

Il rassembla ses sombres vêtements autour de lui et avança d'un pas dans la lumière incertaine, incarnation de Dracula ou de Jack l'Éventreur. Son chapeau à large bord dissimulait ses traits, hormis ses lèvres fines, retroussées par ce sourire sardonique que je connaissais si bien. Lorsqu'il éleva la voix, son timbre était un peu moins aigu qu'à l'ordinaire, signe d'excellente humeur.

– Une lubie, Russell, répondit-il en repoussant son chapeau, les yeux plissés par la gaieté. Une simple lubie.

5

Lundi 27 – mardi 28 décembre

Les affaires privées faisant, comme les affaires publiques, partie de la vie humaine, Dieu les a réparties. Il a confié à l'homme les activités extérieures et à la femme tout ce qui concerne la maison... Dans sa sagesse, la divine providence a reconnu que l'être capable de conduire les grandes affaires n'entendait rien aux choses sans importance, ce qui rendait nécessaire la fonction de la femme. Car si Dieu avait créé l'homme capable d'assumer les deux rôles, la gent féminine aurait été méprisable. Et s'Il avait confié les questions importantes à la femme, il l'aurait remplie d'orgueil masculin.

SAINT JEAN CHRYSOSTOME

– Mon cher Holmes, j'ignore comment vous m'avez retrouvée, mais vous tombez bien. J'avais d'ailleurs prévu d'aller vous voir demain. Je suppose que vous n'avez pas de parapluie caché sous votre houppelande ? lui demandai-je pleine d'espoir, alors que, rebondissant contre le rebord de mon chapeau, une giclée de pluie glacée me coulait dans le dos.

– Vos vêtements me paraissent un peu légers, reconnut-il. Je constate en outre, d'après leur taille, qu'ils ne vous appartiennent pas. Quelque chose de plus chaud ne vous ferait pas de mal.

Il déboutonna sa houppelande. Sans tenir compte de mes protestations, il la secoua après s'en être débarrassé d'un coup d'épaule, révélant le manteau à carreaux qu'il portait en dessous, et en recouvrit les miennes.

– Merci, Holmes, c'est très galant de votre part. Je n'en attendais pas moins d'un gentleman victorien. Je suppose que vous ne dissimulez pas de réchaud Primus ni de bouilloire à thé dans une poche intérieure. Je rêve d'une brasserie ouverte toute la nuit et chauffée par de bons radiateurs.

– Si vous vous sentez capable de parcourir un mile avec vos chaussures, je vous invite à profiter d'un endroit bien plus accueillant.

– Vous avez une chambre près d'ici ?

– Un refuge, oui. Je ne vous ai pas encore emmenée dans celui-là, mais c'est le plus confortable.

– Une souricière dans la tempête. Allons-y.

Il marcha d'abord du même pas que moi, puis me précéda dans d'étroites ruelles, me fit escalader une échelle d'incendie, traverser un toit et redescendre par une autre échelle jusqu'au sous-sol d'un grand magasin, pour aboutir devant une paroi de bois blanc encastrée entre deux murs de brique de même couleur. S'éclairant avec une torche électrique, il inséra une clé dans un trou minuscule percé dans le bois. Avec un petit bruit poussif, une partie de la paroi s'entrebâilla. Il lui donna un coup d'épaule. Je me faufilai à sa suite dans l'obscurité. Il repoussa la porte, la verrouilla. Avec sa torche, il m'indiqua le chemin vers une deuxième porte, qu'il déverrouilla et referma elle aussi derrière lui. Après avoir monté un escalier, je le suivis à travers un sombre bureau, puis à l'intérieur d'une grande armoire d'acajou pleine de pardessus suspendus, aux relents de moisi, dont le fond donnait dans une pièce où stagnait une odeur de café, de tabac et de feu de charbon, agrémentée d'une délectable senteur de vieux livres.

– Faites attention à vos yeux, dit-il.

Il alluma les lampes, qui m'aveuglèrent un instant.

Nous nous trouvions dans une de ses tanières disséminées dans Londres, toutes autonomes et possédant de quoi soutenir un siège : eau, vivres, lecture, déguisements, armes, plus tout ce dont on avait besoin pour s'aventurer dans une ville hostile. J'en connaissais déjà deux, dont la Réserve, tapie au troisième étage d'un autre grand magasin, antre confiné qui me rendait claustrophobe. Sans être luxueux, ce repaire-là était le mieux équipé des trois. Je remarquai même des tableaux, ornements dont, d'ordinaire, Holmes se souciait comme d'une guigne. Il préférait tapisser ses refuges de rayons de bibliothèque, de plaques de liège et de cibles de tir. J'ôtai à la hâte mes oripeaux trempés, cherchai un endroit où les étendre. Il tendit la main.

– Donnez-les-moi.

Il ouvrit un étroit panneau dans le mur, sortit des portemanteaux d'un réduit aux parois de métal. M'approchant pour regarder par-dessus son épaule, je découvris un conduit d'aération de deux pieds de large, où il avait fixé une tringle.

– Sortie de secours ? questionnai-je mon hôte en sondant les ténèbres.

– Uniquement en cas de danger immédiat. Accès interdit aux intrus. Avant de dévisser les quatre boulons de la grille qui barre le conduit, un ennemi aurait le choix entre finir asphyxié ou rôti ; ne l'ayant expérimenté que froid, je ne me suis pas encore décidé. En tout cas, c'est très efficace pour faire sécher les vêtements mouillés.

Il repoussa la porte.

– Thé, café, vin ou soupe ?

Nous optâmes pour les trois derniers, une lampée de vin corsant la soupe en boîte. Pendant qu'il s'affairait devant le réchaud en maniant bouilloire et casserole, j'allumai le feu puis observai plus attentivement les tableaux, dont un paysage trop parfait de collines plantées d'arbres sous lesquels paissaient des moutons.

– Celui-ci est un Constable, n'est-ce pas ? Et le naufrage ? Qui l'a peint ?

C'était une scène puissante, sauvage. D'énormes vagues déferlaient sur des mâts brisés : romantique en diable, comme le Constable, et techniquement superbe.

– Celui-là, c'est un Vernet.

– Ah oui, votre grand-oncle.

– Son grand-père, en fait... Tortue ou crème de tomate ?

– La boîte la plus récente, répondis-je prudemment.

– Aucune conserve n'a plus de trois ans. On peut néanmoins affirmer, en comparant les couches de poussière, que la tomate est la plus fraîche : environ dix-huit mois.

– Va pour la tomate. Avez-vous fait passer tout le mobilier par le fond de l'armoire ?

– Seulement le moins encombrant. Le plus gros était déjà là quand j'ai édifié le mur de brique qui isole la pièce.

– C'est joli, Holmes. Douillet.

– Vous trouvez ?

Cela sembla lui faire plaisir. Une cuillère à la main, une boîte de conserve ouverte dans l'autre, il ne lui manquait qu'un tablier de cuisinier pour incarner la parfaite image de la félicité domestique. Étrange vision, qui me sidéra. Holmes m'avait toujours habituée à une indifférence totale pour ce qui l'entourait, sauf, bien sûr, lorsqu'il démêlait une affaire.

– Une expérience, avoua-t-il en préparant la soupe dans le minuscule coin cuisine. Je voulais tester l'influence du décor sur mon humeur. J'ai constaté que je me sentais moins irritable ici, plus reposé et l'esprit plus libre qu'après soixante-douze heures passées dans la Réserve.

– Le contraire m'eût étonnée...

– Très intéressant, vraiment. J'ai l'intention de m'en servir pour écrire un essai sur la réinsertion des criminels.

– Rédemption grâce aux douceurs du foyer ?

– Épargnez-moi vos sarcasmes, Russell. Et buvez plutôt votre soupe.

Avec des grâces de majordome, il me la servit arrosée de madère, accompagnée de biscuits plus secs que des bouts de bois, d'œufs durs, d'une orange presque pourrie et d'une portion de fromage qui tombait en miettes. Il alla même jusqu'à débarrasser la table quand j'eus terminé, revint avec du café noir, une bouteille de vieux porto et des bonbons à la menthe.

– Savez-vous que j'ai, pendant six mois, gagné ma vie comme sous-chef cuisinier dans un célèbre restaurant de Montpellier ?

Encore un épisode de sa vie que j'ignorais : jamais il ne cesserait de me captiver. Il s'affala dans un fauteuil, poussa un gros soupir.

– Allez-vous m'expliquer pourquoi vous êtes soudain devenue bigote, ou dois-je me résoudre à trouver un autre sujet de conversation ?

– Si vous saviez que je me trouvais là-bas, vous n'ignorez pas avec qui j'y suis allée. M'avez-vous pistée à partir de cet incroyable salon de thé ?

– Vous avez semé dans toute la ville des traces de votre philanthropie, plus faciles à suivre que des empreintes de souliers cloutés dans la neige. Pourquoi diable avez-vous donné une coupure de cinq livres à ce gamin ? À minuit, tout le quartier était en émoi. La rumeur s'est répandue comme une traînée de poudre : un ange arpentait les rues et semait des fortunes sur son passage. En moins d'une heure, des mendiants accourus de tous les coins de Londres ont envahi Limehouse. Il m'a suffi d'en interroger quelques-uns pour parvenir jusqu'au salon de thé, en passant par le marchand de châtaignes qui avait trouvé une pièce d'argent dans ses cendres et quelques belles de nuit aussi pauvres que décaties. Tous, sauf le marchand, se souvenaient de la miraculeuse générosité d'un jeune homme à lunettes vêtu comme un campagnard. À la fin, l'un d'eux m'a parlé de la jeune dame avec qui ce singulier personnage s'était éclipsé. Une enquête discrète m'a permis de savoir que la demoiselle en question avait l'habitude d'aller écouter, le lundi, les sermons d'une sorte d'ecclésiastique féminin, si l'on peut employer cette expression. Cette prêcheuse ne figure pas dans l'annuaire. Je l'ai quand même dénichée, et vous par la même occasion. Mais je ne m'étais pas douté que vous passeriez en sa compagnie une bonne partie de la nuit. Mes os protestent.

– Allons, Holmes, vous n'avez vos crises de rhumatismes que lorsqu'elles vous arrangent. De toute façon, vous n'avez pas fait le pied de grue si longtemps...

– Qu'est-ce qui vous fait dire ça ? demanda-t-il, une lueur espiègle dans le regard.

– Votre houppelande n'était mouillée qu'en surface.

Il eut un petit sourire d'approbation. Je m'aperçus que, depuis le début du trimestre, j'avais été le plus souvent absente ou préoccupée. Nos échanges lui avaient-ils manqué, à lui aussi ? Impossible de l'interroger là-dessus. Je lui rendis son sourire.

– De toute façon, vous auriez pu soulager vos articulations en sonnant à la porte pour demander au portier de me transmettre un message.

– Et risquer de vous déranger en pleine enquête ?

Il prit l'air choqué, preuve qu'il plaisantait.

– Navrée de vous décevoir, mais il n'y a aucune enquête là-dessous. Simplement mon intérêt pour la théologie. Pourtant, si vous acceptez d'oublier votre méfiance instinctive envers l'irrationnel, j'aimerais savoir ce que vous en pensez.

– Est-ce pour cette raison que vous vous apprêtiez à venir me voir ?

– En partie, oui.

– Très bien. Laissez-moi le temps d'aller chercher ma pipe et je serai tout ouïe.

Je constatai avec une surprise amusée que, dans cette tanière-là, il rangeait ses pipes dans un râtelier, son tabac non pas au fond d'une babouche, d'une boîte à biscuits ou sous les racines inexistantes d'un aspidistra artificiel, mais dans une blague authentique, et ses allumettes dans une boîte d'argent. Watson et Mme Hudson en seraient tombés à la renverse.

– Je commencerai par Veronica Beaconsfield, non seulement parce qu'elle m'a mise en contact avec Margery

Childe, mais parce qu'on peut la considérer comme un des socles sur lesquels s'appuie le mouvement. Sans le concours de Veronica et d'autres femmes de sa trempe, Mlle Childe n'existerait sans doute pas.

Je lui racontai ma journée, depuis le moment où j'avais aperçu mon amie à travers la vitre du salon de thé jusqu'au moment où le portier m'avait laissée sortir sous la pluie. Je m'attardai sur les détails, à la fois pour clarifier mes idées et pour donner à Holmes une vision des choses aussi complète que possible. Je lui parlai des œuvres charitables de Veronica, de son fiancé perdu, du magnétisme de Margery Childe, de la fascination qu'elle exerçait sur ses adeptes. Je ne dissimulai pas l'ambiguïté de mes sentiments vis-à-vis d'elle, mon attirance contredite par l'aversion presque viscérale que m'inspirait sa façon de manipuler son auditoire, réticence qui, en retour, l'avait poussée à jeter le masque et à m'offrir, à moi, une inconnue, un visage moins fallacieux.

Je parlai une heure. Comme nous étions sans doute en phase, et aussi parce qu'il m'avait enseigné ses méthodes, il ne m'interrompit pas pour me demander des éclaircissements. Il rembourra une fois sa pipe, remplit nos verres à trois reprises et se contenta, pour toute remarque, de quelques grognements ponctuant le bruit de succion qu'il faisait en fumant. Je terminai à plus de 3 heures du matin.

— Vous êtes peut-être fatiguée, Russell ? murmura-t-il, les yeux fermés.

— Pas vraiment. J'ai dormi une grande partie de la journée. Je ferai peut-être une petite sieste après mon déjeuner avec Veronica.

— Qu'attendez-vous de moi, au juste ? Tout cela est fort intéressant d'un point de vue strictement humain, mais pourquoi m'y impliquer ?

— Je ne sais pas. J'escomptais peut-être que vous le raconter m'aiderait à y voir clair. Tout est si... Pourquoi riez-vous ?

– Je ris de moi, Russell, et d'une voix du passé. Je disais la même chose à Watson.

– Oh... Mais la comparaison n'est pas tout à fait exacte. Je souhaite avoir votre avis, vous qui jugez si bien la nature humaine.

– Je suis heureux que vous n'ayez pas dit : « Le caractère masculin ».

– Pas dans ce cas. Donnez-moi votre opinion, Holmes. Est-il possible qu'elle soit sincère ? Ou bien embobine-t-elle son monde, comme un vulgaire charlatan ? À première vue, son comportement a tout d'une imposture, d'une escroquerie de haut vol. Pourtant, on sent en elle quelque chose de vrai, même si elle manipule ses adeptes.

Holmes bourra sa pipe avec soin. La pièce devait être très bien aérée. Sinon, nous aurions étouffé depuis longtemps.

– Vous affirmez qu'il y a énormément d'argent en jeu.

– Je me suis retrouvée, après le service, au milieu de quatorze femmes, pour une grande part issues de l'aristo-cratie ou liées par leur mère aux patriciens de Boston et de Wall Street. Le prix de leurs vêtements suffirait à nourrir tout un quartier de Londres pendant un an, leurs coiffures à assurer la subsistance d'une famille pauvre durant plu-sieurs mois. Mlle Childe possède le bâtiment et deux mai-sons attenantes. Sa robe venait de France, plusieurs meubles auraient donné le tournis aux commissaires-priseurs de Sotheby's et elle avait le teint hâlé par le soleil d'un pays chaud. Oui, il y a de l'argent derrière elle. Beaucoup d'argent.

– Elle a peut-être vécu à vingt ans dans un taudis sans eau courante, mais c'est loin...

– Très loin.

Il tapota ses dents avec le tuyau de sa pipe, contempla le feu.

– « L'or est incorruptible », affirmaient les alchimistes. Mon expérience m'a appris qu'ils se trompaient : la religion et l'argent forment un mélange volatil. J'ai connu plusieurs cas de ce genre. Il y a eu « Peters le Saint », qui se faisait passer pour un missionnaire afin de délester de vieilles dames solitaires du fardeau de leur héritage. Plus tard, j'ai rencontré un certain chanoine Smythe-Basingstoke, qui apitoyait les foules sur le sort des malheureux enfants d'Afrique, passait des enregistrements de leurs chants en projetant des diapositives de leurs visages faméliques, puis empochait les dons destinés à ses missions imaginaires. Les voies de Dieu bifurquent souvent vers la réalisation de désirs bien humains. Si cette dame vivait parmi les pauvres, on pourrait avoir un doute. Or son teint hâlé et sa robe de soie importée de Paris ne plaident guère en sa faveur. Je ne vous apprend rien de neuf, n'est-ce pas, Russell ?

– Non. J'en suis arrivée aux mêmes conclusions que vous. C'est triste, dans un sens. D'un autre côté, elle est très intelligente et fait de l'excellent travail en faveur des Londoniennes.

– Le temps le dira, conclut-il.

Il retira sa pipe de sa bouche, me considéra un instant d'un air soupçonneux.

– À moins que vous n'ayez l'intention de mener une enquête indépendante ?

– Non. Je le répète : il s'agit d'une simple curiosité de ma part, dans un domaine qui est le mien, pas le vôtre.

– Une autre lubie, Russell ?

– Une autre lubie, oui.

Nos regards se rencontrèrent. Je mesurai soudain à quel point nous étions seuls. Le silence qui régnait dans l'immeuble rendait cet isolement plus perturbant encore, distillait un trouble accentué par le souvenir de notre algarade sur le hansom, l'intimité de l'heure et de l'endroit, mon chemisier collant, les longues jambes de Holmes étendues vers le feu et une conscience aiguë de ma féminité. Réprimant un frisson, je passai vite à un autre sujet.

– À propos d'enquête criminelle, Veronica m'a demandé si je pouvais aider son fiancé Miles à se libérer de la drogue. Auriez-vous une suggestion ?

72

– On ne peut rien faire, rétorqua Holmes d'un ton sans appel.

J'insistai quand même.

– Il semble avoir été quelqu'un de bien, avant les tranchées.

– Ils l'étaient presque tous.

– Il doit sûrement exister...

Il bondit sur ses pieds, contourna son fauteuil pour se retrouver le dos au feu et cogna le fourneau de sa pipe contre les briques en projetant le culot encore incandescent dans le foyer. Sa voix se fit aiguë, mordante.

– Russell, je ne suis pas homme à pouvoir imposer la tempérance à qui que ce soit, sauf, peut-être, par mon déplorable exemple. De surcroît, en dehors de mon inaptitude, je refuse de porter à bout de bras toute la misère du monde. Si des jeunes gens souhaitent s'empoisonner à l'héroïne, je ne peux pas plus m'y opposer qu'à l'explosion d'un obus allemand dans une tranchée.

– Et si c'était votre fils ? Ne souhaiteriez-vous pas que quelqu'un essaie ?

C'était un coup bas délibéré, méchant, impardonnable. Car, autrefois, il avait eu un fils. Et quelqu'un avait essayé...

Il tourna lentement la tête vers moi, le visage fermé, le regard glacial.

– Ce n'est pas digne de vous, Russell.

Il n'en dit pas davantage. Mais son intonation m'incita à me lever à mon tour. Je m'approchai de lui, posai ma main sur son bras.

– Je vous demande pardon. C'était inutile et cruel. Je suis désolée.

Il fixa ma main, la recouvrit brièvement de la sienne, puis regagna son fauteuil.

– Quoi qu'il en soit, enchaîna-t-il, vous avez raison. Il est irresponsable de ma part d'affirmer que je ne peux rien tenter sans avoir examiné le cas. Si vous aviez la bonté de me donner des informations sur ce jeune homme...

— Je... Il s'appelle Fitzwarren... Miles Fitzwarren, commençai-je faiblement.

Il m'interrompit d'un geste.

— Je le connais. Ou plutôt, je l'ai connu. Je vais réfléchir.

J'aurais pu être une cliente encombrante dont on se débarrasse avec quelques paroles de réconfort.

— Merci, Holmes, répondis-je d'une voix misérable avant, moi aussi, de retourner m'asseoir.

Je l'observai du coin de l'œil. Tassé sur lui-même, il mordillait le bout de sa pipe vide. Ma diversion avait eu l'effet escompté. Pourtant, ce vieux limier ne se laisserait pas abuser très longtemps. Pour l'heure, il contemplait sans les voir, au-delà du bout rapiécé de ses chaussettes de laine, les charbons rougeoyants. Mais je le connaissais par cœur. Aucun de ses gestes ne m'échappait. Chaque ride, chaque muscle de son visage m'était plus familier que mes propres traits ; et son esprit, qui avait façonné le mien, n'avait pour moi plus de secrets. Je savais qu'une fois qu'il aurait décortiqué le problème que je venais de lui soumettre et qui m'avait servi d'échappatoire, il me scruterait avec sa pénétration habituelle puis, en quelques mots habiles, ferait resurgir le sujet dont j'avais désespérément cherché à le détourner. Cela se produirait d'ici une minute. Dès lors, le frisson que j'avais réprimé reviendrait en force et, cette fois, me recouvrirait tout entière.

J'attendis avec appréhension qu'il relève la tête. Pour la première fois, je me sentais mal à l'aise en sa présence. Il ne me regarda pas, ce que je pris pour un jugement. Et j'eus horriblement peur.

Au bout du compte, il ne me jeta même pas un coup d'œil. Il se contenta de se pencher pour poser sa pipe sur la table, saisit ses bottines tachées de sel qui séchaient devant l'âtre et les enfila.

— Je dois m'en aller, annonça-t-il. Je serai rentré dans trois ou quatre heures. Tâchez de dormir un peu. Je vous réveillerai à 8 heures si vous n'êtes pas déjà debout. Il vaut mieux que nous ayons quitté l'immeuble à 9 heures, avant l'arrivée des employés.

Il noua ses lacets et se leva.

— Holmes, je...

Je me tus, désemparée. Ce qu'il répondit me fit deviner que la pesanteur du silence ne lui avait pas échappé.

— Ne vous inquiétez pas, Russell. Je comprends. Le lit se trouve dans la pièce d'à côté. Dormez bien.

En se dirigeant vers le conduit d'aération pour décrocher sa houppelande, il posa furtivement sa main sur le dossier de mon fauteuil et l'un de ses longs doigts frôla mon épaule. Je brûlais d'envie de saisir sa main, de l'empêcher de partir. Mais je ne bougeai pas et le laissai se faufiler dans la grande armoire, en pousser la porte et disparaître. Et je restai là, tandis qu'un silence tout différent envahissait la pièce.

Je n'avais pas sommeil. Je lavai la vaisselle, me préparai un thé sans lait, replaçai la pipe de Holmes dans le râtelier, choisis au hasard un livre sur une étagère, me rassis et tentai de lire la première page, en oubliant ma tasse. Plus tard, le goût du thé froid me fit grimacer. Je le vidai dans l'évier, nettoyai la tasse, la rangeai et traversai la pièce jusqu'à la porte intérieure.

Je considérai le lit un long moment. En fin de compte, je revins sur mes pas, éteignis les lumières et m'enroulai dans le couvre-pieds du sofa, devant le feu, en me demandant ce que j'allais bien pouvoir faire.

6

Mardi 28 décembre

Comment la femme pourrait-elle être à l'image de Dieu alors qu'elle est soumise à l'homme et n'a aucune autorité, ni pour enseigner, ni pour témoigner, ni pour juger, et encore moins pour gouverner ?

SAINT AUGUSTIN

Lorsque je rencontrai Sherlock Holmes, je sortais à peine de l'adolescence. La tragédie qui avait fait de moi une orpheline m'avait endurcie, du moins en apparence. Car au fond de moi, je restais fragile, malléable, ouverte à l'influence de la première personne prête à m'écouter et à me prendre au sérieux. Si Holmes avait été un monte-en-l'air ou un faux-monnayeur, je serais sans nul doute entrée dans l'âge adulte en équilibre sur des corniches ou devant une presse clandestine.

Au cours des années suivantes, j'avais appris ses méthodes sur le terrain, tout en poursuivant ma formation intellectuelle. Je m'étais ainsi forgé une personnalité double : théologienne et chimiste à mes heures d'un côté, détective de l'autre. En dépit de quelques heurts, je n'avais pas encore dû choisir entre ces deux aspects de moi-même, qui cohabitaient dans une incompréhension mutuelle et bienveillante.

Et voilà que ce lit...

À l'occasion de nos enquêtes, Holmes et moi avions passé de nombreuses nuits côte à côte. Il avait couché dans ma chambre, moi dans la sienne. Et nous avions plusieurs fois dormi dans le même lit, ou ce qui en tenait lieu, sans la moindre gêne. Deux ans plus tôt, au début et à la fin d'une affaire particulièrement terrifiante, nous avions esquissé un pas timide l'un vers l'autre. Aussitôt, nous avions tacitement décidé de ne pas aller plus loin. Nous étions des amis intimes, mais sans la moindre intimité physique.

Je dois avouer que je n'étais plus tout à fait ignorante, à l'époque, de l'agrément que procurent les réactions du corps. Les années d'après-guerre avaient amené à Oxford un grand nombre de jeunes gens. L'un d'eux, vif d'esprit, doté d'un sens de l'humour ravageur, d'une incompréhensible obstination à mon égard et d'une automobile, m'avait beaucoup appris sur le sujet.

Toutefois, jusqu'à la nuit du hansom, je n'avais jamais établi de lien entre cet agrément et Sherlock Holmes. J'avais envisagé un mariage avec lui, allant même, par jeu, jusqu'à le suggérer, mais avant d'être blessée par ses sarcasmes sur le lit conjugal, je n'avais jamais imaginé la question sous cet angle. À présent, les digues s'étaient effondrées. Quand il avait surgi de l'ombre dans une rue pluvieuse, la réalité de sa présence physique m'avait frappée de plein fouet. Elle ne me quittait plus.

Il fallait à tout prix que je réagisse. Je passai le reste de la nuit sur le sofa, sans fermer l'œil. Bien avant l'aube, je pris la seule décision possible : m'enfuir.

Alors que le ciel devenait à peine un peu moins sombre que les toits, je sonnai, claquant des dents et trempée jusqu'aux os, à la porte du club féminin auquel j'avais adhéré l'année précédente. C'était un petit établissement dont le nom trompeur et triste – « Vicissitude » – et le féminisme militant n'excluaient ni le confort ni la bonne chère. La vieille matrone qui assurait le service de nuit m'accueillit avec des transports consternés. Elle me fit couler un bain brûlant, m'offrit une boisson bouillante et fortement alcoolisée, m'apporta des vêtements de rechange et me procura un lit. Même si je ne dormis pas beaucoup, je me sentis soulagée de me retrouver au chaud, et seule.

J'arrivai au musée à l'heure convenue, habillée à la hâte, à jeun et mal reposée. À midi et demi, Veronica n'avait toujours pas fait son apparition. Je décidai de lui accorder trente minutes supplémentaires. À 12 h 50, elle se planta devant moi, vêtue elle aussi à la diable, pâle, les yeux rouges, l'air presque hagard. Je l'embrassai avec appréhension en me demandant quelle nouvelle catastrophe l'avait mise dans cet état. Elle réussit à sourire et tenta de se ressaisir.

— Mary, je suis désolée. Il s'est produit quelque chose ce matin et j'ai complètement oublié l'heure, jusqu'à ce que Margery me rappelle que j'avais rendez-vous avec toi pour le déjeuner.

Coiffée n'importe comment, elle avait des bas dépareillés et portait une robe de laine vert sombre sous un manteau noir, mélange d'un goût épouvantable.

— Tu aurais dû envoyer un message. J'aurais très bien compris. Il s'est passé quelque chose au Temple ?

— Non. Enfin, si, dans un sens. La sœur de Miles est morte cette nuit. C'était une adepte. Tu l'as rencontrée : Iris. Grande, avec des cheveux superbes...

— Un fume-cigarette, du vernis à ongles rouge, une petite bague d'opale à la main droite. Elle avait un rhume carabiné.

Je m'en souvenais très bien. C'était une des femmes qui avaient jeté un bref regard sur mon accoutrement en dissimulant leur ahurissement sous un amusement poli.

— Elle a été as... assassinée, balbutia Ronnie.

Sa maîtrise d'elle-même faiblit l'espace d'un instant. Elle se reprit vite.

– Elle a quitté la réunion en même temps que nous toutes, juste après 23 heures, mais n'est jamais arrivée chez elle. Un bobby qui faisait sa ronde l'a découverte au fond d'une ruelle du West End, à 4 heures du matin. Elle était... Sa gorge... Oh, mon Dieu !

Elle hoqueta, porta sa main à sa bouche. Je la pris par le bras, l'entraînai dehors, sous la pluie, la poussai dans les escaliers jusqu'à la grille et ne la lâchai qu'une fois installée à une table du restaurant. Le patron me connaissait. Il s'empressa lorsque je lui commandai deux repas consistants précédés de deux boissons fortes. Bientôt, le teint verdâtre de Ronnie s'anima et elle put tout me raconter.

– Le père d'Iris m'a téléphoné ce matin vers 7 heures. Il voulait savoir si j'avais une idée de l'endroit où pouvait se trouver Miles. Je lui ai répondu que non. « Si jamais il prend contact avec vous, a-t-il poursuivi, dites-lui de rentrer immédiatement. » J'ai voulu ajouter qu'il y avait peu de chances pour qu'il s'adresse à moi, mais il a raccroché. Après avoir préparé du café, je me suis rendu compte à quel point il avait l'air bouleversé. Je l'ai donc rappelé. Il m'a fallu un temps fou pour obtenir la communication. Je lui ai demandé ce qui se passait. C'est à ce moment-là qu'il m'a appris qu'Iris était... morte.

– Et Miles était...

Elle ne me permit pas de continuer.

– Nous n'avons jamais été très proches, Iris et moi. Nous étions sans doute trop différentes. Mais elle adorait son frère et s'impliquait tout entière dans son travail au Temple. C'est par elle que j'ai rencontré Margery. Elle va beaucoup nous manquer à toutes.

Ses yeux se remplirent de larmes. J'engloutis en hâte quelques bouchées pour rassasier mon appétit, que son chagrin ne troublait pas, avant de la ramener impitoyablement de l'éloge funèbre à la crudité des faits.

– Quand tu as reparlé à son père, Miles était-il toujours absent ?

Elle s'essuya les yeux.

— Oui, mais cela n'avait rien d'inhabituel. Iris m'a raconté qu'il lui arrivait de déserter son appartement plusieurs jours de suite.

— Quelles autres informations t'a-t-il données ? M. Fitzwarren, je veux dire...

— Le commandant Fitzwarren... Il était officier... Il m'a annoncé qu'elle avait été tuée et que sa femme, la mère d'Iris et de Miles, en état de choc, réclamait son fils. Ils n'avaient qu'eux deux.

Elle contempla sa salade intacte, poussa un gros soupir.

— Rien de plus ?

— Non. Je lui ai dit que je passerais les voir dans la journée. Il m'a demandé de téléphoner d'abord, au cas où Mme Fitzwarren ne serait pas en état de recevoir qui que ce soit... Je me suis habillée et je suis allée au Temple. Je pensais que Margery devait être prévenue. Je... j'espérais aussi qu'elle m'indiquerait quoi faire. Je n'avais pas les idées très claires.

— Qu'a-t-elle conseillé ?

— Elle n'était pas là quand je suis arrivée. Je me suis donc rendue dans la chapelle, pour trouver un peu de calme. Elle est revenue quelque temps plus tard et je l'ai mise au courant. Elle m'a écoutée avec l'affection merveilleuse qu'elle nous témoigne toujours, puis m'a suggéré de prier pendant qu'elle passait quelques coups de fil. Elle a réuni la plus grande partie du premier cercle et a joint, à la rédaction du *Clarion*, une de ses relations, qui lui a fourni des précisions sur l'endroit où on avait découvert Iris, l'heure et les circonstances de sa mort.

Je l'interrompis, sans lui laisser le temps d'imaginer encore une fois la scène.

— Veux-tu téléphoner aux Fitzwarren maintenant et leur demander si tu peux passer chez eux ?

— Tu as raison. Je m'entends bien avec Mme Fitzwarren. Je crois qu'elle sera heureuse de ma visite.

Elle utilisa le téléphone de l'établissement pendant que

je réglais l'addition. Quand elle revint, elle était pâle mais passablement calme.

– J'y vais tout de suite.

– Des nouvelles de Miles ?

– Aucune.

– Depuis quand n'a-t-il plus donné signe de vie ?

– Deux ou trois jours. Le commandant est furieux.

Furieux plutôt qu'inquiet, notai-je. Je gardai cette remarque pour moi : Veronica était assez bouleversée comme ça.

Tonio se précipita pour nous ouvrir la porte et héla un taxi. Veronica indiqua son adresse au chauffeur, monta dans la voiture. Je m'appuyai contre la portière.

– Je te renverrai les vêtements que je t'ai empruntés.

– Quels vêtements ? Ah oui, ces nippes. Ce ne sont que des frusques que je garde pour ceux qui en auraient besoin. Mes familles, tu sais... Il n'y a aucune urgence.

– Quand revois-tu Margery Childe ?

– Ce soir ou demain. Cela dépendra des Fitzwarren. Oh, ça me rappelle... Elle m'a priée de te dire qu'elle serait ravie de parler avec toi, quand tu seras libre.

– Avec grand plaisir.

– Si tu es encore à Londres d'ici un jour ou deux, téléphone-moi.

Elle fouilla dans son sac, à la recherche d'un crayon, griffonna deux numéros au dos d'une facture d'un marchand de livres anciens.

– Je serai chez moi – le premier numéro – ou chez les Fitzwarren. Ou alors au Temple.

Elle inscrivit un troisième numéro, me tendit le papier.

– Au revoir, Mary. Merci pour tout.

– Je te ferai bientôt signe. J'espère que tout ira bien. Oh, Ronnie ! Pas un mot à quiconque sur mon amitié pour M. Holmes, s'il te plaît. Je déteste qu'on m'accable de questions sur lui. D'accord ? Merci.

Je donnai un coup sur le toit du taxi, qui démarra et se faufila dans la circulation. Le menton levé, Veronica se tenait très droite. Je ne pus m'empêcher de me demander comment réagiraient les Fitzwarren s'ils apprenaient qu'ils faisaient désormais partie de la cohorte des malheureux livrés à la sollicitude de lady Veronica Beaconsfield.

Je restai immobile sur le trottoir, insensible à la pluie, au vacarme, aux tristes façades qui surplombaient la rue et au flot des passants, silhouettes sans visages coiffées de sombres chapeaux, voûtées sous de noirs parapluies et de mornes imperméables. Après avoir effectué une embardée dangereuse pour traverser la chaussée mouillée, un second taxi freina à mes pieds. J'y grimpai docilement et pris place à l'arrière, méditant sur l'attitude étrange de Veronica, qui avait demandé mon aide pour une tâche impossible, libérer son ancien fiancé de son accoutumance à la drogue, et non pour le retrouver, ce qui paraissait pourtant beaucoup plus simple. Tourné vers moi, le chauffeur me dévisagea avec une patience appuyée.

– Paddington, murmurai-je machinalement.

Dieu du ciel, il fallait que je quitte de toute urgence cette ville où l'on suffoquait. La mort d'Iris Fitzwarren ne faisait qu'amplifier mon malaise. Depuis deux jours, je me sentais ballottée comme l'aiguille d'une boussole, oscillant entre l'inquiétant magnétisme de Holmes et mon attirance pour le féminisme pragmatique de Margery Childe. Pour l'heure, je ne voulais ni de l'un ni de l'autre. J'avais besoin de me réfugier dans une atmosphère familière, immuable, où les affrontements n'étaient qu'intellectuels et dont rien, pas même les passions les plus folles, ne pouvait troubler la sérénité.

Quatre heures plus tard, j'étais assise devant ma table, à la bibliothèque Bodléienne d'Oxford.

7

Mardi 28 – jeudi 30 décembre

Pour souligner les imperfections du sexe féminin, je pourrais raconter l'histoire de ces femmes terrassées par une joie subite ou mortes d'impatience, en évoquer d'autres qui, dévorées par le feu d'une luxure incontrôlable, trahirent au profit d'étrangers leur pays et leur cité.

JOHN KNOX

Le reste de la journée de mardi et toute celle de mercredi, je me plongeai dans le travail. Mon essai, dont j'avais laissé la première partie déjà dactylographiée sur mon bureau du Sussex, s'inspirait de mes recherches sur les femmes dans le Talmud. L'idée m'en était venue après un débat animé, qui aurait tourné à l'affrontement s'il avait eu lieu ailleurs qu'à Oxford et traitait d'un thème rebattu : la faible place faite aux femmes dans l'ensemble des activités humaines. Je m'étais focalisée, en l'occurrence, sur une interrogation beaucoup plus précise : « Pourquoi les femmes sont-elles presque systématiquement absentes de la tradition littéraire juive ? », ce qui revenait à se demander : « Peut-on être à la fois juive et féministe ? »

Je suis juive ; et je revendique mon féminisme. Ce sujet me concernait donc au premier chef. Une semaine après le débat, je l'avais soumis à l'un de mes directeurs d'études, qui avait accepté de travailler avec moi. En fait, il espérait cosigner mon texte et avait déjà prévu de le présenter en audition publique le 28 janvier, ce qui promettait de belles controverses.

La première partie de mon essai s'articulait autour d'une femme nommée Bruria, membre remarquable de la communauté rabbinique de la fin du Ier et du début du IIe siècle, milieu où se développa le judaïsme postérieur à la destruction du Temple, dont s'était très vite séparée la secte dissidente chrétienne. Bruria ne portait pas le titre de rabbi, réservé aux hommes, mais elle en avait suivi la formation. On l'accepta d'abord comme élève, puis comme maître et enfin comme arbitre des décisions rabbiniques. Fille et épouse de rabbis, elle exerça une influence certaine sur les écrits talmudiques. Si elle avait été un homme, sa brillante intelligence, sa langue ciselée, son immense savoir et son sens profond du divin l'auraient sans nul doute mise sur le même plan qu'Akiba lui-même. Elle ne survit pourtant que dans une note énigmatique et embarrassée, qui mentionne à regret l'existence de cette exception, confirmation de la règle selon laquelle la pensée rabbinique demeure un domaine exclusivement masculin. C'était encore trop pour les sages qui vécurent après elle. Mille ans après sa mort, l'érudit médiéval Rashi calomnia sa mémoire en lui prêtant une inconduite purement imaginaire. Selon lui, cette épouse indigne aurait cédé aux avances d'un élève de son mari, honte qui l'aurait conduite au suicide.

J'avais été amenée, à travers elle, à retourner à la source initiale, les Écritures elles-mêmes, et aux aspects féminins de la divinité. Bien sûr, pour désigner le Créateur, les termes virils abondent. Dieu, en hébreu, est du genre masculin ; et du Seigneur des Armées au vieillard barbu représenté par Michel-Ange sur la fresque de la chapelle Sixtine, cette image perdure.

Toutefois, les allusions féminines, telles celles contenues dans le passage dont j'étais certaine d'avoir donné à Margery Childe la traduction exacte, existent bel et bien.

Affadies par les rédacteurs, obscurcies par les traducteurs, elles n'échappent pourtant pas aux observateurs attentifs. Les versets de la Genèse cités par Margery dans son sermon m'avaient, au mois d'octobre, occupée trois semaines. J'avais décortiqué l'hébreu, mis les versets à plat pour les restituer dans leur pureté primitive, loin de l'interprétation des rabbis et des exégètes modernes, développant ensuite ma théorie, hasardeuse peut-être mais solidement étayée, dans les notes volumineuses de ma seconde partie. Dès lors, entendre deux mois plus tard une femme sans véritable culture théologique exprimer d'instinct, comme une vérité indiscutable, l'hypothèse que j'avais si laborieusement forgée était pour le moins troublant.

Un peu vexée, je repris le texte hébreu, le relisant d'abord d'une traite, puis avec soin. Il ne me fallut que cinq minutes pour conclure qu'elle avait raison. J'avais épuisé ma vue pendant des journées entières pour prouver ce qui crevait les yeux. J'avais réinventé la roue. Je secouai la tête en partant d'un grand rire qui scandalisa mes voisins. Puis je refermai ce chapitre de la Bible et me remis au travail.

Entre les trimestres, Oxford est un endroit délicieusement paisible. Je logeais à l'époque dans une maison du nord de la ville, partageant parfois mes repas avec ma logeuse, professeur à la retraite, et me déplaçais à pied ou à bicyclette. Ce mercredi, je profitai de la douceur exceptionnelle du mois de décembre pour flâner un peu dans les parcs. Ensuite, n'ayant pas, grâce au ciel, d'autres distractions, j'abattis un travail considérable à la bibliothèque et, après avoir dîné avec appétit, m'endormis comme un ange.

L'aube du jeudi me ramena brutalement à la réalité. Je tentai d'y échapper en enfouissant ma tête sous l'oreiller et en me concentrant sur les implications suggestives d'un verbe irrégulier que j'avais découvertes la veille au soir. Peine perdue. L'intermède rassurant que je venais de vivre s'achevait. La perspective idyllique de rester à Oxford jusqu'au dimanche, jour de mon anniversaire, se lézardait face au dur rappel de mes responsabilités. J'avais des obligations et je les avais fuies. Il ne me restait qu'une chose à faire : regagner Londres.

Je me levai et m'habillai. Alors que je cherchais avec irritation dans mes tiroirs des bas non filés et des gants sans trous, la voix de ma conscience se radoucit un peu. Les tâches dont j'allais me charger exigeaient des tenues plus reluisantes que les flanelles de mon père ou les vieux tweeds retouchés de ma mère. Je n'avais acheté qu'une paire de gants depuis l'été. Pourquoi ne pas profiter de mon retour à Londres pour renouveler ma garde-robe ? Cette pensée me ragaillardit. Après avoir avalé une tasse de thé et une pile de biscuits en compagnie de ma logeuse, je partis pour la gare. En chemin, j'envoyai six télégrammes à Holmes et à Veronica, trois pour chacun à différentes adresses, en leur demandant de me joindre au Vicissitude. Je montai dans le train, la conscience outrageusement tranquille.

Ma matinée commença par une visite au vieux couple de tailleurs qui avait jadis habillé ma mère et généreusement accepté, à sa mort, de se charger de moi, cliente fantasque s'il en fut. C'étaient deux lutins aux yeux sombres, à la face parcheminée et aux doigts de fée. Une fois passée entre leurs mains, livrée au sens de la couleur et des lignes de l'épouse et à l'habileté du mari, je serais plus que présentable. Nous décidâmes, devant des verres de thé sucré et fumant, que j'avais enfin cessé de grandir et qu'il me fallait à présent de vrais vêtements. Laine épaisse et voluptueuse, cachemire, soie, lin, j'avais l'embarras du choix. L'épouse commença par dessiner de longues silhouettes stylisées sur un bloc de papier. En vacillant, l'époux posa plusieurs rouleaux sur l'établi et tous deux se chamaillèrent jusqu'à mon départ. Était-ce, comme ils l'affirmèrent, parce qu'on entrait dans la période creuse d'après Noël ou bien, ainsi que je le soupçonnais, mon apparition les avait-elle peinés au point qu'ils estimaient urgent de me vêtir convenablement, ce qui stimulait leur imagination ? En tout cas, ils me supplièrent d'accepter une première livraison dès le lundi matin, début symbolique, pour moi, d'une nouvelle existence. Je fus trop heureuse de leur donner mon accord.

Je quittai la boutique en me sentant mal fagotée, terne et un peu anxieuse. La dernière fois que je m'étais fait confectionner de nouvelles toilettes, elles avaient fini lacérées au fond d'un vieux cabriolet. Pour me requinquer, je déjeunai chez Simpsons, où, à mon grand plaisir, le maître d'hôtel m'accueillit par mon nom. Je pris ensuite un taxi pour gagner mon club.

Un télégramme de Veronica m'y attendait. Elle me demandait de passer chez elle à 16 heures. Verrais-je un inconvénient à l'accompagner au Temple en fin de soirée ?

À l'étage, où l'on gardait mes affaires, je décrochai les deux robes qui pendaient tristement dans l'armoire. La plus jolie, en laine verte, avait hélas été rallongée deux fois. Même si on pouvait la retailler encore, à en juger par le bout d'ourlet qui subsistait, elle avait déjà l'air d'une antiquité. L'autre, d'un bleu sombre presque noir, me plaisait si peu que je la laissais au placard cinquante semaines par an. Aucune n'allait avec les chaussures dont je disposais. Je pensai aux lutins et soupirai. Peut-être aurais-je dû, comme Holmes, dissimuler des vêtements et autres commodités aux quatre coins du pays. Une fois le dimanche passé, j'en aurais les moyens. Cela ravirait les lutins.

Je replaçai les robes sur leurs tringles, descendis dans la salle de lecture. La mort d'Iris Fitzwarren ne me concernait que dans la mesure où elle affectait la vie de Veronica et de Margery Childe. Par réflexe, où peut-être par respect pour Ronnie, je jugeai bon de jeter un coup d'œil à ce qu'en disait la presse. Je consultai pendant une heure les éditions du mardi. Elles me tachèrent les doigts mais ne m'avancèrent pas à grand-chose. Iris Elisabeth Fitzwarren, âgée de vingt-huit ans, fille du commandant Thomas Fitzwarren et d'Elisabeth Quincey Donahue Fitzwarren, avait été tuée à coups de couteau entre 1 heure et 3 heures du matin, le mardi 28 décembre. Un chauffeur de taxi, retrouvé par

Scotland Yard, déclarait l'avoir déposée devant un night-club mal famé tard dans la nuit de lundi, mais l'enquête n'avait pas encore réussi à déterminer le moment où elle avait quitté l'établissement, ni si on l'y avait vue en compagnie de quelqu'un. Selon le *Times*, Mlle Fitzwarren était très appréciée des pauvres pour avoir milité en faveur de soins gratuits aux femmes dans le besoin et aux enfants en bas âge. Elle avait suivi des cours d'infirmière pendant la guerre, puis, avec Mlle Margery Childe, « blonde et séduisante directrice du Nouveau Temple de Dieu », précisait un quotidien du soir au ton dithyrambique, fondé des centres médico-sociaux à Stepney et à Whitechapel. Mlle Fitzwarren laisserait un souvenir impérissable, différents services funèbres lui rendraient hommage, etc.

En d'autres termes, si les limiers de Scotland Yard savaient quelque chose, ils le gardaient pour eux.

Je me coiffai avec plus de soin que d'habitude, enfilai la robe bleu sombre et examinai le résultat. Les lutins auraient fait la moue, mais au moins j'avais l'air moins pitoyable que dans les oripeaux prêtées par Veronica. Il n'y avait rien pour moi à la réception. J'y déposai un message indiquant où je me trouverais, « à remettre à M. Holmes ».

La cour de Veronica paraissait plus lugubre encore en fin d'après-midi qu'à l'aube. Quelques galopins traînaient devant sa porte en attendant sans doute que leur mère les autorise à regagner leur domicile pour le goûter. Deux d'entre eux portaient des traces de coups sur les pommettes, quatre étaient pieds nus, le dernier n'avait presque rien sur le dos. Des bruits de voix se répercutaient dans la cour. Je réglai mon taxi, marchai dans leur direction. La porte de Veronica était entrouverte ; les cris sortaient de chez elle. Je me frayai un chemin à travers le groupe d'enfants puis entrai, sans prendre la peine, inutile, de frapper ou de m'annoncer. Le chahut venait du fond de la deuxième pièce du rez-de-chaussée, chichement meublée. La querelle opposait les membres d'au moins quatre familles : des mères serraient leur bébé contre leur hanche tandis que des bambins pleurnichards s'accrochaient à leurs jupes, des hommes et des adolescents agressifs en venaient aux mains, trois grands-mères s'insultaient copieusement. Au centre, comme deux rocs dans la tempête, Veronica Beaconsfield et une autre femme, de petite taille, trapue, étrangère ; belge, pensai-je.

Je restai immobile quelques minutes à quelques pas de la cohue, avant que Veronica, assaillie par un déluge d'invectives, m'aperçoive. Je lus dans son regard un soulagement intense. Ses lèvres remuèrent. Elle se tourna vers sa compagne, lui dit quelque chose. Les yeux écarquillés, remplis de ce qui ressemblait à de l'épouvante, la Belge rassembla ses forces, gratifia Veronica d'un signe de tête et, le front baissé, affronta l'ouragan. Insensible aux suppliques, Veronica me rejoignit en jouant des coudes et me poussa vers le couloir.

– Tu as un taxi ? questionna-t-elle, ignorant les deux pauvresses suspendues à ses basques.

– Je ne pense pas. Je ne lui ai pas demandé d'attendre. Tiens, tes vêtements...

– Pose-les là. Viens, nous en trouverons un en route.

Je me dépêchai de déposer les nippes sur une étagère et atteignis la porte juste avant nos poursuivantes. En souriant, je la leur refermai au nez puis rattrapai Veronica, qui avait déjà tourné au coin de la rue.

– Qu'est-ce que c'est que ce cirque ? Et où allons-nous ?

– C'est sans importance. J'ai fait quelque chose pour une famille et les autres pensent avoir droit aux mêmes faveurs. Mon assistante arrangera tout ça. Ou plutôt ils seront bientôt si fatigués de lui hurler aux oreilles, alors qu'elle ne leur parle que français, qu'ils finiront par rentrer chez eux. Nous allons chez les Fitzwarren. Miles est réapparu aujourd'hui.

Elle leva la main et un taxi quitta le flot des voitures. Une fois à l'intérieur, elle se tourna vers moi, le visage anxieux.

– Ça ne t'ennuie pas ? Le commandant Fitzwarren a téléphoné voilà une demi-heure pour me demander de venir, mais je... Ça ne t'embête pas de m'accompagner ?

Si elle comptait se servir de moi comme d'un bouclier contre Miles, cela ne me réjouissait guère mais je me sentais assez forte pour ce rôle. Je lui répondis que je serais ravie de me rendre chez les Fitzwarren avec elle.

– Oh, merci. J'ignore si nous prendrons le thé ou un verre. Mais ensuite, nous mangerons un morceau quelque part avant de nous rendre au Temple. Ça te convient ?

– Tout à fait.

– Je suis si heureuse !

À mon grand étonnement, elle pressa ma main gantée entre les siennes.

– Grâce à Dieu, tu es là, Mary. Je ne sais pas ce que j'aurais fait sans ton aide.

– Qu'est-ce que j'entends ? Suis-je vraiment devant la Veronica Beaconsfield qui tient la moitié de Londres à bout de bras ?

Elle me décocha un sourire nerveux, consulta sa montre. Nous roulâmes en silence dans le crépuscule naissant, jusqu'à Saint John's Wood.

Un vieux domestique à la longue et triste figure nous accueillit dans un vestibule de marbre luisant et nous débarrassa de nos manteaux.

– Bonsoir, Marshall, dit Veronica en lui tendant ses gants. Mme Fitzwarren m'attend. Voici Mlle Russell.

– Je suis heureux de vous revoir, mademoiselle Beaconsfield. Je vais aller prévenir Mme Fitzwarren. Si vous voulez bien patienter ici un moment...

Il lui indiqua une porte, dont Ronnie se détourna.

– Nous autoriseriez-vous à attendre dans la bibliothèque, Marshall ? Je risque de rester un bon moment à l'étage et Mlle Russell, je crois, sera heureuse d'admirer les livres.

Le majordome hésita un instant. D'habitude, on ne permettait pas aux visiteurs de déambuler dans la maison. Mais Mlle Beaconsfield n'était pas une visiteuse ordinaire et Marshall n'avait pas reçu d'instructions à son sujet.

– Le lieutenant Fitzwarren s'y trouve déjà, expliqua-t-il pour justifier sa réticence, ce qui laissait à Veronica le soin de décider.

– Miles ?

Au tour de Ronnie de fléchir avant de se reprendre.

– Il fallait bien que je le revoie un jour ou l'autre. Peut-être devriez-vous quand même l'avertir de ma présence. Je vais montrer le salon à Mlle Russell et vous reviendrez nous chercher.

Cette solution diplomatique parut convenir au vieil homme, qui nous introduisit et réapparut presque aussitôt, sans nos manteaux. Je fus soulagée de ne pas avoir à passer plus de temps dans le salon austère aux murs gris et aux tableaux futuristes remarquablement déplacés. Je préférais mille fois la bibliothèque.

Dans le couloir orné de portraits d'ancêtres, Veronica se composa une attitude : sérieuse mais calme, déterminée. Elle fit deux pas à l'intérieur de la pièce, s'arrêta, les yeux braqués sur la silhouette tassée devant la fenêtre.

Il ne fallait pas avoir de vastes connaissances médicales pour reconnaître en Miles Fitzwarren un jeune homme malade, ni être grand clerc pour deviner la cause de son état. Il se déplaçait comme accablé par les douleurs de la grippe, mais avec une fébrilité qui l'empêchait de tenir en place, tel un animal en cage dans un zoo. Spectacle pénible, qui devait torturer Veronica. Elle n'en laissa rien paraître, cependant.

– Bonsoir, Miles.

– B'soir, Ronnie, lança-t-il d'un ton joyeux. Vous avez l'air en pleine forme. Quelle surprise de vous voir ici ! Ça fait une éternité, non ? Avez-vous passé un bon Noël ? Comment va votre mère ? Et votre père ? C'était une sciatique, n'est-ce pas ? J'espère que cela ne l'a pas empêché de chasser cette année. Oh, mais je manque à tous mes devoirs. Venez vous asseoir. Vous êtes une amie de Ronnie ? Miles Fitzwarren. Très heureux, mademoiselle... ?

– Je vous présente Mary Russell, Miles. Une amie d'Oxford.

– Encore un bas-bleu, hein, mademoiselle Russell ? Et charitable, certainement. Comment se portent vos pauvres, Ronnie ? Vous savez, me glissa-t-il sur le ton de la confidence, il est très embarrassant de se sentir entouré de personnes qui font le bien du matin au soir.

Sa gaieté et son rire forcé sonnaient faux, même à ses propres oreilles. Le vague souvenir du deuil qui frappait sa famille, ou peut-être l'impression tardive qu'il se révélait trop l'amenèrent à changer de ton.

– J'ai entendu parler de votre amie prêtresse, Childe. Un personnage. Un de mes amis de la City est allé l'entendre voilà une quinzaine de jours. Il m'a dit qu'elle n'avait parlé que d'amour. Il a été très impressionné. Je dois avouer, pour ma part, que le sujet me dépasse. L'amour dans une église... Enfin, en tout bien tout honneur, j'imagine...

– Miles, je...

– En fait, j'ai eu l'occasion de l'apercevoir. Il y a une semaine. Quelqu'un me l'a montrée. Une toute petite chose. Sans son visage, on pourrait la prendre pour une enfant. C'est drôle, non ? Childe, *child*... Enfant. Mais *small is beautiful*, comme on dit.

J'ignore quelles autres révélations lui auraient échappé, ou ce que Veronica lui aurait répliqué, car la silhouette mélancolique de Marshall se profila dans l'encadrement de la porte et annonça que Mme Fitzwarren serait heureuse de voir Mlle Beaconsfield. Si elle voulait bien le suivre...

Veronica se leva, se mordit la lèvre, fit trois pas impulsifs vers le coin de table où Miles s'était perché, posa un baiser furtif sur sa joue puis se détourna. Il sursauta, comme si elle venait de lui appliquer un charbon ardent sur la peau. Dans le regard qu'elle m'adressa transparaissaient sa peur, son chagrin, son désespoir.

Après son départ, Miles parut oublier ma présence. Il se mit à faire les cent pas, fumant avec acharnement, s'arrêtant parfois près de la fenêtre pour contempler le jardin noyé dans l'obscurité. Il flottait dans un costume d'une élégance rare, devenu trop large pour lui. Ses mains aux ongles peu soignés tremblaient légèrement. Elles me rappelèrent celles de Holmes, qui, elles, n'avaient jamais tremblé, et du fils bien-aimé qu'il avait perdu. Il tira un mouchoir presque propre de sa pochette, se moucha, essuya ses yeux larmoyants, alluma une autre cigarette, marcha de nouveau, s'arrêta encore une fois devant la fenêtre qui lui renvoyait son reflet. On n'avait pas tiré les rideaux, signe, pensai-je, d'une maison troublée. Il bâilla, scruta ses traits fantomatiques, plaqua une main sur ses yeux. Ses épaules s'affaissèrent. Je pressentis le moment où il se résignerait à une capitulation sans espoir. Je me levai, avançai de deux pas afin de me retrouver, même brièvement, entre lui et la porte. Il se retourna, m'aperçut et, de surprise, lâcha sa cigarette. Il se baissa pour la ramasser et en éparpilla les braises. Lorsqu'il se redressa enfin, son effrayante fébrilité avait repris possession de lui.

– Mille excuses, camarade. Vous faisiez si peu de bruit... Idiot de ma part. J'ai complètement oublié que vous étiez là. Terriblement grossier, je vous l'accorde. D'habitude, je ne suis pas aussi goujat.

Une cloche l'interrompit, sans me laisser le temps de reconnaître que je n'avais aucun droit de l'exhorter à renoncer à sa seringue. Des pas lents longèrent le couloir, retentirent dans le vestibule. À peine le majordome eut-il ouvert qu'une voix masculine, claire, haut perchée, reconnaissable entre toutes, résonna derrière la lourde porte de la bibliothèque.

– Par exemple ! Ce bon vieux Edmund Marshall ! C'est bien vous, n'est-ce pas, mon ami ?

– Monsieur... Monsieur Holmes. Si jamais je m'attendais... Il y a...

– Treize ans, oui. Auriez-vous accueilli ici une Mlle Mary Russell ?

– Oui, monsieur. Elle est dans la bibliothèque avec Monsieur... avec le lieutenant Fitzwarren.

Miles se figea, comme un chien de meute percevant l'écho d'une trompe de chasse ; ou, plutôt, comme un renard alerté par un aboiement lointain.

— Parfait. Prenez aussi ma canne, je vous prie, Marshall. Par là, je présume...

Il était déjà sur le seuil. Ses yeux repérèrent aussitôt ma position dans la pièce, l'état physique et moral de Miles, les rideaux, la hauteur de mon ourlet, le jeu d'échecs sur la table proche de l'âtre.

Vêtu comme un membre de la gentry, il portait un costume noir plutôt démodé où éclatait le blanc immaculé d'un col pointu et de manchettes reluisantes. À en juger par la ligne qui coupait ses cheveux, il venait de confier à Marshall un haut-de-forme en soie. Les plis de son pantalon étaient impeccables, ses chaussures brillaient. Il évoluait comme chez lui dans cette opulente bibliothèque, singeant l'ennui poli d'un acheteur potentiel mais peu enthousiaste. Je m'installai dans un fauteuil. Il me jeta un coup d'œil de connivence, se dirigea négligemment vers le jeu d'échecs.

— Je vous ai manquée deux fois dans l'après-midi, Russell, déclara-t-il en se penchant pour déplacer un pion noir. D'abord à votre club, puis chez Mlle Beaconsfield, où une jeune dame belge très efficace venait à bout d'une émeute. Elle m'a indiqué dans sa langue où vous étiez partie.

Il pinça les lèvres, déplaça un fou blanc de trois cases.

— Votre Mlle Beaconsfield a des amis... très intéressants.

Nouvelle pause. Il repoussa le pion sur le côté, puis s'en lassa. Les mains derrière le dos, il poursuivit son exploration, s'attarda sur les livres aux reliures de cuir. Une fois devant la fenêtre, il examina le tapis, passa un doigt de sa main gauche sur le dossier du canapé de cuir, la frange de l'abat-jour et l'acajou luisant du bureau, caressa le porte-plume d'ivoire, reprit sa marche, s'arrêta enfin devant Miles, rigide et muet pour la première fois depuis mon arrivée. Il fixa le presse-papiers de cristal qu'il tenait dans le creux de la main, leva les yeux vers ceux du jeune homme, y plongea un regard gris, presque songeur.

– Bonsoir, lieutenant Fitzwarren, dit-il d'une voix douce.

Miles se redressa, tenta de reconstituer son masque.

– B'soir, monsieur. Je... euh... je ne crois pas que nous ayons eu l'honneur...

– Nous nous sommes rencontrés voilà quelques années. Je m'appelle Holmes. Sherlock Holmes.

Le jeune officier cligna des paupières, essaya sans succès de rire.

– Pas facile à porter, comme nom. On doit vous confondre avec ce type, là, ce détective... Loupe, casquette de chasse et tout le bazar.

– Ce type, c'est moi, lieutenant. Je suis venu chez vous résoudre une banale affaire de bijoux. Vous n'étiez qu'un bambin. En faisant un effort, vous devriez vous en souvenir.

– Bien sûr. Je croyais l'avoir imaginé, mais je me rappelle très bien, maintenant, avoir rencontré Sherlock Holmes.

Il se montrait soudain respectueux, intimidé.

– Qu'est-ce que vous faites là ? Je veux dire : puis-je quelque chose pour vous ?

– Je comptais vous demander la même chose.

– Excusez-moi, je ne comprends pas. Vous voulez dire à propos d'Iris ? La police semble être...

D'un geste, Holmes l'incita à se taire.

– Lieutenant Fitzwarren, je peux vous aider.

Miles en resta bouche bée.

– Ah bon ? Euh, très bien, c'est très extrêmement gentil à vous, bafouilla-t-il avant que Holmes lui impose encore le silence.

– Jeune homme, vous avez vécu la triste et trop banale expérience des ravages physiques et mentaux de la morphine. Psychologiquement, je ne peux rien pour vous. Mais je peux vous aider à vous débarrasser de votre dépendance physiologique à l'héroïne. Ce n'est pas un processus agréable. Vous vous sentirez tel que vous êtes à présent pendant un temps insupportablement long, et beaucoup plus mal pendant une courte période. À la fin, vous éprouverez un sentiment de faiblesse, de vide, de honte. Le besoin de drogue vous dévorera jusqu'au tréfonds de l'âme, mais vous serez purifié et commencerez à vous souvenir de l'homme que vous étiez. Si, comme je le crois, ce désir de purification et de mémoire grandit en vous, je suis en mesure de vous aider. Vous seul, en revanche, pouvez prendre la décision.

— Mais... pourquoi ? Je ne vous connais même pas. Pourquoi voudriez-vous... ?

— Pendant quatre ans, dans les tranchées, vous avez fait pour moi ce que je ne pouvais pas. À présent, vous en payez le prix. J'ai une dette envers vous depuis le jour où vous avez embarqué avec le transport des troupes. Cette dette, je peux l'honorer en prenant sur moi une petite partie de ce que vous avez enduré. Vous n'avez qu'un mot à dire et je suis votre homme.

Une pendule égrena les secondes. Une minute s'écoula. Je guettais avec angoisse un bruit de pas qui aurait mis un terme au face-à-face entre les deux hommes, le plus jeune, détruit par la drogue, pétrifié devant son implacable aîné.

Enfin, reprenant son souffle, Miles lui tendit la main. Holmes s'en saisit et, de l'autre, entoura son épaule en un geste de réconfort, d'encouragement.

— Très bien. Où est votre chapeau ?

— Mon chapeau ? Vous n'avez quand même pas l'intention de...

— Si.

— Mais ma mère...

— Elle préférera mille fois savoir que son fils va redevenir lui-même plutôt que d'avoir à le supporter tel qu'il est aujourd'hui. Elle vous pardonnera votre absence aux obsèques. De toute façon, il faut agir vite.

Il prit Miles par le coude, l'entraîna poliment mais inexorablement vers la sortie.

— Jeune homme, vous avez sollicité mon aide. Comme tant d'autres avant vous, vous devez l'accepter comme elle vient, quels qu'en soient les inconvénients. Russell, vous présenterez nos excuses à la famille et trouverez une explication plausible. Ayez également la bonté de téléphoner à Mycroft au club Diogène. Dites-lui que nous sommes en route pour le sanatorium. Qu'il prévienne immédiatement le docteur McDaniels.

Je les suivis dans le vestibule. Marshall, éberlué, apporta leurs affaires. Holmes lui enleva son chapeau des mains, ficha celui de Miles sur sa tête et s'empara d'un geste des deux manteaux.

— Au revoir, Russell. Vous pourrez me joindre par l'intermédiaire de Mycroft.

— *Mazel tov,* Holmes. Bonne chance.

— Merci, Russell. J'en aurai besoin.

Ignorant le majordome qui tournait autour d'eux, il enveloppa Miles dans son manteau, enfila le sien. Le malheureux domestique se précipita vers la porte, la garda ouverte jusqu'à ce que les deux hommes s'engouffrent dans le taxi qui attendait. Il pivota enfin, s'adressa à moi avec un petit air de reproche.

— Madame désire-t-elle quelque chose ?

— Madame souhaite simplement que cet homme guérisse.

Il parut sidéré. Mais sa maîtrise professionnelle reprit vite le dessus.

— Bien sûr, Madame, conclut-il d'une voix à peine plus emphatique que nécessaire.

Je regagnai la bibliothèque, passai mon coup de fil. Je me sentais libérée d'un poids énorme, où Miles n'entrait que pour une part.

8

Jeudi 30 décembre

Comparée aux autres créatures, la femme est à l'image de Dieu, car elle les domine ; mais comparée à l'homme, elle ne l'est pas, car elle ne règne pas sur l'homme, mais lui obéit.

SAINT AUGUSTIN

Miles en de bonnes mains et Holmes hors de ma vue, la vie me parut plus légère. Je terminai la partie d'échecs qu'il avait entamée, déplaçai six pièces jusqu'à échec et mat, me versai un verre de l'excellent xérès contenu dans une carafe de cristal et parcourus les rayons de la bibliothèque à la recherche d'un bon livre.

J'en étais à la page 33 d'un ouvrage italien de la fin du XVIIe siècle sur les doges de Venise lorsque Veronica revint.

— Désolée d'avoir été si longue, Mary. Où est Miles ?

Je fermai le livre et marquai la page avec un doigt.

— Ronnie, ton Miles est parti faire une cure.

Je lui rapportai brièvement ce qui venait de se passer.

— Et c'est tout ? Ce fut aussi simple que ça ?

— Il ne s'agit que d'un début, rien de plus.

Elle fondit en larmes, me serra dans ses bras puis sortit en courant, remonta à l'étage. Je me concentrai sur les doges. J'en arrivais à la page 92 (l'italien archaïque me donnait du fil à retordre) quand la porte s'ouvrit une nouvelle fois. Je bondis sur mes pieds, reposai le volume sur son étagère et rejoignis Ronnie, que je n'avais pas vue aussi radieuse depuis Oxford. Résistant à la tentation de la mettre en garde contre un optimisme excessif, je laissai Marshall m'aider à mettre mon manteau.

— Iris est morte et je sais que les perspectives de guérison de Miles sont encore lointaines, me lança mon amie une fois dans la rue. Je ne devrais pas être aussi heureuse. Pourtant, je ne peux m'en empêcher. Et je suis si reconnaissante à Dieu de m'avoir permis de te rencontrer l'autre jour devant ce salon de thé ! Veux-tu marcher un moment ou préfères-tu prendre un taxi jusqu'à un restaurant ?

— Faisons quelques pas, proposai-je. Nous en trouverons bien un en chemin.

Nous dégotâmes une gargote tenue par un Sicilien, où l'on nous servit un plat au curry, des petits pains parfumés et du café sucré aux épices : nourriture bizarre mais consommable. Nous prîmes le chemin du Temple bras dessus, bras dessous, complices comme jamais. En dépit du froid et de l'heure du service qui approchait, nous marchâmes sans nous hâter, en parlant à bâtons rompus.

— Que comptes-tu devenir, Mary ? Une enseignante d'Oxford typique, ou la mère comblée de quatorze petits monstres ?

— Ni l'une ni l'autre ! répliquai-je en riant.

— Et ton M. Holmes ?

— Mon M. Holmes est presque sexagénaire. Je le vois mal renonçant au célibat.

Je m'étais efforcée de répondre d'une voix égale, ironique, sans nostalgie.

— C'est bien dommage. Je le trouve très séduisant. Mais inaccessible. Un peu coincé, peut-être... Pourtant, les hommes d'âge mûr ont leur charme. Surtout aujourd'hui, où nous sommes en surnombre... Tout plutôt que rester vieille fille. Cela étant, certaines femmes...

Elle s'interrompit, me sourit dans le noir.

— Quoi, certaines femmes ?

– Oh, tu sais, elles prétendent que le seul véritable amour, d'égal à égal, c'est le saphisme... l'union entre nous.

– Margery Childe est lesbienne ?

– Non. Je suis sûre que non.

– Qu'en sais-tu ? Elle est mariée ?

– Non. Mais elle l'a peut-être été. Quelqu'un m'a raconté qu'elle avait perdu son époux sur la Somme.

– Qui ?

– Qui me l'a raconté, tu veux dire ? Attends voir... Je crois que c'était une adepte de la première heure, qui l'a connue avant la guerre. Ivy ? Non. Ah, j'y suis ! C'était Delia Laird. Elle avait suivi Margery dès le début du mouvement, à l'époque où elles prêchaient dans des salles de village louées pour la circonstance. Oui, c'est elle qui m'a dit l'avoir vue en France, un an ou deux auparavant, en compagnie d'un homme superbe, brun, méditerranéen, aux allures de truand. Non, Margery n'est pas lesbienne.

– Je n'ai jamais rencontré cette Delia Laird, n'est-ce pas ? Tu m'as dit qu'elle *avait* suivi Margery. A-t-elle quitté le Temple ?

– Elle est morte en août dernier. Noyée dans sa baignoire.

– Dieu du ciel...

– Un suicide. En fait, les enquêteurs ont conclu à un accident, mais nous savons toutes qu'elle s'est tuée. Avaler des médicaments et du gin dans son bain... Qu'est-ce que ça pourrait être d'autre ?

– Mais pourquoi ?

– Margery. Delia aurait pu devenir lesbienne si elle était née dans un milieu moins répressif ou si quelqu'un l'avait encouragée. Elle avait consacré sa vie à Margery. Une fille de bonne famille, mais malheureuse. En plus, sans vouloir médire des morts, pas très futée. Quand le Temple a commencé à prendre son essor, voilà deux ans, Margery l'a laissée sur le bord de la route. Elle avait besoin d'organisatrices chevronnées, capables d'autre chose que de louer des salles ou de porter les bagages. Et puis elle n'avait plus le temps de materner Delia. Alors, Delia s'est tuée.

— Margery sait-elle qu'il s'agissait d'un suicide ?

— Oh, non. J'en suis certaine. Elle était anéantie.

— C'est triste...

— Ce qui l'est surtout, c'est que Delia n'ait pas sauté le pas. Elle aurait fait une compagne parfaite.

— Même pour une autre femme ?

— Oui.

— Tu crois que Margery aurait approuvé ?

— Il y a plusieurs couples féminins au Temple et cela ne lui pose aucun problème. À ses yeux, les gens sont libres de faire ce qu'ils veulent. Ce qui compte par-dessus tout pour elle, c'est l'amour.

Nous fîmes quelques pas en silence.

— Tout ça me paraît mortellement ennuyeux, tranchai-je d'un ton sans appel.

Elle eut un petit rire.

— J'aimerais avoir la même opinion que toi. Tu es vierge, Mary ?

— Oui.

Elle me jeta un regard inquisiteur.

— Limite, limite ? murmura-t-elle, finaude.

— Limite, limite, confirmai-je. Et toi ?

— Non. Nous étions fiancés, après tout.

— Ne t'excuse pas.

— Oh, je ne regrette rien, absolument rien. Pour dire la vérité, Miles me manque affreusement. Ne pas l'avoir du tout est bien pire que de l'avoir drogué. J'espère tellement que Dieu...

Elle n'avait nul besoin de préciser ce qu'elle attendait de Dieu. Je passai un bras autour de son épaule, la rassérénai. Et nous poursuivîmes ainsi notre chemin, le cœur réchauffé par notre amitié.

Alors que nous approchions, un concert de voix harmonieuses nous enveloppa. Veronica sourit, pressa le pas.

101

– Ils chantent toujours. Nous n'avons donc pas manqué Margery. Dépêchons-nous.

Elle évita l'entrée principale, me précéda dans un escalier latéral réservé aux auditeurs « munis de billets ». Le portier répondit à notre salut par un hochement de tête. Les chants s'estompèrent tandis que nous nous précipitions vers une porte flanquée de l'inscription : « Privé », derrière laquelle nous retrouvâmes les membres du premier cercle, que, pour la plupart, je connaissais déjà. Elles nous firent de la place. Deux d'entre elles me toisèrent avec insistance, choquées par ma toilette. Dans la salle, l'éclairage baissa. Le silence s'installa et tous les yeux se braquèrent sur la frêle silhouette qui venait d'apparaître.

Sa robe gris argent scintillait de mille feux. Il me fallut une minute pour me rendre compte qu'elle était suivie par un projecteur à peine plus brillant que les lampes de l'estrade. J'appréciai le professionnalisme de la mise en scène. Je dus quand même admettre que cet éclat n'était pas entièrement artificiel. Le magnétisme de Margery, qui m'avait frappée le lundi, opérait à nouveau, accentué par ses mouvements languides et son regard sombre qui captivait une assistance de sept cents personnes, dont un quart d'hommes.

– Mes amis, commença-t-elle d'une voix vibrante et basse, je vais, ce soir, vous parler de l'amour. Vaste sujet, oui, si vaste...

Elle laissa mourir les murmures, eut un brusque sourire.

– Mais l'amour est-il un sujet dont on puisse parler ? L'amour est une force qui dépasse les mots. Et c'est lui qui nous parle. « Dieu est amour. » Une créature incapable d'amour ne peut aimer Dieu. Mais quiconque aime aime Dieu.

« Qu'entend-Il par amour ? Qu'entendons-nous par amour ?

« Pensez à un autre mot : lumière. La lumière. Si je demandais à chacun d'entre vous de la représenter sur une feuille de papier, croyez-vous que je tomberais sur deux pages identiques ? Chacun me rendrait un dessin différent : une ampoule, la flamme d'une lampe à gaz, une bougie, le soleil. Un bouquet de lumières...

Elle se pencha vers le public, comme une maîtresse d'école attendant des réponses.

– Et oui, oh, oui, je vois un nourrisson qui pleure, une femme qui le console. Un bel après-midi d'été... La première lueur de l'aube qu'un peintre s'acharne à capter et puis un homme, un homme... qui ne pense qu'au moment où il pourra allumer son cigare quand j'en aurai fini.

« Au commencement, psalmodia-t-elle, ravie du rire qu'elle venait de déclencher, Dieu créa le ciel et la terre. La terre était informe et nue, les ténèbres couvraient la face de l'abîme ; et l'Esprit de Dieu planait au-dessus des eaux. Et Dieu dit : Que la lumière soit...

Elle se tut quelques secondes, savourant le silence.

– Si le mot « lumière » évoque toutes ces images, qu'en sera-t-il de l'amour ? L'amour invisible, sinon par le mouvement qu'il engendre, sans existence physique, l'amour qu'on ne peut mesurer mais qui anime l'Univers ? *Dieu est amour*. Dieu crée. Et quand Il contemple Son œuvre, Il l'aime et déclare : « Cela est bien. »

« L'amour de Dieu, la joie qu'Il éprouve devant Sa création nous sont inaccessibles. Nous ne pouvons en percevoir qu'une parcelle dérisoire. Nous en sommes indignes. Et nous souffrons, comme une fermière binant son champ où stagne une eau croupie sans savoir qu'au sommet de la colline coule une source pure, immaculée. Et pourtant... Pauvres humains accablés par nos soucis, nos doutes, nous le sentons partout, dans chaque geste de nos misérables vies et l'espérance qui nous porte envers et contre tout. Cet amour, en dépit de notre indignité, de notre détresse, nous en sommes le reflet, le tabernacle. En aimant à notre tour, nous le magnifions. Et cet amour nous revient, nous transfigure. Nous ne cessons de le réclamer. "Que celui qui a soif vienne, dit l'Écriture. Qu'il boive de l'eau de la vie, gratuitement." Cette soif, nous ne l'apaiserons jamais. Pourtant, cet amour est partout. Une mère berçant son nouveau-né, un enfant se baissant pour ramasser un oisillon tombé du nid, un renard qui court sous la lune, tenant dans sa gueule la poule qu'il vient de voler et qu'il apporte à ses petits, tous participent de l'amour divin, comme deux êtres s'unissant dans la nuit et voyant se refléter, dans les yeux de l'aimé, toute la tendresse de Dieu.

Elle parla ainsi pendant une heure. Imprimé, son discours aurait peut-être fait rire. Mais sa voix, ses mimiques le transformaient en une arme redoutable. Cette autodidacte était une mystique ; une vraie. Ce que j'avais passé des journées à étudier était là, devant moi, brut, sans nuances. Galvanisant. Sublime.

Je n'ai aucune oreille. Je suis imperméable à la musique, à peine sensible à la poésie. Mais j'ai, pour la vérité, surtout théologique, une passion sans limites. Et je la touchais, là, au milieu d'un auditoire fasciné, submergé par une extase presque érotique.

Margery revint sur le thème de la soif, cita, bien sûr, le Cantique des Cantiques, considéré comme une allégorie, une parabole symbolisant la montée de l'âme vers Dieu et que les rabbis, effrayés par sa sensualité, interdisaient à leurs ouailles de chanter dans les tavernes.

– « Ton sein est une coupe arrondie où le vin ne manque pas... Ô mon amour, ta taille ressemble au palmier... Je me dis : je monterai sur le palmier, j'en saisirai les rameaux ! Que tes seins soient comme les grappes de la vigne, le parfum de ton souffle comme celui des pommes, et ta bouche un nectar qui glisse sur les lèvres et les dents de ceux qui s'endorment... »

Puis :

– « Mon bien-aimé passa sa main par l'ouverture de la porte, et mes entrailles furent émues... »

Enfin :

– « Mangez, amis, buvez, enivrez-vous d'amour ! »

Elle sourit, s'inclina.
– Jusqu'à dimanche, amis.
Et elle s'éclipsa.

Le brouhaha qui suivit son départ se prolongea dans le vestibule. Certains hommes, visiblement, avaient chaud sous leur col. Quant aux dames du premier cercle, qui l'avaient pourtant entendue de nombreuses fois sur ce registre, elles se regardaient d'un air embarrassé. Quelques-unes se saisirent de paniers de couleurs vives, dont plusieurs, vite remplis, circulaient déjà dans la foule, et se mirent à quêter. Mais, à ma grande surprise, les autres se dirigèrent vers la sortie. Je me tournai vers Veronica, approchai ma bouche de son oreille.

– Il n'y a donc pas de réunion ce soir ?
– Non, cria-t-elle en retour. Jamais le mardi.

Nous suivîmes le flot jusque dans la rue et nous réfugiâmes sous un lampadaire, ignorant les musiciens et les marchands ambulants qui guettaient la fin du service.

– Pourquoi pas le mardi ? demandai-je.
– Qu'est-ce que tu dis ? Oh, à propos de Margery ? Le mardi, elle médite toujours avant et après son sermon.

J'essayai d'imaginer à quoi pouvait penser cette femme au cours de ses méditations. La voix de Veronica me ramena à la réalité.

– Pardon ?
– Tu veux aller dîner ou boire un verre ?
– Pas de repas complet, en tout cas.
– Un pub, alors.

Va pour le pub. Il se trouvait tout à côté. Des auditeurs de Margery s'y étaient déjà engouffrés. Riant, plaisantant, ils ne ressemblaient en rien aux fidèles recueillis que j'avais côtoyés quelques instants plus tôt. Nous nous installâmes dans un coin, devant une table minuscule. On nous apporta nos consommations et quelques maigres sandwiches.

– Eh bien, qu'en penses-tu ? s'enquit mon amie.

Je la dévisageai avec attention. Son regard n'exprimait aucune malice. Et je ne pouvais même pas mettre son innocence sur le compte d'une naïveté de pucelle.

— C'est le service le plus ahurissant auquel j'aie jamais assisté. Elle fait ce genre de prêche tous les mardis ? ajoutai-je en mâchant un bouchée de fromage mariné.

— Ce soir, elle était triste, à cause d'Iris. Elle souhaitait consacrer la soirée à sa mémoire, mais Mme Fitzwarren, qui n'a jamais approuvé l'engagement de sa fille dans les activités du Temple et rend Margery responsable de sa mort, s'y est opposée.

— Responsable ? De quelle manière ?

— Le choc est encore trop fort. Disons qu'elle n'est pas prête à partager son chagrin avec quelqu'un d'extérieur à la famille. Margery le comprend très bien, mais elle se sent blessée. Qui ne le serait pas ? Paradoxalement, la fougue de son discours de tout à l'heure vient peut-être de son chagrin. Elle affirme que, lors de ses méditations, elle capte l'énergie qui l'environne, y puise sa force. C'est une personne extraordinaire.

— Je n'en doute pas. Organise-t-elle avec vous des séances de méditation ou de prière ?

— De temps en temps. C'est ce qu'elle appelle l'apprentissage du silence. Une façon d'écouter l'univers, de « s'ouvrir à l'amour de Dieu », comme elle dit. Interroge-la sur le sujet à l'occasion.

— Je n'y manquerai pas.

— Tu vas aller la voir ?

— Je crois, oui. Je pensais que ce serait possible dès ce soir, mais...

— Désolée. J'aurais dû te prévenir. Tu veux le dernier sandwich à la viande ? Merci. Pourquoi ne téléphones-tu pas demain pour convenir d'une date avec Marie ?

— Je le ferai.

Je pris l'ultime sandwich de pain de mie, indéfinissable, au vague goût de poisson. Veronica fixait sans le voir celui qu'elle avait dans la main.

– Elle est vraiment extraordinaire, répéta-t-elle en fronçant ses épais sourcils.

J'attendis. Elle leva enfin les yeux vers moi, rougit jusqu'aux oreilles.

– Ce n'est rien : juste quelque chose que j'ai vu ou cru voir. Il n'y a aucun mal à ce que je t'en parle, même si tu vas croire que je suis tombée sur la tête. Oh, et puis qu'est-ce que ça peut faire ?

« Un soir, je suis restée au Temple plus longtemps que d'habitude, pour installer au foyer une femme et ses deux enfants. Je voulais parler d'eux à Margery. Je n'avais pas réalisé qu'il était si tard. Je suis donc allée la trouver. Elle n'était pas dans le salon où elle nous a reçus l'autre jour. J'ai donc suivi le couloir qui mène à ses appartements privés, pensant tomber au moins sur Marie. J'ai passé la tête par la porte de la pièce que Margery utilise comme chapelle quand elle veut méditer. Apercevant Marie assise dans un coin, je suis entrée. Avant même que j'aie pu dire : "Marie, auriez-vous vu... ?", elle a bondi sur ses pieds, m'a prise par le bras et poussée vers la porte. Tu as sans doute deviné le rôle que joue cette Marie. Elle fait son travail, empêche Margery d'être dévorée ; mais elle n'est pas d'un abord facile. Figée, je lui ai demandé ce qui se passait. Elle m'a barré le chemin, tout en jetant un coup d'œil dans la pièce, comme lorsqu'on veut s'assurer qu'on n'a pas dérangé quelqu'un. Je l'ai écartée, je me suis avancée. Et j'ai vu Margery : à genoux, presque assise sur les talons ; les épaules voûtées, les bras ballants. Elle ne m'avait pas entendue. Même l'explosion d'une bombe ne l'aurait pas fait bouger d'un pouce. Je distinguais mal son visage. Mais il m'a semblé que sa bouche était légèrement ouverte. Elle avait l'air... dans un autre monde. Marie – quel personnage désagréable ! – m'a empoignée brutalement. Je l'ai laissée m'entraîner vers la porte. Puis je me suis retournée pour regarder par-dessus son épaule. À ce moment-là, Margery s'est effondrée, comme une marionnette dont on a coupé les fils. Elle s'est littéralement affalée par terre. Marie m'a fermé la porte au nez. Je l'ai entendue, non pas courir, mais marcher dans la pièce. Je n'ai jamais parlé de cette scène à Margery ni à quiconque. J'ignore si elle sait que je l'ai vue. C'était un mardi...

Le pub commençait à se vider. Ni Veronica ni moi n'y prêtâmes attention, jusqu'à ce que le serveur vienne ostensiblement débarrasser les tables voisines de la nôtre. Nous finîmes nos verres, enfilâmes nos manteaux.

— Merci de m'avoir tout raconté, Ronnie. Je suis d'accord avec toi. C'est une personne intéressante.

— Alors, tu ne me prends pas pour une toquée ?

— Pas le moins du monde.

Je regagnai mon club et me couchai aussitôt. Dans mon esprit, tout se brouillait : le triste état de Miles Fitzwarren, les motivations de Sherlock Holmes, la vie spirituelle de Margery Childe. Je ne dormis guère.

9

Vendredi 31 décembre – samedi 1er janvier

> *Que la femme écoute l'instruction en silence,*
> *avec une parfaite soumission. Je ne permets pas*
> *à la femme d'enseigner, ni de prendre de l'auto-*
> *rité sur l'homme : elle doit garder le silence.*
>
> SAINT PAUL
> Première Épître à Timothée, 2, 11-12

J'appelai le Temple dès le lendemain matin. Après avoir été coupée deux fois, je réussis enfin à joindre Marie. La résonance du téléphone alourdissait son accent, rendait ses propos incompréhensibles. Je finis par m'adresser à elle en français, mais elle s'obstina à me répondre dans son anglais clownesque. Il ressortit de cette conversation bilingue que Mlle Childe ne serait pas en mesure, ce jour-là, de me recevoir plus d'un quart d'heure. Souhaitant s'entretenir plus longuement avec moi, elle me proposait de dîner avec elle le lendemain samedi, à 18 h 30. Je répondis, dans mon français le plus châtié, que cette perspective me comblait et que j'acceptais de tout cœur. Puis je raccrochai.

Je demandai ensuite un numéro à Oxford. En attendant la communication, je feuilletai le journal du matin. L'article du jour sur Iris Fitzwarren n'occupait que deux petites colonnes. Il y était question d'une descente de Scotland Yard, au cours de la nuit de jeudi, dans le night-club où on l'avait vue pour la dernière fois et des quelques arrestations délicieusement scandaleuses qui en avaient résulté... Pour le reste, rien de nouveau. Sans son nom, Iris n'aurait eu droit qu'à quelques lignes en pages intérieures. Peut-être n'y aurait-il même pas eu d'article du tout.

On me passa la ligne. Je parlai quelques minutes à un homme, lui rappelai de façon détournée un service que je lui avais jadis rendu avant de lui indiquer ce qu'il me fallait. Je rappellerais d'ici une heure. Holmes, je le savais, aurait traité l'affaire par télégramme. Mais je préférais, lorsque j'exerçais un léger chantage, le contact direct.

J'eus le temps de prendre mon petit déjeuner avant de retourner au téléphone. Mon informateur me donna l'adresse et le numéro privé dont j'avais besoin. Je les notai dans mon agenda, le remerciai, pris mon chapeau, mes gants et mon sac à main, saluai la concierge, appellation bien flatteuse pour cette créature desséchée. Plutôt que d'arrêter un taxi, je me dirigeai résolument vers le métro. Après mes largesses aux pauvres de l'East End, ma bourse devenait de plus en plus plate et je n'avais aucun moyen de la garnir avant l'ouverture des banques, le lundi. Dans les escaliers de la station, une pensée soudaine me fit éclater de rire : le prix des vêtements que les lutins étaient en train de confectionner pour moi dépasserait de cinq livres la totalité de la pension dont je m'étais contentée pendant mes trois années d'Oxford et j'en étais réduite à économiser le moindre shilling. Philanthrope en guenilles le lundi, trop pauvre le vendredi pour prendre un taxi et sur le point de me retrouver millionnaire le dimanche, peut-être en dollars en cas de hausse du marché et de change favorable...

Arrivée à Oxford sous un petit crachin, je me présentai à l'adresse fournie par mon correspondant. J'y fus, à ma grande surprise, chaleureusement accueillie alors que, à l'évidence, je dérangeais le grand homme en plein travail. Après un entretien très instructif de deux heures et demie, je sortis de chez lui munie d'une liste de livres et de noms. Je passai tout l'après-midi à la Bodléienne, à parcourir des milliers de pages. Sur le chemin de mon logis, je m'arrêtai chez le directeur d'études, que j'avais surnommé Duncan et avec qui je devais en janvier soutenir mon mémoire. Cette visite se prolongea. Il me retint à dîner, m'éclaira sur de nombreux points. Je regagnai mon garni tard dans la nuit, lus encore deux heures avant de m'endormir.

Tôt levée le samedi matin, je me préparai du thé et commençai à lire l'imposant traité d'Evelyn Underhill sur le mysticisme. À une heure plus décente, ma logeuse m'apporta du café et des toasts beurrés. Je refermai l'ouvrage à contrecœur, rassemblai la documentation que Duncan m'avait confiée la veille, sonnai à sa porte vers midi. Nous eûmes une discussion amicale au milieu d'une ribambelle d'enfants braillards, en présence de sa femme, à l'air aussi distrait que lui. Traversant les parcs, je me rendis ensuite jusqu'à une blanchisserie désaffectée de Headington qui, bizarrement, sentait encore le drap repassé et d'où s'échappaient, par des fenêtres aux vitres opaques, des bruits inquiétants pour les profanes.

On y pratiquait un art martial que Watson s'obstinait à appeler « baritsu », du nom pseudo-asiatique d'une lutte en vogue à son époque, inventée par un Anglais et si peu efficace que Holmes, s'il s'était fié à elle, n'aurait jamais survécu à sa chute dans les gorges de Reichenbach. Ce jour-là, l'esprit ailleurs, ramollie de surcroît par des semaines passées sur mes livres, j'aurais plutôt employé le mot « torture ». Je récoltai de la part de mon professeur, d'ordinaire doux et patient, une impressionnante série de bleus. Je m'inclinai avec précaution devant lui, avant de marcher à petits pas jusqu'au train, en pensant à quel point il est salutaire de se mesurer de temps à autre à un maître sans pitié.

J'arrivai au Temple à 17 heures, passai par la petite entrée qu'empruntaient à quelques mètres de la porte principale, un peu plus bas dans la rue, les collaboratrices de Margery. Comme convenu, Veronica, avec qui j'avais rendez-vous, me fit visiter les lieux. Expérience enrichissante. Je fis connaissance avec le foyer réservé aux femmes en difficulté, les longues tables du réfectoire, la petite infirmerie et le jardin minuscule doté de balançoires pour les enfants.

– C'est le seul jardin que la plupart aient jamais vu, précisa mon amie.

Je parcourus les classes, examinai les livres de lecture pour écoliers, mais surtout utilisés par leurs mères.

– Nous sommes en train de rédiger un manuel simple pour adultes.

Je découvris l'entrepôt de nourriture et de vêtements pour les nécessiteux, la salle de cours de secrétariat avec sa rangée de machines à écrire.

– Tu sais sans doute que si une femme refuse un emploi de domestique, harassant, humiliant et mal payé, on lui supprime ses allocations, m'expliqua Ronnie.

Je dus reconnaître que je l'ignorais. Elle me montra enfin la future bibliothèque, où s'alignaient déjà un certain nombre de volumes.

– Nos protégées sont si avides d'apprendre qu'elles lisent tout ce qui leur tombe sous la main.

Le bâtiment suivant, entre le foyer et la grande salle, constituait le cœur du Temple. On trouvait, au niveau de la rue, les bureaux où se réglaient les affaires extérieures : projets de conférences de Margery, collectes de fonds. Même s'ils n'en avaient ni les lambris de chêne ni la dignité compassée, ils étaient aussi actifs que ceux de n'importe quelle entreprise prospère.

Au-delà, couvrant la plus grande partie du sous-sol, les locaux de l'organisation politique du Temple me surprirent bien davantage. La première pièce ne contenait que des cabines téléphoniques et un vaste standard.

– Il nous permet d'obtenir des réponses rapides ou de diffuser instantanément une information. Il sert également de centre d'entraînement aux apprenties standardistes.

Dans la salle suivante s'étalait une table circulaire d'au moins douze pieds de large.

– C'est là que nous mettons nos actions au point.

Des notes dactylographiées ou manuscrites tapissaient les murs. « Première lecture du projet de loi sur le divorce : mars ? », « Rappeler aux travailleuses du foyer que les sages-femmes reçoivent un shilling par consultation », « Si vous connaissez un journaliste sympathisant, transmettez son nom à Bunny Hillman », « Les tracts pour la manifestation devant le Parlement seront prêts le 5 janvier à midi », « On a besoin de : machines à écrire supplémentaires, literie, chaussures d'enfants, lunettes », « Les cours de culture physique commenceront le 20 janvier. S'adresser à Rachel », « Conférence sur la différence de traitement entre les sexes, les contrats de mariage et l'ère du féminisme, samedi 22 janvier, St Gilberta's Church, W1 », « On recherche : hébergement à la campagne pour excursions de familles cet été, de préférence avec forêt ou lac à proximité. Contacter Gertrude P. », « Perdu châle mauve à bordure rouge. Voir Helen, au premier bureau », « Le prochain voyage en France débutera le 18 février. Inscrivez-vous maintenant ! N'oubliez pas : chaussures pratiques et soyez à l'heure. Renseignements auprès de Susanna Briggs ou Francesca Rowley », « Les recueils de cantiques disparaissent à une cadence inquiétante. Surveiller la sortie après chaque service et demander aux membres de les remettre à leur place », « On demande des livres pour la bibliothèque de prêt. En bon état et pas trop tristes. Veronica Beaconsfield ».

La pièce d'à côté était un bureau rempli d'ouvrages de droit et d'histoire, de classeurs où s'entassaient des contrats, des plans, des rapports de recensement, plusieurs livres d'humour et des piles de journaux, depuis les périodiques édités par les suffragettes jusqu'à *Punch*.

– C'est là que nous écrivons les brouillons de nos proclamations et que nous rédigeons nos manifestes.

J'avisai même, dans un coin, une presse à imprimer. Et dire qu'une semaine plus tôt je ne connaissais même pas l'existence de cette ruche... Je confiai cette réflexion à Veronica, qui répondit :

— Tu en aurais entendu parler sous peu.

Je la crus volontiers. Sensible avant tout à l'aspect religieux du message de Margery, j'en avais sous-estimé les prolongements pratiques. L'énergie qu'elle insufflait à ses adeptes lors des trois services hebdomadaires trouvait là son exutoire. Le Temple était une machine politique et financière extrêmement efficace qui, servie par l'enthousiasme de toutes les participantes, même les plus humbles, poursuivait des objectifs fort concrets. Campagnes d'opinion, discours, impression de tracts, soins médicaux, alphabétisation, aide alimentaire, tout se passait là, tout était coordonné par les membres du premier cercle et coiffé, au sommet, par Margery Childe elle-même. Cette mystique avait les pieds sur terre, le sens de l'action. Et le goût du pouvoir. Où cela la mènerait-elle ? Au conseil municipal ? Au Parlement ? Sainte Catherine de Gênes, qui vivait au xve siècle, mystique elle aussi, enseignait, s'occupait des miséreux et gérait un grand hôpital. Un siècle plus tôt, une autre Catherine, de Sienne, conseillait les rois et les papes tout en dirigeant un ordre monastique. Elle aussi était une visionnaire, une mystique que Mlle Underhill mettait sur le même plan que saint François d'Assise. Alors, pourquoi Margery Childe n'aurait-elle pas joué un rôle identique dans le Londres du xxe siècle ?

Nous regagnâmes le rez-de-chaussée. Dans le hall, une employée du foyer nous intercepta.

— Oh, mademoiselle Beaconsfield, je suis heureuse de vous trouver. Une Queenie Machin-Chose insiste pour vous voir. Elle dit que son mari est devenu zinzin. Elle pleure et fait un foin de tous les diables.

— Vas-y Ronnie, dis-je. De toute façon, il est presque l'heure de mon rendez-vous avec Margery.

— Bien. Je vais t'annoncer à Marie.

Elle traversa le hall, grimpa les marches, revint au bout d'une minute, m'adressa un petit signe de la main et s'enfonça dans le couloir qui menait au foyer. Je saluai les femmes de la réception, en notant que leur curiosité à mon égard avait augmenté depuis que j'avais mentionné Margery, preuve que le Temple avait pris assez d'importance pour hisser sa dirigeante au-dessus du commun des mortels. Je patientai en feuilletant quelques brochures : *Les Carences de l'enfant*, *Le Traitement de la tuberculose*, *L'Alphabétisation des femmes*. Marie se planta enfin devant moi, prononça mon nom et pivota sans rien ajouter. Je la suivis d'un pas nonchalant, m'adressant par pure provocation, dans un français outrageusement fleuri, à son dos taciturne et gris. Elle me précéda dans les escaliers et le long du couloir que Veronica et moi avions déjà emprunté le lundi précédent, s'arrêta devant la porte opposée à celle de la salle de réunion du premier cercle, frappa une fois, attendit la réponse avant d'ouvrir.

Assise devant un feu, un livre sur les genoux, Margery Childe portait une robe d'intérieur de soie orange et gris. Elle se leva pour m'accueillir, la main tendue.

– Mary, quelle joie de vous voir ! Je peux vous appeler Mary, n'est-ce pas ? Vous, appelez-moi Margery, comme tout le monde ici. Accepteriez-vous un dîner frugal devant la cheminée ? Je ne mange jamais beaucoup avant un service et il faudra que j'aille m'habiller puis méditer d'ici une heure. J'espère que vous ne m'en voudrez pas. Le vert vous sied à merveille. Il donne à votre regard quelque chose de magique.

Je répliquai par les banalités d'usage : oui, volontiers, très bien, bien sûr que non, je comprends, votre compliment me flatte. Après avoir confié à Marie mon manteau et mon chapeau, je me retrouvai installée à une petite table dressée avec goût et entourée de deux ravissants fauteuils Louis XIV ; je cachai sous la nappe mon ourlet deux fois rallongé.

– J'ai cru comprendre que Veronica vous avait fait les honneurs de nos installations...

– Oui. J'ai été très impressionnée.

– Et surprise, me semble-t-il.

Je compris, au ton de sa voix, qu'il s'agissait d'une réaction habituelle.

— D'autant qu'il y a encore cinq jours je n'avais jamais entendu parler du Temple.

— Nous nous efforçons d'y remédier. Un peu de vin ?

— Merci.

Elle s'empara d'une carafe de cristal taillé, remplit deux verres au pied teinté d'une légère touche orange.

— Tout cela doit être récent, ajoutai-je. J'ai eu l'impression qu'une des rotatives avait à peine servi.

— Exact. Voilà cinq ans, nous louions deux pièces un jour par semaine. Aujourd'hui, nous possédons quatre bâtiments.

En dépit de ma curiosité, je m'abstins de l'interroger sur les étapes de cette transformation. Je ne voulais pas, d'entrée de jeu, paraître inutilement soupçonneuse.

— Très impressionnant, répétai-je. Je vais faire un don à la bibliothèque.

— Excellent choix, approuva-t-elle avec un bref regard sur mes vêtements fatigués. Veronica compte beaucoup sur sa bibliothèque de prêt gratuit.

« Le bas-bleu en sera quitte pour deux livres », songeait-elle. Avec une pointe de malice, je décidai de lui river son clou dès lundi.

— Je ne m'attendais pas non plus à ce que vous... enfin, à ce que le Temple ait une activité politique aussi marquée.

— Vous voulez dire que la religion ne devrait pas se salir les mains ? Sans des changements législatifs radicaux, nous gérerons des soupes populaires et des dispensaires pour bébés jusqu'à la fin des temps.

— Mais ne pensez-vous pas... ?

Je fus interrompue par Marie, qui entra en poussant un chariot où elle avait disposé plusieurs plats sous cloche. Elle les découvrit près de la table, rajouta des couverts devant nos assiettes puis s'en alla, laissant Margery officier, ce qui m'étonna. Mon hôtesse se servit avec parcimonie, mais remplit copieusement mon assiette de tranches de poulet à l'estragon, de carottes glacées, de pommes de terre et de

116

salade. Elle mangea avec lenteur, en accompagnant chaque bouchée d'une gorgée de tisane au citron. Quant à moi, je me délectai d'un vin du Rhin fruité.

Au bout de quelques instants, Margery leva de nouveau les yeux vers moi.

– Vous disiez ?

– Je me demandais si votre anticonformisme religieux ne risquait pas de nuire à votre combat politique.

– Je ne le crois pas. Certains y verront une preuve de ma sincérité et ne m'en écouteront que davantage. Les autres me trouveront légèrement excentrique, sans plus.

– J'espère que vous avez raison.

Elle prit cette réponse polie pour un soutien sans réserve.

– C'est très bien de votre part. J'ai d'ailleurs beaucoup réfléchi, dans mes prières, à vous et à votre offre.

« Mon offre ! », pensai-je avec indignation.

– Vous avez pu vous rendre compte, poursuivit-elle, que mon enseignement était tout à fait personnel. Peut-être serait-il temps de le rendre plus universel. Une fois nos autres projets définitivement sur les rails, nous pourrions envisager la création d'un groupe de recherche et de débats, où nous inviterions les penseurs les plus éminents. Et même un journal, peut-être... sur cette fameuse presse neuve. Qu'en pensez-vous ?

« Des clous, m'énervai-je. Qu'est-ce qu'elle croit ? Qu'elle peut m'acheter ? »

Mon visage dut refléter mon agacement. Elle reposa sa fourchette, se pencha en avant.

– Je ne vous propose pas d'agir contre vos convictions, Mary. Je suis certaine que j'ai dit ou fait des milliers de choses que vous désapprouvez. Et je n'ai pas l'intention de changer. Je veux simplement apprendre. Pour mon bien et celui du Temple, j'ai besoin de savoir comment le monde appréhende les problèmes que j'affronte seule. Vous avez été surprise par notre existence. Ce n'est rien comparé à l'impression que vous avez produite sur moi. Lundi dernier, je n'ai pas dormi de la nuit. J'avais honte de mon arrogance,

117

de mon aveuglement. Je me sentais comme un paysan qui, possesseur d'une jolie boîte, laisse quelqu'un la lui prendre et découvrir les bijoux qu'elle contient. Votre aide m'est indispensable, Mary. Je ne vous demande pas de m'assister en permanence, ni d'adhérer au Temple. Mais il faut que vous me montriez le chemin. Je vous en prie.

Comment refuser une telle requête ? Je m'en savais incapable. Au moment où Marie arriva avec un second chariot – du café et des fraises (en janvier !) –, j'avais accepté de donner quelques cours informels à Margery et une conférence au premier cercle à la fin du mois.

Ayant obtenu ce qu'elle voulait, elle se détendit et savoura son café.

– J'aimerais que vous me parliez un peu de vous, Mary. Veronica a évoqué à votre sujet de sombres secrets et des aventures extraordinaires.

Je me promis de donner un coup de pied à Ronnie la prochaine fois que je la verrais.

– Elle exagère. J'ai dû m'éclipser pendant un mois au milieu de ma deuxième année à Oxford, pour régler une affaire de famille assez déplaisante. Comme je n'ai pas pris la peine de détailler les mobiles de mon escapade à mon retour, des rumeurs ont circulé.

La vérité était plus complexe et beaucoup plus tragique, mais j'avais réussi à éviter que les journalistes ne révèlent mon nom.

– Ensuite, deux mois plus tard, j'ai été blessée dans un accident, ce qui a, semble-t-il, eu pour effet de transformer la rumeur en certitude. Vous savez comment ça se passe. En vérité, je ne suis qu'une simple étudiante. Peut-être pas une pensionnaire d'Oxford comme les autres, mais une étudiante tout de même. Ma mère était anglaise, mon père américain. Ils sont morts tous les deux. J'ai une maison dans le Sussex, quelques amis à Londres, un faible pour le féminisme et la théologie.

– Un intérêt qui remonte à loin. Soyez franche, Mary : que pensez-vous de ce que vous avez vu et entendu ?

Je commençai par un commentaire courtois. Je vis alors dans ses yeux qu'il ne s'agissait pas de sa part d'une conversation à la légère mais d'une interrogation très sérieuse. Je reposai ma tasse et la fixai un instant, réfléchissant à une réponse qui, pour être honnête, ne m'engagerait pas trop. Elle attendait. Je levai le précieux verre de cristal qui avait contenu mon vin.

— Une dizaine d'années après la crucifixion de Jésus, naquit un Juif nommé Akiba. C'était un homme simple, un gardien de chèvres qui n'apprit à lire qu'à l'âge adulte mais devint néanmoins une des plus grandes figures du judaïsme. Tout comme Jésus, il n'enseignait que par courtes paraboles. Il préconisa d'ailleurs un certain nombre de réformes sur le statut de la femme. Mais ce n'est pas le sujet. Je répondrai à votre question par un de ses aphorismes : « La pauvreté sied autant à la fille d'Israël qu'une lanière rouge au cou d'un cheval blanc. »

Je reposai le verre sur la nappe d'un lin immaculé, croquai ma dernière fraise minuscule, au goût incomparable.

— Vous condamnez la richesse, observa Margery.

— Je ne suis pas socialiste.

— Celle du Temple, alors.

— Je parle de l'aspect esthétique de la pauvreté. Vous le prenez pour une attaque personnelle.

— Vous trouvez que les dons que nous collectons sont mal employés. Si cela dépendait uniquement de moi, je reverserais à mes sœurs la totalité de ceux que je reçois. Mais il y a des précédents bibliques. Judas souhaitait qu'on utilise l'huile de prix au lieu de la vendre.

— Oui, mais comme onguent pour préparer le corps avant de l'ensevelir. Non comme un parfum dont on se pare chaque jour. Votre comparaison ne tient pas.

Elle me scruta d'un œil intense, à la fois ébranlée et furieuse.

— C'est un problème difficile, déclara-t-elle vivement. Un certain apparat est nécessaire pour toucher les gens que nous voulons convaincre. Une réputation de fanatisme ne pourrait que desservir notre lutte. Il nous faut trouver un équilibre : marcher la tête haute face aux hommes et nous incliner humblement devant Dieu. Le pouvoir et le luxe sont de grandes tentations. Seuls l'humilité, la discipline et l'oubli de soi nous permettent de demeurer fidèles à notre cause.

Son ton me frappa plus que ses mots eux-mêmes. Margery Childe incarnait à mes yeux l'humanisme le plus rationnel. Si j'avais pu apprécier la force de ses sentiments religieux et si je connaissais par Veronica l'existence de ses transes mystiques, je n'avais pas encore été témoin d'une telle passion. Un court instant, tandis qu'elle se penchait vers moi comme pour me saisir aux épaules, ses yeux exprimèrent une ferveur presque inquiétante, qui disparut aussi vite qu'elle était venue. Elle allongea le bras vers la cafetière, remplit nos tasses.

– Vous avez touché du doigt le thème de ce soir.

– Vraiment ?

– Oui. Le pouvoir. Pour atténuer l'agressivité de ce terme, j'emploie souvent, quand je m'adresse à des auditoires extérieurs, l'expression : « éradiquer l'absence de pouvoir ». Vous percevrez une grande énergie, de la colère, même, lors de nos réunions dominicales. Ainsi que je vous l'ai dit l'autre soir, le droit de vote est un leurre. Il donne à nos concitoyennes l'illusion de conserver le rôle qu'elles ont joué pendant la guerre. En fait, l'accès à la propriété, l'autorité parentale, le divorce et mille autres droits restent l'apanage des hommes. Depuis le siècle dernier, notre situation a très peu évolué. Nous nous battons pour qu'elle change vraiment. Le mouvement pour le suffrage des femmes est en plein désarroi, démotivé, désuni. Nous croyons fermement que le Temple peut prendre la relève.

– En modifiant la loi ?

– En éduquant les électeurs, oui, et en gagnant des parlementaires à notre croisade. Mais pour cela, il nous faut envoyer des femmes à la Chambre. En grand nombre.

– Vous avez donc l'intention de vous présenter vous-même aux élections ?

– Un siège va se libérer au nord de Londres d'ici deux ans. Je garde un œil sur lui.

Silence. Puis :

– Vous avez l'air sceptique...

– Le peuple prendra-t-il au sérieux une « prêcheuse » briguant ses suffrages ? Aux États-Unis, vous auriez peut-être une chance. Mais ici ?

– Je ne suis pas d'accord. Nous, Anglais, sommes une race pragmatique. Nous sommes parfaitement capables de ne pas tenir compte du sexe ou de faire abstraction des bizarres options religieuses d'une personne qui fait acte de candidature si nous estimons qu'elle accomplira du bon travail. Et, après tout, je suis passée experte dans l'art de séduire les mâles récalcitrants.

Nous rîmes toutes les deux. Elle continua à me parler de politique, de la prochaine marche sur le Parlement, du projet de loi sur le divorce qui viendrait bientôt en première lecture, du rôle encore sous-exploité de la presse, seule capable de révéler au plus grand nombre les conséquences humaines de lois injustes, du défi que représentait pour elle son désir de se forger, en vue des consultations futures, une image publique tout en évitant de se compromettre. Je l'aurais écoutée toute la nuit sans l'apparition inopinée de Marie, aussi revêche que d'habitude.

– Mon Dieu ! J'avais complètement oublié l'heure ! Mary, je suis désolée, mais il faut que j'y aille. Notre conversation m'a comblée. J'espère que nous en aurons une autre bientôt. Assisterez-vous à la réunion de ce soir ?

– Bien entendu.

– Parfait. Même si vous n'avez pas la fibre politique, vous la trouverez intéressante. Un grand nombre de femmes remarquables et généreuses travaillent au Temple. Les soirées du samedi leur donnent l'occasion de s'exprimer et de se faire entendre. À présent, je dois m'excuser. Merci d'être venue. J'ai hâte de vous revoir à notre réunion de lundi. Et... Mary ? Je me souviendrai de la lanière rouge.

Je gagnai la grande salle et pris place sur une rangée du fond, alors que j'aurais pu rejoindre Veronica dans la loge des privilégiées du premier cercle. En dépit de mon peu d'intérêt pour la politique, qu'avait souligné Margery, je m'efforçai de suivre les débats, aussi abscons pour moi que les joutes oratoires de la Rome antique. Je m'éclipsai au moment où la controverse, lancée par un groupe de contradicteurs, battait son plein et je regagnai mon club à pied, en traversant la moitié de Londres.

Tout en marchant, je pensai à Margery Childe, aux mystiques dont je venais de lire la vie et les œuvres. Je me remémorai une phrase de rabbi Akiba affirmant qu'un mot non essentiel, dans un passage donné, a toujours un sens particulier qui ne saute pas tout de suite aux yeux mais peut revêtir une importance capitale. Il parlait de l'interprétation des Écritures. Pourtant, sa maxime exprimait une vérité bien plus générale, que Freud avait reprise à son compte. Et je ne pus m'empêcher de me demander : « Pourquoi Margery a-t-elle autant insisté sur la discipline et l'oubli de soi dans notre discussion sur la pauvreté ? »

Les rues de Londres ne m'apportèrent pas de réponse satisfaisante.

10

Dimanche 2 – lundi 3 janvier

Elle balance, elle hésite ; en un mot, elle est femme.

RACINE

L'aube du dimanche se leva sous un ciel mouillé et gris. Peu importait. Dans ma tête, un chaud soleil brillait, les oiseaux chantaient. Je fêtais ce jour-là mon vingt et unième anniversaire, et j'étais libre.

Pour remercier les exécuteurs testamentaires et mon notaire d'avoir pris la peine de se donner rendez-vous un dimanche matin dans le bureau de ce dernier, chez Gibson, Arbuthnot, Meyer et Perowne, j'avais acheté de coûteux présents à leur intention. Cette extravagance me paraissait la moindre des choses. Connaissant mes sentiments à l'égard de ma tutrice et ceux qu'elle me vouait en retour, tous avaient accepté avec empressement. Pour des raisons qui m'échappent, ils m'aimaient bien.

Par égard pour eux, j'avais revêtu mon austère robe bleu marine plutôt qu'un des costumes de mon père. Un taxi me déposa devant la porte de l'étude, qui scintillait dans la rue déserte. Avec une magnificence princière, je laissai tomber tout l'argent qui me restait dans la main du chauffeur. Ayant ainsi brûlé mes derniers vaisseaux, je tendis le bras vers le heurtoir, aussi reluisant que la plaque de cuivre, et entrai dans ma majorité.

Je ressortis trois heures plus tard, plus avisée et plus riche, un peu étourdie par la bienveillance de mes interlocuteurs et le champagne accompagné d'un flot de paroles qui détaillaient les responsabilités qu'impliquait mon héritage. Je fis quelques pas dans la rue avant de m'apercevoir que je n'avais plus un sou sur moi. Penaude, je regagnai l'étude, empruntai quelques livres à mon notaire. J'utilisai aussi son téléphone, mais aucun message de Holmes n'était parvenu au Vicissitude en mon absence.

Je montai dans le premier train pour le Sussex et présidai, l'après-midi, au déménagement de ma maison. Selon mes instructions, ma tutrice avait quitté les lieux en emmenant les domestiques. Ce qu'elle avait laissé derrière elle suivit le même chemin. Meubles, tapis, rideaux, vaisselle, casseroles, bibelots, tableaux, tout fut entassé dans des carrioles et des camions, pour être nettoyé ou vendu, en tout cas purifié. Vidée de la cave au grenier, la maison ne conserva que le mobilier de ma chambre. Après le départ des déménageurs, j'ouvris en grand portes et fenêtres, laissant la fraîcheur de la nuit et la brume venue de la mer effacer l'empreinte des six dernières années.

Ma maison était enfin à moi.

Une demi-heure plus tard, penaude pour la seconde fois de la journée, j'étais en train de me traiter de triple idiote en cherchant désespérément un ustensile pour faire bouillir de l'eau lorsque j'entendis une voix sur le perron.

– Mademoiselle Mary ?

– Patrick !

Je replaçai à grand bruit le seau à charbon dans la cheminée de ma chambre et dévalai l'escalier pour accueillir mon fermier. Il m'attendait en bas, ahuri par l'aspect glacial et désolé des pièces du rez-de-chaussée.

– B'soir, mademoiselle Mary, dit-il en touchant sa casquette. On a fait un sacré ménage, ici.

– C'est le mot. Demain, les peintres arracheront les

papiers moisis des murs et commenceront leur travail. De haut en bas, tout sera propre et neuf. Sauf l'extérieur, bien sûr, pour lequel il faudra attendre le printemps.

— Ce sera une nouvelle maison.

— Vous l'avez dit ! répliquai-je sans dissimuler ma joie.

Il me regarda, posé, flegmatique. Un ami. Il hocha deux fois la tête, eut un sourire timide.

— J'ai pensé, puisque tout le monde est parti hier, que vous risquiez, ce soir, de vous trouver un peu démunie. Je peux vous offrir un bol de soupe ? Tillie m'en a fait porter, avec un poulet et un de ses fromages de chèvre, au cas où vous auriez faim.

Propriétaire de l'auberge du village, Tillie était la bonne amie de Patrick. Ses talents de cuisinière attiraient des clients d'Eastbourne et même de Londres. J'acceptai avec enthousiasme et accompagnai mon fermier jusqu'à son cottage douillet, proche de la grange.

Plus tard, réchauffée et rassasiée, je rentrai chez moi et restai longtemps dans le noir à écouter craquer les poutres vieilles de plus de deux siècles, à guetter les imperceptibles mouvements de l'antique bâtisse qui s'adaptait à sa nudité. Enfant, j'adorais déjà cette maison. Nous y passions l'été en famille. Ensuite, alors que j'avais quatorze ans, un an avant que je rencontre Holmes, l'accident avait tout brisé. Seule dans l'obscurité, je me demandai si je pourrais, maintenant que ma tante n'était plus là, ramener à moi les ombres de mon père, de ma mère et de mon petit frère. Je montai l'escalier, m'arrêtai sur le seuil de ce qui avait été jadis la chambre de mes parents et où, sous le règne de ma tante, logeaient parfois ses rares amis. En dépit des nappes de brume, il y faisait bon. Je souris à mes fantômes, verrouillai les fenêtres et la porte. Puis j'allai me coucher.

Le lendemain matin, je téléphonai à Holmes. Sans succès : Mme Hudson ne l'avait pas vu depuis plusieurs jours. La maison me parut misérablement froide, humide et pleine de reproches. Je l'abandonnai aux décorateurs pour retourner à Londres.

Patrick me conduisit à la gare dans un vieux dog-cart. Avant de pousser le cheval au trot, il plongea sa main dans la poche de son pardessus, en sortit un petit paquet qu'il me tendit d'un geste gauche.

— Pour vous souhaiter de multiples retours heureux, mademoiselle Mary. J'ai oublié de vous le donner hier soir.

— Patrick, il ne fallait pas.

Il n'avait jamais eu un tel geste auparavant. Je défis le paquet, dont le papier semblait avoir déjà beaucoup servi, y trouvai, délicatement plié, un petit mouchoir de batiste à fleurs bleues et rouges, brodé à mes initiales. Peu pratique, dérisoire et touchant.

— C'est absolument ravissant.

— Il vous plaît, alors. Tant mieux. C'est ma sœur qui l'a fait. Elle m'a demandé quel genre de fleurs vous aimiez. Je lui ai dit : « Les pensées ». C'est bien ça ?

— Tout à fait. Je m'en tamponnerai délicatement le bout du nez à la moindre occasion. Ainsi, tout Londres pourra l'admirer. C'est le plus joli cadeau d'anniversaire qu'on m'ait fait.

— Vous en avez eu beaucoup ?

— Euh, non.

Mis à part les livres, les dollars et les francs, trois maisons, deux usines, un ranch en Californie ; mais s'agissait-il vraiment de cadeaux ?

— Je suis sûre que Mme Hudson aura quelque chose pour moi la prochaine fois que je la verrai.

— M. Holmes, lui, ça doit pas être son genre.

— La dernière fois qu'il m'a offert quelque chose, si je me souviens bien, c'était un assortiment de rossignols. Je préfère mille fois ce mouchoir.

Je déposai un baiser sur sa joue tannée, qui rougit jusqu'à l'oreille, et me précipitai vers le quai.

J'étais déjà devant la boutique des lutins lorsqu'ils en ôtèrent le volet. J'y passai plusieurs heures. Ce que je dépensai correspondait à mes prévisions. Mais jamais je n'aurais pensé que s'habiller pût prendre autant de temps ! Inquiets et fébriles, M. et Mme Lutin exhibèrent devant moi leurs chefs-d'œuvre : ensembles de soie, de cachemire, de laine, plus une somptueuse robe du soir qui, évitant le décolleté, dissimulait avec une grâce à la fois suggestive et pudique les séquelles de mon accident et la cicatrice de la balle qui avait, deux ans plus tôt, traversé mon épaule droite. Sans compter les chaussures, les chapeaux... Le tout me serait livré sous peu, sauf ce que M. et Mme Lutin me forcèrent à endosser sur-le-champ. Je ressortis du magasin attifée comme une poupée d'enfant riche, les orteils comprimés dans des souliers rigides, coiffée d'un chapeau cloche qui me donnait l'impression de porter un pot de chambre. Affamée, déconcertée, je prononçai à haute voix, plantée au milieu de la rue, les premiers mots qui me vinrent à l'esprit.

– Holmes, où diable êtes-vous ?

À ma grande déception, ni le joueur d'orgue de Barbarie ni le charcutier ne se métamorphosèrent en détectives. Quant au livreur juché à l'avant de sa carriole, il me jeta à peine un regard en donnant un coup de guides sur la croupe de son cheval.

Je fus forcée de l'admettre : j'avais envie de voir Holmes, l'homme le plus sensé du monde en dépit de sa singularité, le seul sur lequel je pouvais m'appuyer. En outre, je brûlais de savoir où il en était avec Miles Fitzwarren. Qu'il ne m'ait pas contactée depuis quatre jours me perturbait. J'entrai dans un bureau de poste, téléphonai au Vicissitude. Pas de message. Je rédigeai alors un télégramme, l'envoyai à Holmes en cinq exemplaires à cinq endroits différents, y compris son cottage du Sussex. Chacun d'eux disait : « Perplexe. Besoin conseil. Russell. »

À peine expédié, je regrettai cet appel au secours. « Peut-être ne répondra-t-il pas », me dis-je pour me rassurer, avant d'aller enfin me restaurer.

Ma leçon à Margery était prévue pour 16 h 30. Dès mon arrivée au Temple, je m'assis à une table et ouvris mon chéquier. Une fois mon chèque rempli, je le déposai devant la réceptionniste stupéfaite.

– Ceci est destiné à la bibliothèque dont s'occupe, je crois, Mlle Beaconsfield. Seriez-vous assez aimable pour le lui remettre quand elle sera là ?

La communication à l'intérieur du Temple était excellente. Bien sûr, Margery m'accueillit sans faire allusion à mon geste ; mais dans ses yeux brillaient tous les zéros de mon obole. Mon luxueux tailleur brodé acheva de la convaincre que ses préjugés sur le bas-bleu sans le sou n'avaient plus de raison d'être. Je répondis aimablement à ses compliments et la leçon sur la Bible commença.

On ne nous interrompit qu'une fois, pour me transmettre un télégramme qui disait : « Vingt heures Masters SH ».

Cela me mit de belle humeur. Je le pliai pour le fourrer dans ma poche avant de me rendre compte que la veste de mon nouveau tailleur n'en comportait pas. Je le glissai donc dans mon sac à main, souris à Margery et poursuivis mon bref survol de l'histoire du judaïsme et du christianisme.

– Nous avons donc la Bible hébraïque, que vous appelez l'Ancien Testament, composée de la Loi, ou Pentateuque, des Prophètes et des Écrits ou Hagiographes, à quoi il faut ajouter les Apocryphes ; nous avons ensuite le Nouveau Testament, rédigé en grec, qui se compose des quatre récits de la vie de Jésus, ou Évangiles, des Actes des Apôtres, des Épîtres et de l'Apocalypse de Jean.

« Aucun de ces textes n'a été écrit en anglais. Je sais que ce que je dis peut sembler ridicule, mais on a tellement pris l'habitude, en Grande-Bretagne, de considérer la Version autorisée du roi Jacques comme la parole directe de Dieu qu'il n'est pas inutile de rappeler qu'elle ne date que de trois siècles et n'est qu'une œuvre humaine.

Je fouillai dans mon sac, en sortis deux feuilles de papier que j'avais préparées avant de venir.

– Je veux que vous fassiez l'effort de vous remémorer ces deux alphabets. Le premier, le grec, vous sera plus utile que l'hébreu. Les lettres sont *alpha, bêta, gamma*, récitai-je, continuant jusqu'à *oméga*. Et voici, dans cette colonne, leur prononciation. Vous remarquerez les similitudes. Cela tient à ce que l'alphabet utilisé en anglais, comme en français ou dans les autres langues européennes, dérive en partie de celui-là. Maintenant, servez-vous du tableau et déclamez ces trois mots.

Elle s'exécuta laborieusement, mais sans se tromper.

– *Anthropos ; anèr ; guné.*

– Bien. En anglais ou en français, on emploie le mot *man*, ou *homme*, pour traduire à la fois *anthropos*, être humain, et *anèr*, personne de sexe masculin. *Guné* est la femme, contraire de *anèr*. La plupart du temps, le sens ne prête pas à confusion. En grec, on trouve parfois *anèr* alors qu'on pourrait s'attendre à *anthropos* et vice versa, mais il est bon de garder à l'esprit, par exemple, le fait que Jésus est appelé « Fils de l'Humanité » et non « Fils de l'Homme ».

Nous travaillâmes là-dessus un certain temps. Je lui donnai un évangile grec. Nous parlâmes brièvement de la différence entre genre et sexe, souvent confuse en anglais, mais, comme Margery s'exprimait couramment en français, je n'eus pas à m'attarder sur le sujet.

Cette heure et demie fut stimulante. Je découvris, conformément à mon attente, que mon élève avait l'esprit rapide, une compréhension instinctive des subtilités théologiques et le désir de combler ses lacunes. Elle ne pourrait jamais se mesurer à un diplômé d'Oxford, mais serait parfaitement capable de converser avec lui.

Cette première séance lui fit pourtant prendre conscience de son ignorance. D'un air mélancolique, elle me regarda glisser mes livres dans ma mallette.

– C'est presque sans espoir, n'est-ce pas, Mary ? me dit-elle avec un rire triste. Je me sens comme un enfant qui contemple des bonbons devant la vitrine du confiseur en pensant qu'il ne pourra jamais les avoir tous.

– Ce n'est jamais tout ou rien, Margery. Et souvenez-vous d'Akiba. À présent, vous aussi, vous savez lire.

11

Lundi 3 – samedi 8 janvier

Femme, fragile reflet de l'homme, tes passions,
Confrontées aux miennes,
Sont comme la lune face au soleil
Et l'eau comparée au vin.

LORD TENNYSON

Affectant de me reconnaître, ce qu'il faisait sans doute avec tous les clients, le maître d'hôtel me conduisit à la table réservée par Holmes. Le restaurant n'était guère animé. À la brève période de popularité qu'il avait connue l'année précédente avait succédé la désaffection des habitués, déçus par la décision de Masters, le patron, de ne plus servir de cocktails, de supprimer l'orchestre et de ne plus proposer sur sa carte aucun plat étranger.

Holmes entra, confia à Masters son manteau, sa canne, son chapeau, son écharpe et ses gants, puis se fraya un chemin entre les tables. « Ses os le font souffrir », pensai-je en le regardant approcher, effrayée par son visage décharné et gris.

– Holmes, m'écriai-je, vous être affreux !

– Navré, Russell, que mon apparence vous choque à ce point, répliqua-t-il sèchement. J'ai pourtant pris la peine de me raser et de changer de chemise.

– Voyons, ce n'est pas ce que je voulais dire. Vous avez l'air... calme.

Ce n'était pas le terme approprié. Seule une immense fatigue, physique, mais aussi morale, pouvait avoir altéré à ce point la nervosité habituelle de ses gestes et de sa voix.

— Si vous y tenez, je peux danser devant vous la danse de Saint-Guy. Mais je préférerais dîner d'abord. Avec votre permission, bien sûr...

Je me sentis rassérénée. S'il se montrait sarcastique, c'est qu'il était bien vivant. Il se tassa sur son siège, me décocha un sourire las.

— Si j'en crois votre toilette, vous, en revanche, semblez jouir pleinement de la vie.

Je soutins son regard une longue minute et vis ses traits se détendre peu à peu.

— Dois-je en conclure, ajouta-t-il, que vous appréciez votre majorité ?

— Je crois que je n'en tirerai que des avantages. Holmes, où étiez-vous ?

Il leva un doigt, se tourna vers le garçon qui attendait en silence.

— Composons d'abord notre menu, voulez-vous ? Je ne me suis nourri que de façon épisodique, ces derniers jours. Je rêve d'une bonne viande.

Nous commandâmes un repas que même son obèse de frère, Mycroft, aurait jugé pantagruélique. Quand nous fûmes seuls, il s'appuya contre son dossier, tritura le petit pain posé près de son assiette.

— Où étais-je ? se demande-t-elle. Je suis allé au purgatoire, ma chère Russell, et même au-delà. J'ai été un témoin, un guide et j'ai participé malgré moi au combat livré par un jeune homme contre les Furies, ce qui m'a rappelé des épisodes de mon existence que j'aurais préféré oublier. Et je l'ai materné, Russell, rôle pour lequel je ne suis que médiocrement doué.

— Vous ? Vous vous occupiez vous-même de Miles ? Mais, Holmes, je n'aurais jamais cru...

— Votre foi en mes capacités de garde-malade est touchante, Russell. Oui, j'ai, avec d'autres, pris soin de Miles

131

Fitzwarren. M'imaginez-vous l'arrachant à son foyer et à ses habitudes uniquement pour le confier à mon ami médecin et m'en laver les mains ? Sans moi, jamais il ne serait resté là-bas.

— Donc vous... Je suis désolée, Holmes. Je ne pensais pas vous accaparer à ce point.

— Non ? Non, en effet, je présume que vous ne l'imagi- niez pas. Mais cela n'a aucune importance. Ne prenez pas cet air coupable. J'ai passé ma vie à fourrer mon long nez dans la vie des autres ; c'est ce que, d'une certaine façon, j'ai fait avec Miles. Je vous en prie, Russell, si vous tenez à m'être de quelque utilité, chassez de votre visage cet air de chien battu. Mes vieux os iront beaucoup mieux s'ils se réchauffent à l'éclat de votre jeunesse. Voilà, c'est bien. Un verre de vin ?

— Merci, répondis-je, m'adressant à la fois à mon ami et au personnage discret qui, apparu près de la table avant qu'il ait pu terminer sa phrase, nous servit et s'éclipsa.

— Alors, comment va Miles ?

— Il est malade. Faible, honteux, plein de mépris pour lui-même. Grâce à Dieu, le plus dur de la réaction physique est passé. Il est jeune et robuste. Le médecin ne redoute aucun problème dans l'immédiat.

— On va donc le guérir ?

— On ne peut parler de guérison dans sa situation. Son corps sera purifié. Le reste dépend de lui.

Nos plats commencèrent à arriver.

— Eh bien, déclarai-je après le départ du maître d'hôtel, je vous suis reconnaissante, Holmes, même si j'espère que cela ne durera plus très longtemps.

Il leva les yeux, sa fourchette à mi-chemin de sa bouche.

— Pourquoi ? Il y a du nouveau ?

— Non, rien de spécial. Sinon, vous pensez bien que je vous aurais contacté avant.

Je me concentrai sur mes couverts et mon assiette.

— Simplement... Enfin, quand vous n'êtes pas là pour me conseiller, je me sens un peu perdue, voilà tout.

Il continua à manger, laissa le temps passer, avala une autre bouchée.

– Je vois, dit-il enfin.

Puis :

– Accepteriez-vous de me raconter vos activités depuis jeudi ?

J'en mourais d'envie. Je n'omis rien, ni ma visite aux lutins ni le déménagement de ma maison du Sussex, le fis rire avec le récit enjolivé du seau à charbon transformé en bouilloire.

Au café, il se pencha en arrière avec ce regard vague, signe de réflexion intense, que je connaissais si bien.

– D'où vient son argent ? murmura-t-il d'un ton rêveur.

– Certes, ce ne sont pas les anges du ciel qui lui ont apporté, dans de la porcelaine de Chine, des fraises de serre cultivées en France.

– Dans ce domaine, les sources d'information de mon frère Mycroft nous seront plus utiles que les nôtres.

Ce « nous », qu'il employa spontanément comme s'il évoquait une affaire que nous allions résoudre ensemble, me réchauffa le cœur.

– Elle a peut-être un mécène qui tient les cordons de sa bourse, hasardai-je. La politique favorise parfois d'étranges alliances, non ?

– Vous pensez qu'il ne s'agit que de politique ?

– L'argent de Margery ? Même en étant cynique, je la vois mal mêlée à des agissements plus répréhensibles que le fait de contourner les lois sur le travail. Bien sûr, il y a toujours le sacrilège. C'est un crime, n'est-ce pas ? Mais pas vraiment lucratif. Non, je crois plutôt que quelqu'un s'est toqué d'elle et a décidé de financer son mouvement. Il serait intéressant de savoir qui. Une riche Américaine, peut-être ? Ou un groupe de suffragettes frustrées ?

– Pourquoi pas un admirateur ? suggéra-t-il.

– Si c'est le cas, il est extrêmement discret. Je n'ai eu vent d'aucune rumeur sur sa vie amoureuse, hormis un mariage avec un Français.

– Pourtant, elle ne paraît pas vraiment ascétique.

– C'est le moins qu'on puisse dire, acquiesçai-je.

– Voulez-vous que je branche Mycroft sur la dame ?

– Pas tout de suite, répondis-je après un moment de réflexion. Plus tard, peut-être, après le 28.

– Ah oui, votre soutenance. Comment se présente-t-elle ?

– À merveille. Sauf que ce pauvre Duncan ne sait plus où donner de la tête. Des théologiens américains, qui doivent se rendre en groupe à un colloque qui se tient à Berlin, ont décidé de faire escale à Oxford pour assister à la présentation de mon travail et lui ont demandé de leur trouver de quoi se loger.

– Cela prouve qu'on vous prend au sérieux.

Infaillible comme toujours, il avait mis le doigt sur l'essentiel.

– C'est très gratifiant ; et c'est un grand honneur pour moi. J'espère simplement que je ressentirai la même chose lorsque le soleil se lèvera le matin du 29.

– Quels sont vos projets d'ici là ? Vous avez fini votre café ? Que diriez-vous d'une marche le long de l'Embankment ? À moins que vous ne deviez rentrer tout de suite...

– Non, une marche serait très agréable.

Après avoir récupéré nos manteaux, nous nous retrouvâmes sur le quai, où la brume dessinait des cônes sous les réverbères.

– Je peux difficilement aller dans le Sussex. La maison est glaciale et le chahut des peintres m'empêcherait de travailler. Le Vicissitude possède une salle de lecture confortable et peu fréquentée. D'un autre côté, j'ai promis à Duncan, pour le calmer, de le rejoindre de temps en temps à Oxford.

– Pourquoi rester à Londres ? À cause de Margery ?

– Oui. J'en apprendrai un peu plus sur elle. Que me vaut cet intérêt pour mes projets, Holmes ?

– J'ai bien peur de ne pas pouvoir vous aider de mes conseils pendant quelques jours, ainsi que vous le souhaitiez. J'ai reçu cet après-midi un autre télégramme que le vôtre. Mycroft m'a chargé d'aller passer deux ou trois jours à Paris, puis de pousser jusqu'à Marseille. Il s'agit d'arracher des informations à des témoins peu coopératifs sur un trafic de drogue vers l'Angleterre.

– Vous aviez envie que je vous accompagne ? m'exclamai-je, ravie.

– J'ai pensé que l'idée vous plairait.

– Elle me comblerait. Mais c'est impossible. Jusqu'au matin du 29, je n'irai pas plus loin que de Londres à Oxford. En cas de tempête de neige ou de grève des trains, je pourrai toujours me rendre là-bas à pied. Je suppose que cela ne peut pas attendre ?

– Je crains que non. Une autre fois, alors.

Il ne trahit aucune émotion, mais je le sentais désappointé.

– Une autre fois, et bientôt. Combien de temps serez-vous absent, m'avez-vous dit ?

– Je pars mercredi et je rentrerai le jeudi suivant. Peut-être plus tard, si le cas se complique.

– Ah, murmurai-je, déçue à mon tour. Enfin, peut-être aurai-je quelque chose d'intéressant à vous apprendre quand vous reviendrez.

Il me raccompagna à la porte du Vicissitude. Je me demandai si je n'avais pas imaginé le geste de regret de sa main lorsqu'il toucha son chapeau en signe d'au revoir.

Les jours suivants se déroulèrent selon l'emploi du temps que j'avais donné à Holmes : le mardi à Londres, le matin au British Museum en compagnie d'un expert en antiquités mésopotamiennes, l'après-midi avec Margery, le soir à mon club ; le mercredi à Oxford ; le jeudi matin à la Bodléienne, puis retour à Londres pour un rendez-vous en début d'après-midi avec M. Arbuthnot, mon notaire, suivi par une séance chez les lutins dont je ressortis chargée de cartons. Je les déposai au Vicissitude. Là m'attendait un paquet contenant trois livres que j'avais commandés pour Margery. Je les pris sous le bras et les emportait chez Veronica, où nous dégustâmes, selon son expression, « un thé tardif ou un souper anticipé » au cours duquel nous eûmes une discussion sur la meilleure façon d'organiser sa bibliothèque de prêt. Nous décidâmes de gagner tôt le Temple pour mettre nos solutions en pratique avant le service, consacré une nouvelle fois à l'amour, ce qui promettait.

Dans la rue, devant l'entrée, je lui montrai mon paquet.

– J'aimerais aller apporter ceci à Margery avant son prêche ou au moins le confier à Marie.

– Suis-moi.

Elle me fit, comme dix jours plus tôt, traverser le fond de la grande salle jusqu'à la porte proche de la scène, l'ouvrit avec sa clé et me précéda dans l'escalier en me parlant par-dessus son épaule.

– Margery est sans doute en train de méditer. Nous laisserons tes livres à Marie, ou dans la salle de réunion, avec un mot... Marie ! Que se passe-t-il ?

Au fond du couloir, la duègne, les traits ravagés, se tordait les mains en fixant la porte située à notre gauche. En nous entendant approcher, rendue muette par l'émotion, elle nous la montra de la main droite, plus pour quémander notre aide que pour nous indiquer la source de son angoisse.

– Margery ? C'est Margery ? s'écria Veronica.

Marie hocha frénétiquement la tête, trouva la force de prononcer quelques mots :

– Madame... Un intrus...

– Marie, est-ce que Margery est là ? insistai-je, m'exprimant exprès en anglais pour la forcer à réfléchir.

– *Oui*, dit-elle en français.

– Y a-t-il quelqu'un avec elle ?

– *Non. Elle est seule.* Seule, mais... blessée.

– Margery, blessée ? Comment ?

– *Elle avait du sang sur la figure.*

– Du sang ? Mais elle est entrée seule dans la pièce ? Et s'est enfermée ?

– Enfermée, oui, avant que je puisse intervenir. *Pas de réponse.*

136

Baissant la tête, j'élevai la voix devant la porte.

– Margery, si vous êtes consciente, répondez ! Marie et Veronica sont très inquiètes. Si vous ne répondez pas, nous allons devoir enfoncer la porte ou appeler la police.

Dix secondes passèrent avant que la réplique nous parvienne, d'une voix basse et lente, mais claire.

– Non. Laissez-moi.

Je m'agenouillai, plaquai un œil contre le trou de la serrure. À ma grande surprise, il n'y avait pas de clé. Je regardai à l'intérieur. Ainsi contemplai-je la scène la plus singulière, la plus dramatique, la plus inexplicable à laquelle j'aie jamais assisté.

Ce que je vis et fis par la suite, je pourrais très bien, par-delà les années, le décrire de mémoire. Mais j'ai sous les yeux, tandis que je rédige ce récit, la lettre que j'envoyai le lendemain à Holmes et où je lui relatais les événements à chaud. Je la livre ici dans son intégralité.

J'aperçus l'arrière de sa tête au fond de la pièce, devant un autel. Des fauteuils dissimulaient sa silhouette et ses cheveux étaient totalement en désordre, mais je reconnus leur couleur.

– Quelle est cette pièce ? demandai-je à Veronica.

– La petite chapelle. Est-ce que Margery est là ?

– Oui, dis-je en me redressant. Reste là avec Marie. Je vais voir si je peux entrer par cette autre porte. Ensuite, j'ouvrirai celle-là.

Sans lui laisser le temps de discuter, je me tournai vers les deux portes du fond. Celle de droite n'était pas verrouillée et ouvrait sur une porte de communication, elle aussi non verrouillée. En revanche, je dus, pour ouvrir celle de la chapelle, me servir de mes rossignols. Je la bloquai derrière moi, traversai la chapelle jusqu'à la porte donnant sur le corridor et accrochai mon chapeau à la poignée pour boucher la vue qu'on avait de l'autre côté. Il y eut une exclamation derrière la paroi, que j'ignorai. Je m'avançai vers Margery, agenouillée par terre.

Holmes, elle avait l'air d'avoir été renversée par un camion. Son œil gauche était tuméfié et à demi fermé. Elle avait une plaie à la pommette. Le sang qui en coulait souillait son cou et ses cheveux. Du même côté, sa bouche était gonflée et sa lèvre saignait, cisaillée sans doute par un choc contre une dent. Un manteau de laine couvrait le reste de son corps. Les yeux fixés sur la croix celtique de l'autel, elle ne réagit pas à ma voix.

Je jugeai préférable d'évaluer l'étendue de ses blessures avant d'agir. Lorsque j'ôtai le manteau de ses épaules, elle ne tressaillit même pas. Le manteau était intact et propre, hormis un peu de sang sur le col, mais sa robe, tachée et à la bordure de dentelle arrachée, était légèrement déchirée au cou et à la manche droite. J'en déboutonnai le haut, ce qui révéla de grandes marques rouges entourées d'hématomes. D'après la respiration hachée de Margery et sa façon de soutenir son torse, j'en conclus que ses côtes étaient au moins fêlées.

Elle avait été frappée, Holmes, par un homme droitier, plus grand qu'elle (ou une femme robuste habituée à se servir de ses poings) et portant une grosse bague à la main droite : un familier, à moins qu'elle ne fût sortie dans la rue vêtue seulement, en janvier, d'une fine robe de laine.

— Qui vous a fait ça, Margery ? lui demandai-je.

Elle parut ne pas m'entendre. Après avoir reboutonné sa robe, j'enlevai mon manteau, m'en servis pour masquer le second trou de serrure. Je revins vers Margery, m'accroupis devant elle et élevai le ton :

— Margery, Margery... Vous devez voir un médecin. Je crois que vous pouvez marcher, mais si vous ne vous levez pas, il faudra que je vous transporte jusqu'à votre lit.

Alors ses yeux revinrent peu à peu à la vie. Je fus soulagée, quand ils rencontrèrent les miens, de constater que ses pupilles étaient d'une taille normale et identique.

— Non, murmura-t-elle.

— Margery, vous avez été blessée. Si on ne panse pas vos côtes, chaque inspiration continuera à vous faire mal ; et, sans points de suture, la plaie de votre visage laissera une cicatrice. Je vais aller ouvrir la porte. Marie vous conduira à votre lit et Veronica demandera à quelqu'un de placarder une annonce annulant le service de ce soir.

— Non, dit-elle encore, plus distinctement mais toujours de très loin.

Il me vint tout d'un coup à l'esprit qu'elle était hypnotisée, en transe. À moins que ses blessures à la tête n'aient caché des dégâts plus sérieux, les coups qu'elle avait reçus ne mettaient pas sa vie en danger. (Vous admettrez, Holmes, que j'ai une certaine expérience des blessures, à titre personnel et grâce à mon travail à l'hôpital pendant la guerre.) Elle ne présentait aucun hématome au-delà de la cage thoracique, aucune blessure au crâne. L'état d'hypnose annihilait sa douleur ; et elle souhaitait qu'on la laisse seule. Je hochai la tête.

— Je vais juste charger Veronica de s'occuper de l'annulation du service. Le médecin peut attendre que vous vous sentiez prête.

— Pas de médecin. Pas Veronica.

— Vous ne voulez pas qu'on annule votre prêche ? Allons, Margery, vous n'êtes pas en état de...

— Allez-vous-en, Mary, prononça-t-elle clairement. Emmenez-les avec vous.

C'était sans appel. Elle était consciente, adulte et apparemment hors de danger. Quant à son regard, il exprimait une injonction que je n'osai contrecarrer.

Les voix de Marie et de Veronica s'étaient éloignées du couloir, suivant mon chemin jusqu'à sa chambre. Marie avait vainement tenté d'en ouvrir la porte avec sa clé. Après un dernier regard à la blessée, je la laissai, sortis par la porte du corridor, fermée non par un verrou mais par un loquet intérieur, appelai les deux femmes.

Quand je leur appris que Margery était sérieusement touchée mais désirait cependant rester seule, Marie me bouscula pour essayer d'entrer. Je l'en empêchai, répétai les mots de sa maîtresse et l'emmenai, avec Veronica, dans le salon adjacent.

Je servis un alcool à mon amie, offris un verre à Marie, reçus en retour un regard d'une haine farouche et m'assis pour attendre.

À 19 h 30, je demandai à Veronica si elle connaissait une personne capable d'assurer le service au cas où Margery ne serait pas en mesure de le faire.

— Ivy l'a remplacée plusieurs fois en décembre, pendant son absence. Elle n'a pas prêché, bien sûr, mais elle a dirigé les lectures et les chants. Il y a aussi Rachel Mallory.

Je l'envoyai quérir qui elle trouverait, puis tournai mon regard méfiant vers Marie, qui chuchota un chapelet de jurons français que j'aurais aimé entendre plus distinctement pour compléter mon éducation.

L'horloge de la grande salle sonna 19 h 45. Marie explosa.

— Elle va avoir besoin de moi pour l'habiller !

— Si elle ne s'est pas manifestée à 20 heures, vous et moi irons la voir.

La violence de ses protestations aurait fait frémir un crapaud. J'y coupai court en affirmant, objection imparable, que si Margery était incapable de marcher, Marie pourrait difficilement la soutenir sans aide.

Les minutes passèrent. (Excusez ce côté théâtral, Holmes, mais je ne veux négliger aucun détail.) À 19 h 54, j'entendis en bas une porte s'ouvrir. Des voix montèrent vers nous. Je distinguai celle de Veronica. Elle et Rachel apparurent à l'entrée du salon, angoissées et fébriles. Tout à coup, le claquement d'une porte qui se fermait nous fit sursauter. Rachel se retourna et poussa un cri bref. Veronica et Marie se précipitèrent. Suivit, en anglais et en français, une série d'exclamations rassurées et joyeuses. Plus stupéfiant encore, Margery leur répondit tout aussi gaiement, d'une voix très claire. Sidérée, je restai figée au milieu du salon. Margery me rejoignit en tenant mon chapeau et mon manteau, qu'elle me tendit.

— Vous avez laissé cela dans la chapelle, Mary, dit-elle le plus naturellement du monde. Vous en aurez besoin plus tard. Il fait froid, dehors.

Délestée, elle se détourna et sortit à la hâte, s'excusant d'être en retard. Avant que la porte ne se referme, je les entendis rire.

Holmes, elle n'avait aucune marque sur elle. Sa peau était lisse et sans le moindre bleu, sa chair dégonflée. Elle évoluait avec sa grâce habituelle et elle avait assez de souffle pour rire ! Seule preuve de ce que j'avais vu, ses cheveux, sur le côté droit de sa tête, étaient encore humides.

Bien sûr, je fouillai sa chambre. Je n'y découvris pas de vêtements ensanglantés, mais le col de son manteau avait été frotté avec un mouchoir mouillé qui avait laissé sur le tissu marron une tache plus sombre. Je retirai des charbons de l'âtre neuf boutons de nacre et plusieurs agrafes métalliques, derniers vestiges de sa robe et de sa combinaison de soie.

Marie me trouva à genoux devant le feu. Je crus un instant qu'elle allait m'agresser. Elle me traita de tous les noms d'oiseaux et ne se tut que lorsque je déposai, en m'en allant, les boutons encore chauds dans le creux de sa paume.

Margery officia comme si de rien n'était. Elle se déplaçait sans peine, parlait avec assurance. Plus inspirée, me sembla-t-il, plus éloquente que d'habitude, elle n'écourta même pas la soirée.

J'ai vu des gens hypnotisés. J'ai même vu une personne en transe passer sa main au-dessus d'une flamme et la ressortir indemne, comme ces indigènes du Pacifique sud qui, dit-on, marchent dans le feu. Mais je n'ai jamais entendu parler d'hypnose utilisée pour éliminer toute séquelle d'une blessure.

« Face à l'impossible, choisissez l'improbable. » C'est votre axiome de base en matière d'investigation. Mais que faire quand on se trouve confronté à deux impossibilités ? J'ai scruté son visage, Holmes, de très près. Je l'ai aussi observé quand elle m'a rendu mon manteau. Il ne portait aucune trace de coup, pas même un bleu, n'était pas plus maquillé qu'à l'ordinaire. Et je suis certaine qu'il s'agissait bien d'elle, non d'une jumelle ou d'un sosie : elle a, sur l'iris de l'œil droit, deux mouchetures minuscules qu'on ne peut reproduire. Ou j'ai été victime d'une manipulation mentale subtile, habile et puissante, ou j'ai été le témoin de quelque chose d'inimaginable : en un mot, d'un miracle.

Je ne posterai cette lettre que demain, après avoir revu Margery. Peut-on concevoir qu'elle ait été sous le coup d'une transe hypnotique profonde – peut-être provoquée par la prière ? – qui, quand elle se dissipera, la laissera avec ses côtes fêlées et son visage gonflé ? Me montrera-t-elle comment dissimuler des plaies et une chair tuméfiée sous un maquillage invisible ? Si c'est le cas, je détruirai ce que je viens d'écrire et me sentirai mortifiée. Mais je donnerais tout pour que quelqu'un d'autre que Marie ait pu constater les dommages infligés à sa maîtresse.

À vous, R.

Post-scriptum. Vendredi. J'ai vu MC brièvement ce matin. Elle se porte comme un charme. Holmes, est-ce possible, ou avez-vous décelé chez moi des signes précurseurs de démence et choisi de ne pas m'en parler ?

MR

J'étais sous le choc, ainsi que le révèle ma lettre. Je l'envoyai à Holmes par l'intermédiaire de son frère Mycroft, qui, grâce à ses milliers d'yeux et à ses tentacules de pieuvre, le trouverait bien plus vite que la poste. Je reçus effectivement une réponse le lendemain, sous la forme d'un télégramme qu'on me fit porter depuis le Vicissitude jusqu'au Temple, où j'aidais Veronica à installer des étagères pour sa bibliothèque. J'ouvris l'enveloppe de papier pelure avec mes mains sales, lus les quelques mots qu'elle contenait, donnai une pièce au garçon de course en lui indiquant qu'il n'y aurait pas de réponse.

– Qu'est-ce que c'est, Mary ?

Je tendis le message à Veronica, pour voir comment elle le déchiffrerait.

– « De Marseille. *Ab esse ad posse.* » De *cela est* à *c'est possible*, ânonna-t-elle sans paraître trop sûre d'elle-même. Qu'est-ce que ça signifie ? Qui t'a envoyé ça ?

– Un voyageur, spécialiste des débuts du judaïsme rabbinique, improvisai-je. Un membre du British Museum est tombé sur une inscription du Ier siècle qui semble sous-entendre qu'une femme a été, en Palestine, à la tête d'une synagogue. Je voulais savoir si c'était possible. La réponse est un peu lapidaire.

– Bizarre, murmura-t-elle en étudiant le message, à la recherche d'un sens caché.

– On pourrait traduire de façon plus claire par : « Si c'est arrivé, c'est que c'est possible. » Un bon slogan pour le mouvement féministe, tu ne trouves pas ?

– Certainement pas, Mary. Il faut d'abord que le possible existe.

Je lui repris la feuille, la fourrai dans la poche de mon pantalon.

– L'histoire est pleine d'événements étranges qu'on a laissés sombrer dans l'oubli au lieu d'y voir le début d'une ère nouvelle.

La discussion bifurqua vers Jeanne d'Arc, Élisabeth d'Angleterre, les femmes du Nouveau Testament et George Sand, avant de s'égarer dans les espaces infinis de la théorie.

L'après-midi, je donnai un cours à Margery. Marie m'introduisit, revint avec le thé. Elle réussit, sans me jeter un regard ni m'adresser la parole, à me témoigner son mépris, son sentiment de supériorité et son antipathie. Elle avait choisi de chasser de sa mémoire l'état du visage de sa maîtresse pour se souvenir uniquement que je m'étais jouée d'elle, que je l'avais maltraitée tout en me ridiculisant. Je m'assis et examinai mes mains jusqu'à ce qu'elle eût déchargé le plateau et quitté la pièce. Alors je m'adressai à mon élève.

– Que s'est-il passé, Margery ? Comment avez-vous réussi à cicatriser vos plaies ?

Sa réaction m'abasourdit : elle éclata de rire.

– Vous aussi ? Marie a eu l'air de croire que j'étais, l'autre soir, aux portes de la mort. Pourquoi, je me le demande. Je vous aurais crue plus sensée.

– Et vous n'étiez pas en danger ?

– Bien sûr que non ! Je me suis coupé le doigt en cassant un verre et je l'ai sans doute frotté contre mon visage.

Pour étayer cette version, elle leva la main gauche, au majeur entouré d'un sparadrap.

– Votre robe était déchirée, insistai-je.

– Oui. La dentelle s'est prise dans une écharde en frôlant une étagère de la bibliothèque.

– Pourquoi l'avez-vous brûlée ?

– Vous êtes bien curieuse, Mary. La vue du sang me répugne et me fait presque m'évanouir. Or mon doigt l'avait tachée.

– Puis-je le voir, s'il vous plaît ?

Avec un léger haussement d'épaule, elle m'abandonna sa main, qui resta fraîche et calme tandis que je déroulais le sparadrap. La coupure profonde que dissimulait le pansement avait été, de toute évidence, causée par un verre brisé. Et elle n'existait pas le mardi soir.

Je ne pouvais rien faire, ni parler à quiconque. La seule autre personne qui avait vu les blessures de Margery était Marie, et elle avait décidé de l'oublier. Si seulement j'avais laissé Ronnie pénétrer dans la chapelle ! Avec elle comme témoin, j'aurais forcé Margery à répondre. Malheureusement, je ne pouvais me fier qu'à mes propres yeux et je commençais à douter d'eux. Je lâchai sa main, la laissai refaire le pansement.

– Je suis très touchée de vous voir toutes vous inquiéter autant pour moi, mais vous devriez vous préoccuper de choses plus sérieuses : l'épidémie de grippe, par exemple.

Elle se tut, fit mine d'examiner sa paume pour s'assurer de la solidité du pansement. En réalité, elle regardait, j'en étais certaine, la peau fragile de son poignet qui, le jeudi soir, avait saigné là où la bague dépassant d'un poing serré avait glissé alors qu'elle tentait de se protéger avec sa main. Elle fixa longuement l'endroit, comme hypnotisée. Elle murmura enfin, d'une voix si basse que je l'entendis à peine :

– La grâce est parfois accordée à ceux d'entre nous qui ne la méritent pas.

Tout à coup, elle se ressaisit. Elle retourna sa main, tassa le pansement, leva vers moi des yeux où brillait, me sembla-t-il, une légère ironie.

– Eh bien, Mary, si je ne me trompe, vous prenez votre thé sans lait ni sucre...

Nous parlâmes tout l'après-midi d'un de ses mots clés : *amour*, de ses équivalents hébreux *ahev, hashaq, dod, raham, rea*, de ses variantes grecques *agapé* et *philéos*, sans oublier *éros*, qui ne fait pas, bien sûr, partie du vocabulaire du Nouveau Testament. Elle écoutait avec attention, participait, mais une distance s'était installée entre nous. La facilité et l'aplomb avec lesquels elle avait menti ne cessaient de me hanter.

Au moment où je rassemblais mes livres, elle se leva pour aller en chercher un que nous avions laissé sur son bureau. Lorsqu'elle me le tendit, mon regard accrocha le pansement de son doigt. Je décidai de risquer une dernière tentative.

– Vous ne me direz pas ce qui s'est passé ?

– Je vous l'ai dit, Mary. Il ne s'est rien passé.

Cette fois, je perdis mon sang-froid.

– Margery, je ne sais vraiment pas quoi penser de vous !

– Ni moi de vous, Mary. Franchement, je n'arrive pas à comprendre les motivations d'une personne qui consacre une grande partie de sa vie à la contemplation d'un Dieu auquel elle ne croit qu'à moitié.

J'en restai estomaquée, comme si elle m'avait frappée au ventre. Elle baissa les yeux vers moi, cherchant à mesurer l'effet de ses paroles.

— Mary, vous croyez au pouvoir que l'*idée* de Dieu a sur l'esprit humain. Vous croyez à la façon qu'ont nos semblables de parler de l'inconnaissable, de chercher à atteindre l'inaccessible, de hisser leur pauvre existence et leurs mérites dérisoires au niveau de l'être désincarné qui a créé l'univers et continue de lui insuffler son énergie. Mais vous refusez d'admettre l'évidence : Dieu s'adresse à nous de façon concrète.

Elle eut un sourire d'une tristesse infinie.

— Il ne faut pas vous montrer si froide, Mary. Si vous le demeurez, vous ne verrez qu'un Dieu froid, des amis froids, un amour froid. Dieu n'est pas froid, jamais. Il est le feu, et non la glace ; le feu de mille soleils, un feu qui embrase mais ne consume pas. Vous avez besoin de Sa chaleur, Mary... Elle vous effraie, vous tournez autour d'elle, vous croyez pouvoir profiter de ses rayons tout en conservant, vis-à-vis d'elle, votre attitude rigide d'intellectuelle. Vous imaginez pouvoir aimer avec votre cerveau. Mary, ô ma chère Mary, vous vous asseyez dans la grande salle et vous m'écoutez comme une bête sauvage figée devant un feu de camp, incapable de fuir mais redoutant de perdre votre liberté si vous vous approchez. Je ne vous consumerai pas ; je ne vous emprisonnerai pas. L'amour ne fait rien de tout cela. Il n'apporte que la vie. Je vous en prie, Mary, ne vous laissez pas ligoter par une abstraction glacée.

Ses mots et leur force de conviction m'inondèrent, me submergèrent comme une énorme vague, me coupèrent le souffle. Terrifiée, je vacillai dans mon fauteuil, à les entendre sans fin tandis qu'ils se dissipaient et que tout, dans la pièce, redevenait silencieux.

Mon envie de m'enfuir fut la plus forte. Je répliquai par quelques propos anodins et mis aussitôt un terme à la séance. En m'éloignant du Temple, j'essayai de me persuader que Margery n'avait pas répondu à mes questions. Pourtant, je savais qu'elle l'avait fait.

12

Dimanche 9 – mardi 11 janvier

L'homme à la charrue et la femme au foyer,
L'épée pour lui et pour elle l'aiguille.
Il est la tête, elle est le cœur,
Il ordonne, elle obéit.
Le contraire
Ne serait que désordre.

LORD TENNYSON

Je partis pour Oxford le lendemain matin, bien décidée à secouer la boue qui collait à mes semelles, à oublier l'apparente duplicité de Margery, son combat pour les droits de la femme, le sentiment flatteur d'être devenue son professeur, les intrigues de palais du premier cercle et l'animosité de Marie. Je ne pris même pas la peine d'emporter avec moi le livre de Mlle Underhill sur le mysticisme et les manifestations physiques de l'extase. Tel un enfant gavé de chocolat, je ne voulais plus en entendre parler. Je tournai donc le dos à Londres et retournai chez moi.

Chez moi... Cette évidence me frappa dès que j'aperçus les flèches des églises d'Oxford scintillant dans la brume. Cette ville était ma ville, mon foyer. Un jour, pensais-je, j'y achèterais une maison. Qu'avais-je à faire de Londres, ou même du Sussex ? Là-bas, mon cottage pourrait être pour moi ce qu'il avait été pour mes parents, une résidence d'été où je jouerais à la fermière. Mais c'était dans la région d'Oxford, cette terre baignée de rivières et parsemée de bâtiments à la fois éthérés et humains, que j'avais laissé mon cœur. Boar's Hill, peut-être, ou Marston... Voilà où je m'installerais. Holmes n'avait pas besoin de moi. Mieux valait me libérer de sa présence à la fois irritée et irritante. Après le 28, j'irais voir un agent immobilier.

Je me plongeai dans les livres de la Bodléienne et ne levai le nez qu'au moment de la fermeture. J'y retournai les jours suivants, en m'imprégnant de son odeur de vieux cuir et de laine humide avec le même soulagement qu'un poisson qu'on rejette dans sa mare après l'avoir pêché. Pourtant, même les poissons doivent manger. Le mercredi, alors que je me levais pour aller consulter un ouvrage de référence, je dus m'agripper à ma table, submergée par la nausée et le vertige. Je me souvins que je n'avais pas pris de véritable repas depuis... quand ? Samedi ? Vendredi ? J'enfilai mon manteau et me dirigeai vers le pub le plus proche pour avaler quelque chose au bar. Je n'avais même plus la force d'attendre qu'on me cuisine un vrai plat.

Tandis que je me frayais un chemin à travers la foule de clients en toge noire, un bras me bloqua fermement devant une table où souriaient trois visages familiers. Je ne me lie pas facilement. Mais ces trois-là étaient devenus de véritables amis.

– Mary, cria Phoebe, nous n'attendions que toi ! Reggie, va lui chercher une bière.

On n'aurait pu rêver couple plus dépareillé : elle, grande, bourrue et chevaline ; lui, petit, propret et calme. Cela ne les empêchait pas d'exceller tous deux dans leur domaine commun, la biologie cellulaire. Je les avais rencontrés deux ans plus tôt au cours d'une conférence sur l'anatomie.

– Une demi-pinte, merci, Reggie, dis-je en sortant de la monnaie de ma poche. Et des piles de sandwiches. Je meurs de faim.

La demi-pinte fut suivie de beaucoup d'autres et les sandwiches, quoique bourratifs, ne parvinrent pas à dissiper les brumes de l'alcool. Ce fut un déjeuner joyeux et bruyant. Phoebe me provoqua aux fléchettes. La sûreté au lancer est le seul don vraiment remarquable que je possède. Même s'il m'a un jour sauvé la vie, il m'est surtout utile dans les bars. Après avoir battu Phoebe, j'écrasai tous les concurrents qui se présentèrent et les paris me rapportèrent au moins deux livres, avec lesquelles j'offris une tournée générale avant de retourner m'asseoir, les joues écarlates.

Nous ne quittâmes l'établissement que lorsqu'il ferma pour l'après-midi. Nous nous retrouvâmes dehors sous une pluie mêlée de neige, en compagnie du quatrième larron, celui dont le bras m'avait arrêtée de façon si impérieuse. C'était un jeune baronnet vêtu de tweed, dégingandé et fumeur de pipe, qui préparait encore sa licence. Amoureux d'Einstein autant que de son tabac au parfum sucré, il possédait un talent surprenant pour les calembours et les madrigaux obscènes. Il nous emmena chez lui, envoya son valet de service nous chercher des boissons chaudes et nous servit un alcool fort qui nous acheva.

Peut-être plus imbibée que nous, Phoebe eut tout à coup une idée saugrenue.

— Bon Dieu, s'écria-t-elle, j'en ai ma claque de travailler ! J'ai envie de marcher, marcher jusqu'à ce que mes doigts gèlent et que mes pieds se couvrent d'ampoules, avant de m'écrouler, harassée, devant un feu d'enfer ! Pourquoi ne le ferions-nous pas, hein ? Pourquoi ?

— Parce qu'il pleut, ma très chère Phoebe, répondit le baronnet de sa voix traînante.

— Demain, alors ? Avant le début du nouveau trimestre ? Ça te ferait le plus grand bien, tu sais, Mary. Et ça nous revigorerait tous.

Tout le monde approuva avec enthousiasme. Une randonnée, voilà ce qu'il nous fallait. Et dès le lendemain. Rendez-vous au cimetière du Saint-Sépulcre, à 8 heures du matin. Nous longerions la rivière aussi loin que nos pieds nous porteraient, passerions la nuit dans une auberge et rentrerions le vendredi. S'il pleuvait, eh bien, tout au plus serions-nous saucés.

Le lendemain matin, je m'éveillai en regrettant mon emballement. Mais il était trop tard pour reculer. J'entassai dans mon vieux sac à dos tous les vêtements chauds que je pus trouver et partis pour le cimetière.

Il pleuvait toujours. Tant pis. Nous suivîmes, à travers champs, les méandres de l'Isis. En fin d'après-midi, nous fîmes halte dans une auberge qui nous tendait les bras, partageâmes un excellent dîner et bûmes plus que de raison. Phoebe gagna aux dés le lit étroit de la chambre que je partageais avec elle, mais il y avait assez de cache-nez pour adoucir le plancher. Je m'endormis sans peine, engourdie par l'alcool et une saine fatigue.

À 3 heures du matin, des coups frappés à la porte m'éveillèrent en sursaut. Enveloppée dans une grande écharpe, je titubai jusqu'au palier, jetai un œil dans le couloir. J'avais laissé mes lunettes dans une de mes chaussures. Je distinguai quand même, éclairé par sa lampe, le visage échevelé et furieux de notre hôtelier.

– Y aurait pas quelqu'un parmi vous qui s'appellerait Mary Quelque Chose ?

Les battements de mon cœur s'accélérèrent.

– Je suis Mary Russell.

– C'est ça. Y a un type dehors, un cinglé qui veut vous parler. Pouvait pas attendre, non ?

Je lui fermai la porte au nez pour ne plus entendre ses plaintes, trouvai mes lunettes à tâtons. Phoebe, qui s'était réveillée, alluma les bougies, ce qui me permit d'enfiler mon chandail et mon pantalon de laine.

– Que se passe-t-il, Mary ?

– Une urgence pour moi. Je vais aller voir.

– Tu veux que je t'accompagne ?

– Surtout pas. Il n'y a aucune raison pour que tout le monde sorte en habits encore mouillés au beau milieu de la nuit. Je serai de retour dans une minute.

– Prends ton bâton de marche. On ne sait jamais...

Je préférai lui obéir plutôt que de m'embrouiller dans des explications.

Mon hôte me précéda dans l'escalier, me conduisit à la porte d'entrée. Il avait laissé mon messager sur le perron. Il pleuvait toujours. L'homme me tournait le dos.

– Holmes ? lançai-je à tout hasard.

L'homme se retourna. Cette fois, je le reconnus.

– C'est Billy, n'est-ce pas ?

Depuis toujours fidèle à Holmes, à qui il avait servi de coursier à l'époque de Baker Street, il ne refusait jamais, en dépit de son âge désormais respectable, de lui rendre un service, ravi de participer à ses aventures.

– Oui, m'dame.

Je le fis entrer, ignorant les vociférations de l'aubergiste. Billy se débarrassa de son chapeau et de son écharpe de laine, les laissa tomber par terre et commença, les doigts bleuis, à déboutonner son manteau. J'extirpai un billet de ma poche, le froissai, sans même en vérifier la valeur, dans la paume de l'hôtelier, dont les protestations cessèrent aussitôt.

– Du feu, s'il vous plaît. Plus une boisson chaude et de quoi manger.

– Oui, mademoiselle. Tout de suite, mademoiselle.

– Mademoiselle Russell, bredouilla Billy en claquant des dents, j'ai ordre de vous ramener immédiatement à Londres.

– Vous n'irez pas plus vite changé en glaçon. En outre, je n'ai pas de chaussures aux pieds. Vous êtes seul ?

– Mon frère est dehors, murmura-t-il en réussissant enfin à ôter son pardessus.

Il me tendit une enveloppe que je saisis sans l'ouvrir.

– Comment m'avez-vous trouvée ?

– Votre logeuse m'a dit que vous étiez partie faire une randonnée et que vous aviez prévu de passer la nuit sur le chemin. J'ai frappé à la porte de vingt-huit établissements avant celui-là.

La vision de vingt-neuf aubergistes en furie réveillés par deux cockneys errant à bord d'un taxi londonien dans la campagne de l'Oxfordshire me parut dantesque. L'enveloppe à la main, je passai la tête à l'extérieur et sifflai doucement. Le chauffeur du taxi se retrouva bientôt devant la cheminée à côté de son frère. Tandis qu'ils sirotaient un horrible mélange de thé et de cognac en attendant que leurs manteaux soient secs, j'ouvris l'enveloppe d'un coup de pouce, dépliai la feuille où Holmes avait tracé d'une écriture nerveuse :

« Aujourd'hui, dans le métro, à 16 heures, Veronica Beaconsfield a eu un accident qui a failli lui être fatal. Son médecin affirme qu'elle s'en remettra. Elle est au Guys, chambre 356. J'ai chargé Watson de veiller sur elle. »

Adieu ma randonnée. Adieu aussi aux retrouvailles avec ma vraie vie. Je remontai à l'étage prendre mes affaires. Puis je suivis Billy et son frère jusqu'à leur taxi incongru, noir et strié de boue.

Mon amie Ronnie se reposait dans sa chambre particulière, enveloppée d'un plâtre et de bandages qui ne laissaient dépasser que d'infimes parcelles de sa peau. L'homme aux cheveux gris assis près de son lit se retourna lorsque la porte s'ouvrit et je sus qu'il pointait vers moi, caché sous le manteau posé sur ses genoux, un vieux revolver de l'armée. Son visage s'éclaira aussitôt. Il bondit sur ses pieds et abandonna son manteau sur sa chaise. Je reculai vers le couloir pour ne pas importuner Veronica.

— Mary ! Je commençais à me demander si ce garçon ne s'était pas noyé dans la mer d'Irlande.

Billy, le « garçon » en question, aurait pu être mon père...

— Bonjour, oncle John. C'est gentil à vous de vous être dérangé à cette heure.

J'embrassai sa joue lisse. Watson avait pris le temps de se raser, ce qui signifiait que Holmes lui-même avait veillé Veronica avant de lui demander de prendre le relais.

— Où est-il ?

– Holmes ? Allez savoir. Quelque part... Il viendra probablement ce matin. Et vous, Mary ? Avez-vous passé un bon Noël ? J'ai manqué votre anniversaire, mais je vous ai rapporté une babiole de Philadelphie. Une belle ville...

– Vraiment ? Euh, merci. Noël était parfait. Comment va Veronica ? Savez-vous ce qui s'est passé ?

– Apparemment, elle est tombée devant une rame qui entrait dans une station de métro. Elephant and Castle, il me semble... Contusions multiples, un bras cassé, de nombreuses blessures. Rien de bien grave cependant. Elle a eu de la chance. C'est fou ce que ces choses-là arrivent souvent. Pourtant, Holmes a l'air de croire qu'il pourrait ne pas s'agir d'un accident. Voilà pourquoi je joue les gardes du corps. Sa famille est venue, puis un jeune homme en compagnie de Holmes. Personne d'autre, à part les infirmières. Et vous, bien sûr...

– Il a raison, oncle John. Nous ne pouvons prendre aucun risque. Même... même vis-à-vis de l'équipe médicale. Ouvrez l'œil et, si quelque chose vous paraît suspect – un soin inutile, une piqûre – ne laissez personne l'approcher hors de votre présence.

– Ah, vous et Holmes... Vous me prenez tous les deux pour un novice. Je serais le dernier à laisser un inconnu injecter à votre amie une dose mortelle sous prétexte qu'il porte une blouse blanche. Je suis médecin, ne l'oubliez pas ! Votre demoiselle Beaconsfield est en sécurité. Maintenant, dépêchez-vous d'aller faire un brin de toilette et de vous changer avant qu'ils remarquent vos bottes pleines de boue et vous flanquent dehors.

Je songeai que Holmes avait raison d'accorder sa confiance à Watson et que je ne pouvais être ici d'aucune utilité à Veronica. Au moment où je m'apprêtais à partir, Watson émit ce « hum » qu'affectionnent les vieux colonels de l'armée des Indes.

– Hum, à propos, Mary, est-ce que Holmes a mentionné... Enfin, a-t-il disserté, hum... sur les fées ?

– Les fées ?

Certes Holmes avait des centres d'intérêt surprenants mais, à ma connaissance, les contes pour enfants n'en faisaient pas partie.

— Oui, vous savez, les fées avec, hum, leurs ailes... les fées qui dansent...

Il agita les mains, gêné.

— Je l'ai peu vu ces derniers temps ; et il ne m'a jamais entretenue de ce genre de choses. Pourquoi ?

— Donc vous n'êtes pas encore au courant. Je vous jure que ce n'était pas ma faute ! Si on m'avait consulté, je m'y serais fermement opposé. Je me suis déjà plaint avec vigueur auprès de la rédaction du *Strand*, mais on m'a répondu que je n'avais aucun recours, dans la mesure où il n'est que mon agent.

Le dernier mot me fit sursauter.

— Conan Doyle ? Qu'est-ce qu'il a encore fait ?

Watson poussa un gémissement misérable.

— Je préfère ne pas en parler. Holmes a été horriblement grossier avec moi. Il m'a affirmé que j'avais ruiné sa carrière en m'acoquinant avec ce personnage, que personne ne le prendrait plus jamais au sérieux.

— Je suis sûre qu'il ne le pensait pas, oncle John. Vous savez mieux que quiconque comment il peut se comporter. Dans une semaine, il aura tout oublié, conclus-je, toujours sans savoir de quoi il retournait.

— Il y a quand même deux semaines de cela. Et il s'est montré à peine poli en me demandant de venir ici. Je vous jure, plaida-t-il encore, que je n'aurais jamais fait une chose pareille.

— Je lui en toucherai un mot.

Son agitation ne fit que croître.

— Non, non, surtout pas ! Croyez-moi, Mary, il perd tout sens de la mesure quand on aborde le sujet. Ne lui dites rien à propos des fées, de Conan Doyle ou du *Strand*. Encore moins sur mon compte.

— Bien, oncle John. Je tiendrai ma langue. Et ne vous inquiétez pas. Tout finira par s'arranger.

Je quittai l'hôpital en m'efforçant de ne pas manifester une hâte trop visible. Même Watson, qui me connaissait bien, ne pouvait deviner que la simple vue d'un hôpital me donnait des sueurs froides. Mon travail d'infirmière, pendant la guerre, ne m'avait pas guérie. Et je ne pus m'empêcher d'accélérer le pas dès la sortie, à tel point que le balayeur qui officiait dans la rue dut heurter ma jambe avec son balai pour attirer mon attention. De toute façon, je savais qu'il serait là, sous un déguisement ou un autre.

Sans m'adresser un regard, il remit son balai à sa place sur son chariot, passa sous son nez un gant répugnant. J'entendis à peine son murmure, couvert par une incoercible quinte de toux :

– London Bridge Station, premier banc sur la droite.

Je m'empressai de poursuivre mon chemin.

Le journal du matin que j'achetai à l'entrée de la station ne mentionnait l'accident de Veronica qu'en dernière page. Je m'assis sur le banc, parcourus distraitement les nouvelles. Je venais d'apprendre que le prince de Galles avait tué trois renards à la chasse à courre (de pauvres bêtes nées dans un zoo et lâchées le jour même, pensai-je avec acrimonie) lorsqu'une senteur de fauve, tout près de moi, me fit froncer le nez. J'agitai mon journal avec indignation et me poussai jusqu'à l'extrémité du banc en enfouissant mon visage entre les pages.

– Vous êtes rentré plus tôt que prévu, Holmes. Pourquoi n'êtes-vous pas à Marseille ?

– Personne ne peut faire parler les morts, Russell. Pas même moi. Quelqu'un a trouvé les témoins avant que j'aie eu une chance de les interroger.

– Ce subterfuge était-il vraiment nécessaire ? bougonnai-je en serrant entre mes doigts le quotidien chiffonné par le vent. La prochaine fois, prévoyez des mots de passe !

– Peut-être n'était-ce pas indispensable. Mais il y avait un guetteur devant l'hôpital. Il a suivi le taxi de Miles Fitzwarren... Pour l'amour du ciel, ne baissez pas votre journal !... Il nous faudra donc le mettre lui aussi à l'abri.

Il s'exprimait – sans doute avait-il de fausses dents – par des grognements presque incompréhensibles, qui devinrent plus inaudibles encore quand il mordit dans un sandwich, au bacon à en juger d'après l'odeur. Comment arrivait-il à mâcher avec des dents postiches ?

– Mlle Beaconsfield sera encore hors de danger quelques jours. Mais Fitzwarren et moi allons convaincre ses parents de l'emmener ensuite en lieu sûr. Cela nous laissera le champ libre pour agir.

– Qu'attendez-vous de moi ?

– Retournez au Temple. La réponse est là-bas.

– Et la police ?

– Quoi, la police ?

– Ne faudrait-il pas la mettre au courant ?

– Quelle admirable citoyenne vous faites ! ricana le balayeur crasseux assis près de moi, en mastiquant son sandwich. Vous devriez aller tout raconter à notre ami l'inspecteur Lestrade. Cela l'intéresserait au plus haut point.

– Je vous en prie, Holmes, soyez sérieux.

– Toutefois, vous avez peut-être raison. On ne pourra pas déplacer Mlle Beaconsfield avant au moins trois ou quatre jours. D'ici là, Watson risque de tomber d'inanition. On pourrait aussi bien la faire garder par les forces de l'ordre. Le problème, c'est que les policiers londoniens font preuve d'une incroyable possessivité dès qu'ils ont flairé un crime. Et ils se montreront très peu coopératifs lorsque nous refuserons de leur indiquer l'endroit où nous aurons caché votre amie. En tout cas, aider une victime et enquêter sur une institution religieuse ne constitue pas un délit. Du moins, pas encore.

– Et Miles ?

Une grosse voix me coupa la parole.

– Eh là, vous deux ! beugla le sergent de ville. On a pas mis ces bancs ici pour que les clodos cassent la croûte. Si vous avez pas l'intention d'acheter un ticket, dégagez !

Holmes glissa docilement son sandwich dans une poche innommable, me salua en soulevant gracieusement son chapeau et se dirigea d'un pas traînant vers son chariot. L'agent reporta son attention sur moi, examina mes vêtements boueux et mes souliers de marche. Je repliai en hâte mon journal autour de l'épaisse enveloppe que Holmes avait glissée sur le banc, la fourrai dans ma poche et rejoignis, devant le guichet, la queue des travailleurs matinaux.

13

Vendredi 14 janvier

*Les femmes sont, au fond d'elles-mêmes, titil-
lées par un vain désir de gloire.*

SAINT JEAN CHRYSOSTOME

Au prix d'un sourire d'excuse et d'une explication embarrassée, je récupérai une chambre au Vicissitude. À peine
installée, j'étalai sur le lit le contenu de l'enveloppe. À ma
grande surprise, elle renfermait toute une série d'informations financières concernant le Temple, accompagnées de
notices biographiques, certaines fort détaillées, sur plusieurs
membres de l'organisation, y compris Margery Childe.

Il me parut évident, au fil de ma lecture, que Holmes
n'avait pu rassembler lui-même une telle documentation. La
présentation du dossier était presque plus intéressante que
les informations elles-mêmes. On ne reconnaissait, sur des
feuilles de papier neuves et de format identique, qu'une
seule écriture, appliquée et professionnelle. Quant aux
méthodes d'investigation, elles se révélaient tortueuses et
facilement reconnaissables ; d'autant que les sources elles-
mêmes, entretiens avec des femmes de ménage, fouilles
de corbeilles à papiers, longues filatures de personnes en
vue, dénotaient une enquête plus subtile et plus étendue
que celles menées d'ordinaire par la police officielle dans
des cas semblables.

Plusieurs mois auparavant, pour une raison ou une autre, Mycroft Holmes, dont le titre de « comptable » d'un organisme gouvernemental aux compétences mal définies dissimulait des activités beaucoup plus mystérieuses, avait été amené à s'intéresser de loin à l'église de Margery Childe. Il avait surveillé ses faits et gestes, identifié l'origine de ses ressources et les gens qu'elle fréquentait. Dès lors, quand son frère lui avait demandé des renseignements, il lui avait suffi de faire recopier le tout par un de ses employés. Il nous aurait fallu, à Holmes et à moi, des semaines pour arriver au même résultat et nous serions sans doute passés à côté de beaucoup de choses.

Preuve de l'intérêt distrait de Mycroft, le dossier rassemblait des données souvent fragmentaires, avec des omissions qui auraient été impensables s'il avait consacré toute son attention à l'affaire. On y mentionnait, par exemple, la mort d'Iris Fitzwarren, mais sans fournir de détails. Le rapport d'enquête sur la noyade de Delia Laird, l'été précédent, ne faisait que confirmer avec quelques précisions supplémentaires ce que m'en avait raconté Veronica. On soulignait également des éléments sans importance, comme le flirt de mon amie avec le socialisme au cours de son dernier trimestre à Oxford. Pourtant, même incomplet, l'ensemble était instructif.

Mycroft s'était surtout penché sur les questions financières et avait abouti à des découvertes troublantes.

Delia Laird ne venait pas seulement d'une « bonne famille », ainsi que me l'avait déclaré Ronnie. Elle était riche. Issue d'une lignée d'industriels des Midlands, elle avait hérité une part importante des biens de son père à la mort de ses deux frères, tués en France. Elle avait laissé toute sa fortune à Margery. Cela représentait beaucoup d'argent.

Iris, elle, lui en avait légué un peu moins : à peu près dix mille livres. Et il y avait une troisième femme, dont je n'avais jamais entendu le nom auparavant : Lilian McCarthy. Riche elle aussi, elle aussi décédée, dans un accident de la route, sans témoins, au mois d'octobre. C'était sa mort qui, semblait-il, avait éveillé la curiosité de Mycroft. Elle avait, comme les deux autres, légué une grande partie de ce qu'elle possédait au Nouveau Temple de Dieu.

Toutefois, en dehors de ces trois morts suspectes, Mycroft n'avait rien trouvé de concret. Des rumeurs circulaient, surtout à propos de Margery, toutes infondées et la plupart absurdes : le genre d'accusations gratuites qu'une telle personnalité ne pouvait manquer de susciter. Mycroft, qui ne l'avait jamais rencontrée et soupçonnait tout le monde, notamment les femmes, avait écarté sans hésiter les ragots à propos de magie noire et de sorcellerie. Margery n'avait pas de casier judiciaire, elle était généralement bien considérée, même par ceux qui détestaient son message, et paraissait avoir de solides alibis pour le jour de la mort de chaque victime. J'appris avec intérêt qu'elle avait été mariée, conformément à ce que m'avait dit Ronnie, et qu'elle était veuve. C'était la seule dissimulation que Mycroft avait pu trouver à son sujet : elle ne mentionnait jamais ce mariage.

Après le départ des pensionnaires pour la journée, le Vicissitude redevint silencieux. Je quittai ma chambre et gagnai la salle de bains. De l'eau chaude jusqu'au menton, je me mis à rêver aux différents refuges de Holmes, à sa manie du déguisement. Je l'imaginai se glissant dans une de ses tanières sous la forme d'un saute-ruisseau d'âge mûr, ressortant en catimini habillé en religieuse, en balayeur ou en marchand de crayons ambulant. Alors que je m'engourdissais peu à peu, une voix intérieure résonna tout à coup en moi, aussi claire qu'une injonction divine. Je me souvins des paroles affectueuses qu'avait prononcées mon notaire au moment où je le quittais :

– Vous êtes à présent une jeune femme très riche, mademoiselle Russell. Hélas, vous n'avez guère été préparée à cette nouvelle situation. Je vous en prie, si mes associés ou moi pouvons faire quoi que ce soit pour vous, nous considérerons cela comme un honneur. Nous éprouvions tous un profond respect pour vos parents.

Il avait ajouté d'un ton moins officiel :

– J'aimais beaucoup ma cousine, votre mère.

À 10 heures, je téléphonai à son bureau. La secrétaire, d'ordinaire si hautaine, me mit aussitôt en communication avec l'associé principal.

– Mademoiselle Russell, quel plaisir de vous entendre ! déclara-t-il poliment.

– Monsieur Arbuthnot, je m'étais juré de ne pas vous importuner, mais vous m'avez généreusement, l'autre jour, proposé votre assistance...

– Oui, mademoiselle Russell ?

– J'ai besoin d'un appartement et d'une employée de maison. Or je ne voudrais pas consacrer des journées entières à des recherches et à des entretiens. J'ai pensé que quelqu'un de votre étude – pas vous, bien sûr, votre temps est trop précieux, mais un jeune collaborateur, ou même un secrétaire – pourrait m'orienter vers des agences fiables.

– Mais bien entendu, répondit-il, soulagé que ma demande ne fût pas plus excentrique. Peut-être pourrait-il commencer à prospecter et vous rappeler rapidement ?

Je lui indiquai le numéro du club, le remerciai et raccrochai. Dix minutes plus tard, le téléphone sonna. Je reconnus le timbre égal de M. Arbuthnot.

– Mademoiselle Russell, je crois avoir l'homme qu'il vous faut. Il s'agit de M. Bell. Voulez-vous que je vous le passe ?

Je le remerciai encore. J'entendis aussitôt une autre voix, vive, à l'accent de l'East End.

– Mam'selle Russell ? Freddy Bell. Vous cherchez un appartement et une employée de maison, m'a dit M. Arbuthnot ? Faudrait que vous me donniez une idée précise de ce que vous désirez, du quartier où vous voulez vous installer et du prix que vous comptez mettre...

– Certainement. Je n'ai pas besoin de quelque chose de très grand : cinq ou six pièces. Plus le logement des domestiques, bien sûr. Le quartier est important. Pas forcément Bloomsbury, mais dans les environs, si vous voyez ce que je veux dire.

Il comprit en un clin d'œil, ce qui fit monter d'un cran mon estime pour le cabinet Gibson, Arbuthnot, Meyer et Perowne.

— Un endroit où vous pourrez recevoir des personnes de toute condition sans qu'elles se sentent mal à l'aise, c'est bien ça ?

— Exactement. Impressionnant, sans être écrasant.

— Pigé, mam'selle. Et les domestiques ?

— J'avais pensé à une employée capable, à l'occasion, de préparer un œuf poché.

— Une gouvernante sachant coiffer, nota-t-il. Et un chauffeur, je suppose ?

— Inutile. Je préfère conduire moi-même, rectifiai-je d'un ton ferme.

— Pour les occasions dont vous parlez, il vous faudra un majordome ou un chauffeur de maître... insista-t-il.

Il y eut un long silence.

— Ce sont des parents à vous ?

Second silence, beaucoup plus long.

— Mam'selle, je tiens à garder mon boulot. J'espère aller loin. Pour rien au monde je ne risquerais ma place.

— Mille excuses, monsieur Bell. J'étudierai la question. Et, gardant à l'esprit votre désir de conserver votre emploi, je me verrais obligée, si l'on abusait de ma générosité, d'en référer à qui de droit. Pour le moment, le prix importe moins que les délais. Il est possible que je n'utilise pas cet appartement très longtemps. Il en va de même pour les domestiques. Mais j'exige qu'ils soient disponibles très vite et je me rends bien compte qu'il me faudra payer pour cela. Maintenant, l'appartement. Pouvez-vous me recommander une agence ?

— C'est moi votre agent, mam'selle Russell. M. Arbuthnot me l'a demandé. Je vais passer quelques coups de fil dès maintenant et, si je peux vous rappeler cet après-midi, j'espère avoir quelques appartements à vous montrer.

– Déjà ? Très bien. Disons à 15 heures ? À mon club ?

– Le Vicissitude, c'est ça ? 15 heures. À tout à l'heure, mam'selle Russell.

Quelle conversation peu banale ! Nombre de « jeunes femmes très riches » se seraient offusquées de se retrouver entre les mains du cockney de service. D'ailleurs, la plupart des cabinets juridiques gardaient en réserve, pour des tâches de cet ordre, un gentil jeune homme arborant la cravate de son école. Gibson, Arbuthnot et consorts étaient plus imaginatifs que je ne l'aurais cru. Et je réalisai que le cousin de ma mère m'estimait assez pour être sûr que je ne me formaliserais pas de l'accent de mon nouveau mentor. J'avais hâte de le connaître.

En attendant, il fallait que je m'occupe de mon apparence. Je ne savais trop par où commencer. Les lutins n'avaient que quatre mains. De toute façon, la délicatesse de leur style ne correspondait pas tout à fait à ce que je recherchais. Quelque chose d'un peu plus effronté, peut-être. Non pas d'un luxe discret, mais ostensiblement cher ; du prêt-à-porter, mais haut de gamme. Je descendis interroger la concierge et la gérante. Tout comme moi, ces deux honorables dames ignoraient où l'on vendait ce type de vêtements. Les pensionnaires rentrés pour le déjeuner se montrèrent plus coopératifs. Je partis aussitôt conquérir le monde de la mode londonienne, une liste de noms et de rues dans une main, un chéquier dans l'autre.

Je ne disposais que de peu de temps, mais les fournisseurs se mirent en quatre pour me satisfaire. Je regagnai le Vicissitude trois heures plus tard, pour trouver le hall encombré de piles de paquets pleins de robes, le bureau de la concierge enseveli sous des cartons à chapeaux, des paquets de bas et de lingerie de soie, le couloir bouché par des boîtes à chaussures et l'escalier bloqué par une petite écritoire, un tapis de soie et une cage de laque (l'oiseau qu'elle renfermerait la rejoindrait plus tard, à l'appartement ; je ne tenais pas à

163

ce qu'il meure sur place, faute de soins). Un livreur en livrée verte s'en allait. Il salua la concierge, qui, avec dans les bras une énorme boîte ornée du nom d'un fourreur hors de prix, me fixa d'un œil hagard. Jamais, sans doute, sa vénérable institution n'avait connu pareille agitation.

– Mademoiselle Russell, je... j'exige une explication. Nous n'avons pas de place pour tout ceci, et quant à la sécurité...

Elle agita la main, laissant presque tomber la boîte.

– Je sais, mademoiselle Corcoran. J'apprécie vraiment le mal que vous vous êtes donné. Et je vous promets que tout aura disparu avant le dîner.

Freddy Bell s'en chargerait, pensai-je. Cela prouverait son efficacité.

– Pour l'instant, il faut que j'aille me changer. Je dois visiter des appartements.

Saisissant quelques cartons au passage, je bondis dans l'escalier, me cognant la hanche contre ma nouvelle écritoire dans la précipitation.

D'une ponctualité royale, Freddy Bell arriva à 15 heures tapantes, dans une Daimler conduite par un chauffeur en uniforme. Il cligna des yeux en me voyant ; peut-être ne correspondais-je pas à ce que lui avait décrit M. Arbuthnot. Quant à la concierge, elle battit des paupières en apercevant l'automobile. Je souris gracieusement à la ronde et me laissai conduire à la voiture. J'insistai pour que M. Bell ne prît pas place à côté du chauffeur : crier à travers une vitre de séparation devient vite fatigant.

– Bien le bonjour, mam'selle Russell, me lança le jeune homme en s'installant près de moi.

– Bonjour, monsieur Bell.

– J'ai une liste de sept appartements possibles. Si vous voulez les voir, le mieux serait peut-être de m'indiquer ce qui vous plaît et vous déplaît dans chacun d'eux. J'ai également prévu à l'étude, à partir de 19 heures, des entretiens avec trois femmes de chambre et deux couples mariés. Ça vous convient ?

– Tout à fait, répondis-je en donnant une petite tape contre la vitre.

Le troisième appartement me sembla idéal : situé en plein Bloomsbury, à proximité de Great Ormond Street, au troisième étage d'un immeuble flambant neuf construit sur un terrain dégagé, en 1917, par le bombardement d'un Zeppelin. Il comprenait six grandes pièces et une cuisine. Ses propriétaires, partis pour un long voyage aux Amériques, l'avaient meublé de façon ultramoderne, sans lésiner sur les miroirs, les tapis fauves, les tentures jaune pâle dans le salon et les tissus exotiques dans la chambre, au lit aussi vaste qu'un petit paquebot. Parfait. Affreux, mais parfait.

– Je le prends.

– Vraiment ? Je veux dire : ravi que ça vous plaise. Il y a également des logements pour les domestiques au sous-sol.

– Je les prends aussi. Vous m'avez dit qu'une parente à vous savait cuisiner ?

– Oh, oui, mam'selle.

Puddings indigestes et légumes bouillis. Je prendrais souvent mes repas au restaurant.

– Bien. Je vais signer le bail tout de suite, si vous arrivez à joindre le fondé de pouvoir. Peut-être pourriez-vous ensuite envoyer quelqu'un prendre les paquets que j'ai laissés au Vicissitude ?

– Entendu.

La question des domestiques fut réglée aussi facilement. La cousine de Freddy Bell et son mari formaient un couple intelligent et calme, dont les anciens maîtres s'étaient embarqués pour les Indes, où les serviteurs sont insupportables mais bon marché. Freddy et mon nouveau majordome effectuèrent plusieurs allers et retours au Vicissitude pour rapporter mes affaires, tandis que ma gouvernante inspectait ses quartiers. Quant à moi, je déambulai dans l'appartement, submergée par le plaisir que me procurait, depuis quelques heures, ma frénésie de dépense.

Il était révolu, le temps où, victime de la pingrerie de ma tante alors que j'étais probablement la femme la plus fortunée du Sussex, je disposais de moins d'argent de poche que la fille du boucher. Elles étaient loin, ces six années pendant lesquelles ma fierté m'avait empêchée de prévenir les exécuteurs testamentaires de la gêne dans laquelle je vivais... Loin aussi le jour où j'avais accompagné Ronnie au Temple, attifée de nippes destinées à une vente de charité. À présent, tout allait changer.

Ma donation princière à la bibliothèque de Veronica, suivie par mon apparition en tailleur brodé de superbe facture, n'avait été qu'un prologue. Bientôt, une riche héritière entrant à peine en possession de ses biens allait adhérer au Nouveau Temple de Dieu. Margery devait déjà avoir lu, dans le *Times*, l'annonce de la succession dévolue à une certaine Mary Russell, du Sussex. Bien sûr, elle continuerait à me considérer comme son professeur. Mais elle me traiterait désormais avec beaucoup d'égards.

Une pluie froide tombait sur les branches désolées des jeunes platanes plantés devant l'immeuble lorsque Freddy m'apporta mes derniers paquets. Depuis la baie vitrée du salon, je le regardai s'extirper du taxi et courir sur les pavés mouillés éclairés par les phares. Je frissonnai, comme si la nuit, dehors, me chuchotait de mauvais présages. Je tirai les rideaux et allai ouvrir la porte.

Je m'endormis dans ma chambre de nouveaux riches aux placards remplis de vêtements ridiculement coûteux, dans un lit dont la taille évoquait des ébats langoureux et où flottaient encore, comme des fantômes, une odeur de cigare et un parfum de femme. J'étais seule dans cet appartement aux murs nus, sans serviette ni savon dans la salle de bains, sans rien, dans la cuisine, pour laver la vaisselle.

Le jeu dans lequel je me lançais promettait d'être merveilleusement amusant.

Mes nouveaux domestiques s'appelaient Quimby. D'entrée de jeu, je les surnommai Q et Mme Q, ce qui ne les choqua pas. Je leur avais demandé de me retrouver dans la cuisine à 9 heures. Ils furent exacts. Je m'assis devant la toute petite table et les invitai à m'imiter. Ils se consultèrent du regard, posèrent avec précaution leur postérieur sur le coin de leurs chaises.

— Bien. Vous avez sans doute déjà deviné que je ne sais absolument pas quoi faire de vous. J'ai vingt et un ans, et je viens d'hériter d'une fortune dont j'ai bien l'intention de me servir. Je n'ai que des idées fort vagues sur le fonctionnement et la gestion d'une maison. Je n'ai jamais eu de gouvernante, de majordome ou de chauffeur. Je risque donc de marcher sur vos plates-bandes dix fois par jour, de répondre au téléphone, d'aller chercher le courrier, de me préparer à manger, toutes choses que je ne suis pas censée faire. Il se peut que je vous tape sur les nerfs. Si vous vous sentez prêts à faire un essai, je suis partante. Qu'en dites-vous ?

Rien de ce que je venais de dire n'était tout à fait vrai, mais cela confortait mon image et jetait les bases de ma conduite à venir, à savoir n'en faire qu'à ma tête sans être dirigée par mon personnel. Ils se regardèrent. Mme Q se leva et entreprit de vider son grand panier. Je constatai avec plaisir qu'elle avait prévu du café. Q se rapprocha du milieu de sa chaise.

— Ça nous va, mademoiselle.

— Magnifique. Je suis sûre que nous allons bien nous entendre. Maintenant, le plus urgent. Madame Q, il nous faut des provisions. Chez Fortnum and Mason, on sait qui je suis. Annoncez simplement que j'ai quitté le Sussex pour Londres. Q, connaîtriez-vous un bon marchand de vins et de spiritueux ?

— Bien sûr, mademoiselle.

— Achetez ce qu'apprécient les gens. Des ingrédients pour cocktails. Vous savez préparer les cocktails ?

— Oui, mademoiselle.

— Je sais : mélanger les alcools est une pratique sacrilège, mais que voulez-vous, les gens en raffolent. Et, Q, si vous préférez porter un complet veston, sachez que je n'y vois aucun inconvénient.

Pour la première fois, il parut perturbé, comme si je lui avais suggéré de servir en costume de bain.

— Ce ne sera pas nécessaire, mademoiselle.

— Comme il vous plaira. J'ai mille choses à faire aujourd'hui. Je ne prendrai pas de petit déjeuner. Juste un café, Mme Q. Je l'aime fort, avec du lait le matin, noir le reste du temps. Pas de sucre.

— Je vous l'apporterai, mademoiselle. Dois-je faire couler votre bain et vous aider à vous habiller ?

— Je crois que j'y arriverai seule aujourd'hui. Je suis sûre que vous avez bien mieux à faire. Parfois, cependant... Savez-vous coiffer ?

— J'ai commencé par être femme de chambre pour dames avant mon mariage, mademoiselle. Je ne sais pas si je ferais preuve de dextérité avec ces cheveux courts de plus en plus à la mode, mais je n'aurai aucun problème avec les vôtres.

— Vous avez tous les talents. M. Bell m'a dit que vous cuisiniez...

— Je ne suis peut-être pas une experte de ce que vous appelleriez la haute cuisine, mademoiselle, mais je me débrouillais très bien, autrefois. En fait, la vice-reine des Indes m'a un jour demandé une de mes recettes.

— Vraiment ? C'est bon à savoir. Toutefois, comme je ne donnerai pas de dîner avant un certain temps, vous pourriez aujourd'hui vous occuper de l'aménagement de l'appartement. Serviettes et tout le reste...

Je passai quelques minutes à lui parler de mes couleurs préférées, de mon aversion pour les parfums de fleurs et de mon régime alimentaire. Dans la mesure du possible, ni porc, ni fruits de mer, pas de viande en sauce. De toute façon, je prendrais le plus souvent mes repas à l'extérieur ; je me contenterais donc, ici, d'omelettes et autres plats vite préparés. J'envoyai ensuite Q louer une voiture de son choix, responsabilité qui le combla. Pendant ce temps-là, son épouse se chargerait des achats nécessaires. Enfin débarrassée des contingences domestiques, je m'habillai et pris un taxi qui traversa la Tamise avant de me déposer au Guys Hospital. De là, je me rendrais au Nouveau Scotland Yard.

14

Samedi 15 janvier

Parfois, il vaut mieux se fier à une intuition féminine qu'à une certitude masculine.

RUDYARD KIPLING

Miles se tenait à son chevet, comme elle à demi caché derrière les monceaux de fleurs, les corbeilles de fruits, les cartes postales, les revues et les livres. Ils ne me reconnurent ni l'un ni l'autre. Le lieutenant se leva prudemment, mais poliment. Tout aussi bien élevée, Veronica me salua d'un signe de tête. Puis, sous ses pansements et ses meurtrissures, son visage s'éclaira.

— Mary ? Mon Dieu, c'est toi ! Tu es magnifique !

— Ton étonnement me flatte, Ronnie. Oh, ne rougis pas. Je sais que je ressemble d'habitude à un chat de gouttière, mais si je ne dépense pas un peu de mon argent, le fisc s'en chargera. Bonjour, lieutenant Fitzwarren. Asseyez-vous ; je ne reste pas.

Bien sûr, il n'en fit rien.

— Ronnie, raconte-moi ce qui s'est passé.

— Je l'ignore, Mary. Vraiment. Tout ce dont je me souviens, c'est cette foule qui s'agglutinait. Un incident sur la ligne avait retardé la rame, ou quelque chose comme ça. Et puis la ligne a été dégagée. J'ai senti un appel d'air dans le

170

tunnel, les gens se sont mis à pousser... et voilà. Je suis bien contente de ne pas me rappeler la suite.

— As-tu vu quelqu'un de ta connaissance ?

— Si ma propre mère avait été là, je ne l'aurais pas remarquée, sauf si elle s'était trouvée juste en face de moi. Pourquoi me demandes-tu ça ?

— Parce qu'il est possible qu'on t'ait poussée, Ronnie.

— Mais bien sûr qu'on m'a poussée ! Je te l'ai dit. Attends un peu... Qu'est-ce que tu insinues ? Qu'on m'aurait poussée volontairement ? Quel esprit tortueux tu as, Mary ! Pourquoi quelqu'un aurait-il fait ça ? C'était un accident.

— Il ne t'est pas venu à l'idée qu'il y a eu récemment un peu trop d'accidents mortels autour du Temple ? m'enquis-je d'une voix douce.

— Non, Mary ! C'est absurde ! Non...

— Pourquoi crois-tu qu'on ne t'a pas laissée ici toute seule ? D'abord Holmes puis, en alternance, Watson et le lieutenant Fitzwarren.

Elle devint plus pâle que ses draps. Sa main chercha celle de Miles, aussi décomposé qu'elle.

— Navrée d'être aussi brutale, Ronnie, mais il se passe quelque chose au Temple et je dois découvrir quoi.

Elle me considéra un long moment, les traits de plus en plus crispés.

— Iris ? murmura-t-elle enfin.

— C'était la dernière de la série. On a voulu faire croire à un crime lié au monde de la drogue. Mais, en octobre, il y avait eu Lilian McCarthy. Et en août dernier...

— Delia Laird. C'est vraiment ce que tu crois ?

— Je ne sais pas encore. Ronnie, quelle somme as-tu, par testament, légué au Temple ?

— Vingt mille livres. Pourquoi me demandes-tu... Non. Oh, non, Mary, tu ne supposes pas que...

— Ronnie, affirmai-je avec toute l'honnêteté possible, je ne crois pas que Margery soit impliquée.

— Comment pourrait-elle ne pas l'être si tu as raison ?

Bonne question.

— Elle n'a pu être personnellement mêlée à aucun des décès. Elle a des alibis pour les trois dates.

— Quelqu'un d'autre, alors ?

— Il pourrait s'agir d'un de ses proches. Même si c'est quelque chose que Margery pourrait faire, je ne pense pas qu'elle le ferait. Excuse-moi ; je ne suis pas très claire.

— Si, je vois ce que tu veux dire. Même si elle pouvait commettre un... meurtre, elle ne le ferait pas pour l'argent.

Ce n'était pas tout à fait ça, mais je ne la contredis pas.

— Alors, qui ? interrogea Miles.

— Quelqu'un qui, comme je l'ai dit, serait proche d'elle : une personne sans pitié, intelligente, qui profite de sa richesse ou s'imagine lui rendre service.

— Marie, souffla Veronica.

— Margery se serait-elle rendue à York sans elle ?

— Non. Probablement pas, admit-elle.

— Je m'en assurerai. Mais je doute qu'elle possède un cerveau capable de concevoir un projet aussi machiavélique. Qui est au courant des testaments ? Du montant des legs ?

— Margery, bien sûr. Rachel Mallory... Elle dirige l'équipe du bureau. Et, par extension, quiconque a accès aux classeurs. On a rangé dans l'un d'eux un dossier intitulé « Testaments ».

Commode.

— Ils sont fermés à clé ?

— Oui. Mais on range les clés dans le tiroir du bureau de Susanna, qui, lui, n'est pas verrouillé.

— Donc à peine deux cents personnes ont pu consulter ce dossier. Cela réduit considérablement le champ de mes recherches. Il me suffit de découvrir quelqu'un qui sache lire et qui vénère Margery. Rien de plus facile.

— Quels sont tes projets ? questionna-t-elle.

— Me rendre indispensable au Temple. Puis, mine de rien, faire parler les gens.

Et laisser bientôt entendre, pensai-je à part moi, que j'allais rédiger un testament.

— Sois prudente, Mary.

— Moi ? Je ne risque rien. Tu n'as rien dit sur Holmes et moi, n'est-ce pas ?

— Pas depuis que tu m'as demandé de me taire.

— Et avant ?

— Je ne sais plus. Il me semble avoir laissé échapper quelque chose à propos de vous deux, une simple remarque, du genre : « À Oxford, je partageais ma chambre avec une étudiante en théologie qui connaissait très bien Sherlock Holmes ». Quelque chose comme ça...

— À qui l'as-tu dit ?

— Je ne me souviens plus, Mary, pardonne-moi. Il y avait cinq ou six personnes. Je crois que c'était au Temple, mais cela a très bien pu se passer au cours d'un week-end à la campagne.

Elle commençait à se ronger les sangs, ce qui n'était pas bon pour elle.

— Ne t'inquiète pas, Ronnie. Si ça te revient, fais-le-moi savoir. De toute façon, des propos aussi vagues ne peuvent avoir la moindre conséquence. L'important est que tu ailles bien et que tu sois en sécurité. Je ne crois pas qu'on essaiera encore d'attenter à ta vie, mais je ne tiens pas à perdre une amie parce que j'aurais sous-estimé un fou. Je voudrais que tu fasses deux choses pour moi.

— Tout ce que tu voudras.

— Écoute bien avant d'accepter. Premièrement, j'aimerais informer les gens de Scotland Yard. Ils viendront prendre ta déposition. Il faudra que tu leur parles du testament. Et quand ils te demanderont si on t'a poussée, il te suffira de leur répondre que tu ne t'en souviens pas, mais que c'est possible. Ils placeront une sentinelle à ta porte jusqu'à ce que les médecins t'autorisent à sortir.

— C'est tout ?

— Non. Deuxièmement, je veux que tu partes. Pas longtemps, deux ou trois semaines tout au plus, mais loin. Nous dirons à tout le monde que tu passes ta convalescence dans une clinique privée. C'est ce que tu peux faire, si tu veux.

— Je ne peux pas, Mary.

– Il le faut. Je t'en conjure, Veronica. Je vais être bien trop occupée pour garder un œil sur toi.

– Si je puis me permettre... intervint Miles. Je possède un pavillon de chasse en Écosse. Un peu froid en cette période de l'année, mais il y a du bois en quantité.

– Parfait, répliquai-je sans laisser à Veronica le temps de refuser. Vous y emmènerez Ronnie dès que les médecins l'auront libérée et vous ne la quitterez pas d'une semelle. Jour et nuit.

J'ignorai la confusion de mon amie, qui rougit légèrement. Miles la regarda à la dérobée, retira sa main et s'écarta du lit.

– Il y a des domestiques, bien sûr. Ils vous serviront de chaperons. Si vous ne trouvez pas que...

– Je ne vois qu'une complication possible, lieutenant Fitzwarren.

Je n'achevai pas. Il me fixa et répondit sèchement :

– Tant que la sécurité de Mlle Beaconsfield sera sous ma responsabilité, vous n'avez pas à vous inquiéter, mademoiselle Russell.

– Vous m'en voyez ravie, lieutenant.

Qu'une péronnelle de mon âge se permette de porter un jugement sur lui ne nous parut inconvenant ni à l'un ni à l'autre.

– Holmes ou moi serons là demain. Nous déciderons de votre moyen de transport et de la façon de communiquer entre nous. Entre-temps, vous ne direz rien, j'espère, à qui que ce soit, pas même à vos familles.

Ils acquiescèrent nerveusement. Alors que je m'apprêtais à m'en aller, mes yeux s'arrêtèrent sur les journaux et les revues en équilibre instable sur la table de chevet.

– Auriez-vous un exemplaire du *Strand* ?

Sans attendre leur permission, je fouillai dans la pile, dénichai le numéro de décembre qui contenait l'article que je cherchais.

– Puis-je vous l'emprunter ? Merci mille fois.

Je me penchai, posai un baiser rapide sur la joue de Veronica. Pressée de quitter l'hôpital, qui m'oppressait toujours autant, je les laissai à leur amour inconfortable. Deux semaines dans un pavillon de chasse écossais les mettraient enfin face à eux-mêmes. Ou ils tomberaient dans les bras l'un de l'autre ou ils se trancheraient la gorge.

Je demandai Scotland Yard depuis un téléphone public. En attendant la communication, je parcourus l'article intitulé : « Un événement qui fera date. Des fées photographiées », cosigné par Arthur Conan Doyle et rédigé apparemment avec le plus grand sérieux. Il était illustré par des photos de petites filles contemplant d'un air béat de vagues silhouettes de fées. Le trucage était si évident que, sans la réaction de Watson, j'aurais conclu à un canular, assez subtil dans la mesure où Conan Doyle avait, d'habitude, la main plutôt lourde. Mais personne, semblait-il, ne croyait à une plaisanterie. La fascination de Conan Doyle pour le surnaturel n'avait fait que croître ces dernières années, surtout après la perte de son fils, tué au combat. Jusqu'à présent, le spiritisme n'intervenait pas dans les aventures de Holmes telles qu'il les racontait dans le *Strand*, en prenant avec la vérité des libertés qui exaspéraient mon ami. Mais qu'il publie sous son nom un article sur les fées dans le même magazine était pour le moins inconsidéré. Holmes avait toujours blâmé, dans l'excentricité de Conan Doyle, une influence américaine ; je dus admettre qu'il n'avait pas tout à fait tort.

Le téléphone grésilla. L'opératrice m'annonça que j'étais connectée à Scotland Yard. Il me fallut un certain temps pour obtenir la division des enquêtes criminelles. Dès que je fus en ligne, je pris l'accent le plus snob possible.

– Bonjour. J'aimerais parler à l'inspecteur Lestrade, je vous prie. Il est absent ? Mon Dieu, c'est navrant. Seriez-vous en mesure de me dire, dans ce cas... ?

J'attendis la réaction de l'homme au bout du fil, puis gardai le silence avant de déclarer d'une voix glaciale :

– Non, il n'y a rien que vous puissiez faire pour moi, cher monsieur. Le duc n'en aura cure. Pourriez-vous...

Mon interlocuteur m'interrompit une seconde fois. Il eut droit à un silence beaucoup plus long.

– Jeune homme, si vous tenez à faire carrière dans la profession que vous avez choisie, vous feriez mieux de surveiller vos manières. Bien. Auriez-vous l'amabilité de me dire quand ce cher inspecteur sera là pour recevoir un coup de téléphone ? Non, cela ne m'arrangerait en aucune façon qu'il m'appelle lui-même. Sinon, j'aurais fait cette suggestion dès le début.

L'homme s'éclaircit la gorge et répondit d'une voix mal assurée :

– Oui, madame. Vous comprendrez que je ne peux être absolument sûr de son emploi du temps, mais je sais qu'il a une réunion au Yard à 16 heures. Il regagnera son bureau tout de suite après, aux environs de 17 heures.

– Très bien. Vous lui demanderez d'attendre mon appel à 17 h 05.

– Madame ? Si vous pouviez juste me dire qui... ?

Je raccrochai. À 17 heures. Parfait. Cela me laissait amplement le temps de m'habiller, pour Lestrade et pour mon début au Temple.

Je passai l'après-midi aux bains turcs, où je fus lavée, pétrie, poudrée, parfumée, manucurée, épilée, coiffée et habillée avec des vêtements apportés par Mme Q. On me raccompagna avec précaution sur le trottoir, méconnaissable, image vivante de l'artifice, de la dextérité des esthéticiennes et du talent des grands couturiers. Il ne me manquait qu'une paire de lévriers afghans. Les taxis freinaient servilement à mes pieds. J'en choisis un dont les sièges de cuir ne risquaient pas de filer mes bas.

– Scotland Yard, je vous prie. Je préférerais passer par l'Embankment plutôt que par Whitehall.

– À vos ordres, mam'selle.

J'aurais pu, bien sûr, réclamer à Mycroft un rapport plus complet sur l'enquête policière à propos du meurtre d'Iris Fitzwarren. En fait, j'y pensai quelques secondes. Mais je m'y trouvais impliquée par l'intermédiaire d'une amie, et cette affaire était la mienne, non celle de Holmes. À présent, la sécurité de Veronica reposait entièrement sur moi ; je n'avais aucune intention de permettre à Holmes de m'empêcher de mener les opérations à ma guise.

L'objectif de ma soirée était l'inspecteur John Lestrade, seule personne de mes relations à Scotland Yard. Holmes avait eu avec lui des rapports professionnels et travaillé de nombreuses fois avec son père à l'époque de Baker Street. Je l'avais rencontré deux ans auparavant, alors qu'il « dirigeait » l'enquête sur la tentative d'assassinat de M. S. Holmes, de Mlle M. Russell et du docteur J. Watson. Inutile de préciser que Holmes et moi avions résolu le problème, Scotland Yard en retirant tout le bénéfice.

Malheureusement, Lestrade ne s'occupait pas du cas Iris Fitzwarren. Même dans ce cas, il m'aurait été difficile de l'appeler de façon fortuite et de solliciter ses réponses à mes questions au nom d'un douteux bon vieux temps. Considérant l'impression que je lui avais laissée, j'étais persuadée que si on lui annonçait la présence de Mary Russell à la porte de son bureau, il s'éclipserait par la sortie du fond. Il me fallait imaginer une stratégie plus fine.

Lorsque le bâtiment hideux fut en vue, je frappai à la vitre et demandai au chauffeur de s'arrêter le long du fleuve. Il se gara sous un réverbère et se retourna.

– Chauffeur, nous devrons patienter ici quelques minutes. Je guette un de mes amis qui va bientôt sortir. Mais je... je ne peux pas aller à sa rencontre. Ses... ses collègues pourraient ne pas approuver. Vous comprenez ?

Il croisa mon regard dans la faible lumière du réverbère, me décocha un sourire entendu.

– Oui, mam'selle. Est-ce qu'il vous attend ?

– Mon brave, je vois que vous allez droit à l'essentiel. Non, il ne m'attend pas. Auriez-vous la bonté... ?

— Dites-moi simplement à quoi il ressemble, mam'selle, et laissez-moi faire.

Quelque chose, dans ma description, transforma son air complice en une stupéfaction discrète. La taille de Lestrade, peut-être, comparée à la mienne ? Ou bien l'expression « comme un furet ou un rat » ? Quoi qu'il en soit, il se mit en faction et, quand Lestrade apparut (à 17 h 20 et non 17 h 15, comme je m'y attendais, mais avec dans le maintien, ainsi que je l'escomptais, une exaspération provoquée par l'absence du coup de fil ducal), il s'écarta du rebord du quai, revint jeter un coup d'œil à l'intérieur de la voiture pour obtenir confirmation de ma part, se faufila parmi la circulation dense qui encombrait le pont et se dirigea d'un pas assuré vers l'inspecteur. Après une scène muette qui se dispensait fort bien de sous-titres, Lestrade, ahuri, circonspect et toujours excédé, suivit le chauffeur jusqu'au taxi.

Il passa sa tête par la portière entrouverte et me scruta d'un œil expérimenté.

— Eh bien, mademoiselle, pourrais-je savoir de quoi il retourne ?

Il m'examina encore, s'arrêta sur mon visage. Il se pencha en avant et sa mâchoire mal rasée retomba.

— Mon Dieu ! Vous êtes... Mlle Russell. Si je m'attendais à... Est-ce que M. Holmes...

Il sortit la tête de la voiture, laissant son chapeau à l'intérieur. Le chauffeur, tout aussi dérouté que lui, ne s'étant pas métamorphosé en détective privé à la retraite, Lestrade se baissa de nouveau.

— Ma foi, mademoiselle Russell, je crois que je ne vous aurais pas reconnue spontanément dans la rue. Vous... euh... vous avez changé.

Une telle perspicacité justifiait la haute estime dans laquelle Holmes tenait la police officielle. Je dois quand même admettre que la jeune femme aguicheuse assise au fond de ce sombre taxi ne ressemblait que de très loin à la grande perche de dix-neuf ans, nippée n'importe comment, qu'il avait vue la dernière fois.

– Vingt sur vingt, inspecteur. Pourtant, je crois me souvenir que lors de notre première rencontre, j'étais en robe du soir. Mais depuis cet épisode, c'est vrai, de l'eau a coulé sous les ponts.

Je lui tendis son chapeau. Il s'en empara, jeta un dernier coup d'œil à mes chevilles de soie, ramena son regard vers mon visage et ses pensées sur les raisons de ma présence.

– Vous vouliez me voir, donc ?

– J'aimerais vous offrir un verre, inspecteur.

Ma proposition ne parut guère l'enthousiasmer. Bien au contraire : ses traits, crispés en permanence, s'assombrirent un peu plus.

– Pourquoi ? interrogea-t-il d'un ton soupçonneux.

– Ou vous inviter à dîner, si vous avez le temps.

– Pourquoi ?

– Si vous restez dehors, vous allez finir par vous mouiller. Il bruinait.

– Vous avez raison. Il est temps de rentrer chez moi.

– Juste un verre, inspecteur, et quelques questions. Et il est possible que je vous donne des informations en échange.

– Sur ?

– Iris Fitzwarren.

– Je ne suis pas chargé de l'affaire.

– Je sais.

– Pourquoi moi ?

– Un verre, inspecteur ?

La fatigue de sa longue journée et sa méfiance à mon égard ne résistèrent pas à sa curiosité professionnelle. Avec la circonspection du mâle d'une veuve noire s'approchant de sa bien-aimée, il s'installa près de moi. Le chauffeur attendait contre la voiture, figé dans sa pèlerine.

– On va où, mam'selle ?

Il consulta Lestrade, qui lui demanda :

– Vous savez où se trouve le Bell and Bugle ?

– Bien sûr, monsieur.

Il grimpa sur son siège et démarra.

– Mais, ajouta l'inspecteur, c'est moi qui vous invite.

L'obscurité dissimula mon sourire. J'avais bien pensé qu'il le ferait.

J'acceptai sa main pour sortir du taxi et mettre le pied sur le trottoir mouillé. Je discutai ensuite avec le chauffeur en lui enjoignant de nous attendre. Il s'était montré un allié précieux et je ne tenais pas à le perdre.

Lestrade commanda une pinte de bière. J'optai pour un cocktail, monstruosité que j'évite d'ordinaire comme la peste, mais qui correspondait à ma personnalité du moment. Lestrade but d'un coup le tiers de sa chope, la reposa et m'observa de son œil de fouine.

— Très bien, jeune demoiselle, de quoi s'agit-il ?

Je lui souris avec compassion, pour bien lui montrer que son ton comminatoire ne m'impressionnait pas le moins du monde, et commençai à ôter lentement mes gants pourpres, un doigt après l'autre.

— Les dames d'abord, inspecteur. Avant de vous révéler quoi que ce soit, j'ai besoin de savoir ce que les journaux dissimulent à propos de l'affaire Iris Fitzwarren.

— Qu'est-ce qui vous fait croire que je suis au courant ?

— Allons, inspecteur, c'est évident. Vous avez eu une réunion avec l'équipe d'enquêteurs chargée de l'affaire pas plus tard que cet après-midi.

Ce coup tiré au hasard atteignit son but, à mon grand soulagement. Je poursuivis très vite :

— Sa mort a quelque chose d'étrange. Mais quoi ? Quel rapport entretenait-elle avec le club ? Et pourquoi cherchez-vous Miles Fitzwarren ?

Il leva la tête.

— Vous savez où il est ?

— Vous voyez ? On ne me dit jamais tout. On ne m'avait pas informée que vous l'aviez perdu. J'ignore ce que vous et vos collègues savez. Comment pourrais-je deviner ce que vous ne savez pas ?

Je passai un doigt à l'ongle verni sur le rebord de mon verre en préparant mon effet suivant.

– Toutefois, si vous acceptez de me dire ce que vous savez...

– Oh, je vous en prie !

Je ris, m'appuyai contre le dossier de mon siège.

– D'accord, grommela-t-il. Mais il vaudrait mieux que vos révélations en vaillent la peine. Et personne ne doit apprendre ce qui se sera dit ici.

– Personne, à part Holmes.

Il hocha la tête, engloutit une longue gorgée.

– Vous avez raison, murmura-t-il, même si je me demande comment vous avez deviné.

Il s'interrompit, me jeta un coup d'œil ironique.

– C'est vrai, j'oubliais. Vous ne devinez jamais. Vous déduisez. Alors, comment avez-vous déduit ? Oui, le meurtre d'Iris Fitzwarren a quelque chose de particulier. Hormis deux détails, il y a d'abord la façon dont elle a été tuée. Nous avons eu trois morts semblables à la sienne au cours des derniers mois : deux lors de la même nuit de juillet, puis une en novembre. On a constaté... une forme de mutilation commune aux quatre corps, après le décès.

– Faciale ? suggérai-je.

– Oui. Nous connaissions trois des victimes. Les deux premières nous avaient fourni des renseignements sur, dirons-nous... un importateur. La troisième, un homme, pouvait également passer pour un gêneur. Il n'était pas impliqué dans l'usage de la... marchandise importée, mais son cousin, qui était aussi son meilleur ami, l'était, lui. Le cousin est mort. L'homme s'est mis, de sa propre initiative, à enquêter sur ce décès, ce qui lui a manifestement coûté la vie cinq semaines plus tard.

– Inspecteur Lestrade, vous n'avez pas devant vous une avocate plaidant dans un procès en diffamation. Celui que vous soupçonnez était, ou est, j'imagine, un trafiquant de drogue. Il a assassiné trois personnes qui menaçaient de le dénoncer, et il a peut-être tué aussi Iris Fitzwarren, pour les mêmes raisons qui l'ont poussé à éliminer le cousin trop curieux. Comment s'appelle-t-il ?

– Où est Miles Fitzwarren ?

– En sécurité. Mal en point, mais protégé par Holmes et plusieurs médecins. Si vous le souhaitez, Holmes pourrait organiser une rencontre entre lui et vous, ou vos collègues. Maintenant, le nom ?

– Tommy Buchanan. C'est du moins sous cette identité qu'il sévit en ce moment. Vous avez entendu parler de lui ?

– Non. Pourquoi faites-vous, en dehors des circonstances de la mort d'Iris, un lien entre elle et lui ? Allons, inspecteur, il faut que je le sache avant de pouvoir vous donner mon information.

– Vous n'êtes pas gourmande pour un sou, hein ?

Il se redressa, désigna mon cocktail à moitié terminé.

– Un autre ?

– Merci. La même chose.

Je levai mon verre, comme pour le vider. Dès qu'il eut le dos tourné, je l'écartai de ma bouche et l'échangeai contre un verre vide provenant de la table voisine. Son propriétaire était en grande conversation avec une jeune femme. Ni l'un ni l'autre ne remarquèrent mon manège, même quand l'homme s'empara distraitement de ma coupe maculée de rouge et en avala le contenu. Lestrade revint.

– Entendu. Mais il vaudrait mieux que la protection de Holmes soit efficace. Il y avait un mot dans le sac d'Iris Fitzwarren, écrit sur un coin de journal. Il disait : « Tommy, Le Poséidon, minuit ». C'est le club de Buchanan. Elle y est arrivée à 23 h 30, mais Buchanan ne s'y trouvait pas cette nuit-là. En fait, il n'était même pas à Londres. Il dînait chez des amis, dans le Surrey. Il y a passé la nuit.

– Commode.

– Oui, mais vérifié.

– Il est donc personnellement intouchable.

– Tout juste.

– Des collègues, des employés, des comparses ?

– Cinq ou six. Rien de spécial à leur sujet pour l'instant, mais deux d'entre eux sont des maniaques du couteau.

– Qu'y avait-il d'autre dans le sac d'Iris ?

– Rien que de très ordinaire. Porte-monnaie, poudrier, rouge à lèvres, un petit canif de nacre, des mouchoirs, un trousseau avec les clés de son appartement, du domicile de ses parents et de ses trois centres sociaux gratuits. Une cinquième n'a pas été identifiée : la clé d'une maison, apparemment. On ne lui avait rien volé, il restait de l'argent dans le porte-monnaie et elle portait un bracelet en or, plus un petit collier de perles.

– Inspecteur, j'aimerais beaucoup consulter une liste détaillée de ce qu'elle avait sur elle.

– Désolé, mademoiselle Russell, ce serait aller trop loin.

– Je pourrais peut-être vous révéler à quoi correspond la cinquième clé.

Il ricana.

– Vous feriez mieux de m'en dire beaucoup plus. À commencer par la raison de votre intérêt. C'était une de vos amies ?

– Pas du tout. Mais je l'ai rencontrée le soir de sa mort.

– Où ? Pas dans le night-club ?

– Malheureusement, non. Au Temple.

– Vous ? Vous êtes allée là-bas ?

Un curieux mélange d'incrédulité et d'amusement, que je dédaignai, détendit son petit visage fripé.

– Oui, j'y suis allée. Votre cinquième clé ouvre certainement une des portes du Temple, une entrée extérieure ou celle d'un des bureaux.

– Parfait, j'en informerai le... le policier chargé de l'enquête. Pourquoi étiez-vous là-bas ?

– Pour affaires.

J'exagérais.

– Quel genre d'affaires ? Aux dernières nouvelles, vous étiez étudiante à Oxford.

– Un client m'avait demandé de l'y retrouver.

– Un client ? Mince alors, pas vous ! Qui est ce « client » ?

– Navrée, inspecteur, mais je dois respecter une certaine confidentialité. Il y a d'autres éléments, toutefois, qui pourraient vous intéresser.

Il jeta un regard autour de nous. La pièce enfumée s'était emplie de monde et devenait bruyante. Nous devions hausser la voix.

– Pas ici. Dans votre bureau.

Lestrade parut plus qu'irrité.

– Je sais, enchaînai-je, mais vous ne m'auriez pas laissée monter si j'avais juste donné mon nom, n'est-ce pas ?

– Pourquoi vous laisserais-je monter maintenant ?

Je me penchai vers lui, plongeai mes yeux dans les siens et déclarai en pesant mes mots :

– Mise en scène. Trois femmes sont mortes, probablement assassinées. Il s'agit d'éviter un quatrième meurtre.

Nous partîmes pour son bureau.

La pièce n'avait pas beaucoup changé depuis qu'un meurtrier embusqué avait, deux ans plus tôt, failli me tuer d'une balle tirée à travers la fenêtre qui donnait sur le fleuve. La poussière était un peu plus épaisse, les murs un peu plus crasseux. Mais, comparée aux refuges de Holmes, elle était rangée avec un soin surprenant. Lestrade m'offrit le siège en face de son bureau. Sa mine de furet me fit presque reculer. Mais il me fallait la liste. Je le lui dis, et il explosa.

– Mademoiselle Russell, Dieu sait pourquoi j'ai été aussi patient envers vous, surtout un samedi soir, où tout bon chrétien n'aspire qu'à rentrer chez lui. Vous ne cessez d'agiter sous mon nez, pour essayer de me faire parler, ces bribes d'informations que vous me promettez, autre petite technique que vous tenez sans aucun doute de votre mentor M. Holmes. Je commence à croire que vous ne savez strictement rien de l'affaire.

– Agirais-je ainsi avec vous ?

– Pourquoi pas ?

– Et ferais-je ça à Holmes ?

L'argument parut l'ébranler. Il était évident, alors que Holmes m'appelait son associée, que je ne mettrais en péril ses relations avec la police que pour une très bonne cause. Je réitérai ma requête.

– Laissez-moi juste voir la liste et je vous révélerai tout ce que je pourrai.

Il ne releva pas que je n'avais pas dit « tout ce que je sais ». De toute façon, je pensais qu'il allait refuser. Pourtant, il alla jusqu'à son classeur et en sortit, non pas une simple feuille mais le dossier tout entier, qu'il jeta sur le bureau en grognant :

– Dieu seul sait pourquoi je fais ça.

Moi, je le savais : c'était à cause de Holmes. Je m'abstins de répondre et ouvris la chemise. Il s'éclipsa. J'entendis le tintement d'une bouilloire et de tasses tandis que je parcourais les pâles doubles au carbone en m'efforçant de me remémorer les déplacements d'Iris Fitzwarren le soir de sa mort et ce qu'elle avait sur elle.

Ma lecture terminée, je me renversai dans mon siège et saisis machinalement la tasse posée près de moi. Le thé était tiède. Lestrade avait regagné sa place. Les talons sur le bureau, il examinait un autre dossier tout en prenant des notes. Il leva les yeux.

– Vous avez trouvé ?

– Je ne cherchais rien de spécial, inspecteur.

– Vous avez lu très vite.

– J'ai deux questions à poser.

– Pour changer, ricana-t-il.

Il ferma son dossier, ramena ses talons sur le plancher.

– Euh, oui. Est-ce que le bobby faisait toujours la même ronde, ou changeait-il de temps en temps d'itinéraire ?

– C'était toujours le même. Ce n'est plus le cas.

– Je vois. Autre chose : la liste des objets que contenait le sac d'Iris obéit-elle à un ordre précis ? Ou l'a-t-on établie au hasard ?

– Laissez-moi vérifier.

Il prit la liste, la consulta, me la rendit.

– Elle a été faite dans l'ordre où on a sorti les affaires du sac. Celui qui l'a rédigée opère toujours ainsi.

– Je vois, dis-je encore.

La liste ne correspondait donc pas aux informations orales transmises par le bobby. Je réfléchis un moment avant de me rendre compte que Lestrade avait parlé.

– Pardon ?

– Je vous demandais quelle importance ça pouvait avoir. Et ne me faites pas, à la Holmes, le coup du : « Élémentaire, mon cher », ou je vous garantis que vous ne remettrez plus les pieds ici.

– Oh, non, je n'ai pas adopté cette exécrable habitude. Je m'efforçais simplement de trouver une explication rationnelle aux faits. Le bobby n'aurait pas fouillé dans le sac à la recherche de pièces d'identité, n'est-ce pas ?

Il siffla entre ses dents. Je notai qu'elles étaient petites et pointues.

– Mademoiselle Russell, la personne qui a établi la liste a été la première à ouvrir le sac.

– Parce que, voyez-vous, elle avait un rhume de cerveau carabiné.

– Qui ?

– Iris Fitzwarren. Son nez coulait sans arrêt.

Il ne comprenait pas. D'ici une minute, il me jetterait dehors. Je respirai un grand coup.

– Inspecteur, pourquoi une femme souffrant d'un énorme rhume enterrerait-elle tous ses mouchoirs au fond de son sac ? Il n'y en avait aucun dans les poches de son manteau, mais deux sous son poudrier et son rouge à lèvres, et même sous le papier où elle avait noté le nom et l'adresse du club. Il est possible qu'elle ait ouvert son sac et farfouillé à l'intérieur, à la recherche de quelque chose, ce qui pourrait expliquer qu'on ait retrouvé les objets les plus lourds au-dessus du reste, mais jamais elle n'aurait laissé ses mouchoirs tout au fond, hors d'atteinte. Je répète qu'elle avait un rhume de tous les diables et, par une nuit humide comme celle-là, elle a dû se moucher continuellement. De plus, l'adresse était bien en évidence. Elle n'en avait plus besoin après s'être rendue au club à 23 h 30. Or, après son assassinat, on l'a retrouvée au sommet de la pile. Impossible si elle l'avait rangée elle-même, mais vraisemblable si son assassin a vidé son sac pour en ôter tout indice compromettant, replacé les effets en désordre et glissé ensuite une note destinée à attirer l'attention de la police, une note qui soit expliquerait sa mort de façon satisfaisante, soit incriminerait Tommy Buchanan. Ou les deux.

J'avais, tout en parlant, étudié avec attention le visage de Lestrade. Si la signification de la place des mouchoirs lui avait échappé, il n'en allait pas de même pour l'emplacement de l'adresse. Ma considération pour la police officielle augmenta légèrement. Je poursuivis :

— De toute évidence, si la note a été placée délibérément dans le sac, il est très peu probable que Tommy Buchanan ou un de ses sbires aient quelque chose à voir avec ce meurtre. Mais il ne peut s'agir que de quelqu'un qui connaissait son existence et connaissait aussi...

Je m'interrompis un instant, puis résumai lentement :

— Quelqu'un qui connaissait son style d'assassinats. J'imagine que nombre de gens étaient au courant, les journalistes, par exemple, même s'ils ont cessé de rendre compte des détails.

— Sans aucun doute.

— Est-ce que le *Clarion* emploie des femmes reporters ?

— Deux, à ma connaissance.

Il ne maîtrisait pas son impatience. J'ajoutai en hâte, pour éviter un nouvel accès de colère :

— Puis-je vous raconter une histoire, inspecteur ? Elle n'est ni longue ni agréable mais, même si les conclusions purement intuitives que j'en tire ont de quoi horrifier Holmes, je sais qu'elles sont justes.

Il se détendit, comme si, enfin, j'en venais au fait.

— Elle commence avec la guerre et avec le nombre effrayant de jeunes gens tués ou estropiés au cours de ces quatre années. Au début du conflit, la Grande-Bretagne comptait environ six millions d'hommes de vingt à quarante ans, en âge de se marier. À la fin de 1918, près d'un million d'entre eux étaient morts. Deux autres millions étaient blessés, dont la moitié si gravement atteints, aussi bien physiquement que moralement, qu'il est possible qu'ils ne s'en remettent jamais. Dès lors, quelle était la situation des quelque deux ou trois millions de jeunes femmes robustes qui, en temps normal, auraient épousé des jeunes gens en pleine santé et passé le reste de leur existence à s'occuper de leurs enfants et de leur mari ? Les journaux parlent à leur propos – à notre propos ! – de « femmes en surplus », comme si nous étions devenues bonnes à jeter. Ces femmes qui ont assuré la survie du pays de 1915 à 1919 se voient à présent chassées de leur emploi, obligées de céder la place aux soldats revenus du front. Fortes, compétentes, elles se sentent aujourd'hui de trop, aussi bien dans leur vie professionnelle que dans leur foyer. Non, inspecteur, je ne vous tiens pas un discours de suffragette. Je vous expose la nature profonde du cas qui nous occupe. Avez-vous rencontré Margery Childe ?

– Oui. Après l'assassinat d'une femme qui venait d'assister à l'un de ses sermons et rentrait chez elle pour rejoindre son mari.

– Comment l'avez-vous trouvée ?

– Agréable, mais bizarre.

– Bizarre de quelle façon ?

– Comment dire ? Elle ne semblait pas nous écouter. Elle nous répondait poliment, aimablement, même. Mais on avait l'impression que nos questions n'avaient pour elle aucune importance. Comme si nous avions interrompu le cours de ses pensées. Toutefois, je n'ai pas eu le sentiment qu'elle était préoccupée par quelque chose de particulier. Elle était simplement... distraite.

– Oui. Et pourtant, quand l'une de ses adeptes vient lui confier un problème, elle lui accorde toute son attention parce que c'est là que réside son intérêt. En revanche, elle a peu de temps à consacrer aux hommes.

« Que se passe-t-il quand cette personne au charisme extraordinaire entre en contact avec une partie de la population qui se sent rejetée et inutile ? Que se passe-t-il quand certaines de ces femmes sont, en plus, très riches (souvenez-vous de tous ces jeunes gens dont la mort a transformé leurs sœurs en héritières), quand elles sont cultivées, viennent de familles puissantes et sont heureuses qu'on leur propose un but, quelque chose qui valorise leur existence, au point qu'elles donneraient tout à celle qui leur a rendu leur dignité ?

« Vous savez qu'Iris Fitzwarren a légué de l'argent à Margery Childe ; au Nouveau Temple de Dieu, en fait, ce qui revient au même. Pas tous ses biens, mais une bonne partie. Vous a-t-on appris qu'une autre jeune femme est morte en octobre dernier dans un accident de voiture et a laissé au Temple une petite fortune ? Et qu'une troisième s'est noyée dans sa baignoire au mois d'août, en laissant une somme plus considérable encore ?

Les yeux de Lestrade se rétrécirent de façon déplaisante.

– Personnellement, je n'étais pas au courant, répondit-il d'un ton prudent. Je vais essayer de savoir si l'inspecteur Tomlinson en a entendu parler.

– Vous pourriez aussi mentionner, par la même occasion, qu'une autre adepte fortunée du Temple a été blessée il y a deux jours en tombant sur les rails du métro au moment où la rame pénétrait dans la station.

Il tendit le bras vers le téléphone. Une minute plus tard, il s'adressa à un homme : un rival légèrement plus gradé que lui, à en juger par son intonation.

– Tomlinson ? Lestrade à l'appareil. J'ai quelqu'un dans mon bureau qui dispose d'informations sur l'affaire Fitzwarren... Parce que j'étais là et que nous nous sommes vaguement connus à l'occasion d'une autre affaire... Oui, je crois que cela vaudrait la peine que vous veniez. Non, je préfère ne pas vous donner son nom ni ses informations par téléphone... Eh bien, cela ne tient qu'à vous, mais si j'étais à votre place, je décommanderais mon dîner... D'accord, vingt minutes.

Il reposa le combiné.

— Si cette autre femme est en danger...

— Elle s'appelle Veronica Beaconsfield... oui, cette famille-là. Elle se trouve pour l'instant au Guys Hospital, sous la garde du docteur Watson ou d'une autre personne mandatée par Holmes, qui serait sans doute soulagée de se voir relever par vos hommes. Mlle Beaconsfield est, pour compliquer les choses, fiancée à Miles Fitzwarren. Il a accepté de l'emmener loin de Londres une fois que les médecins l'auront autorisée à quitter l'hôpital, probablement lundi ou mardi, et de veiller sur elle jusqu'à ce que nous ayons résolu le problème. Selon Holmes, le lieutenant Fitzwarren serait prêt à vous entretenir de ses liens avec le monde de la drogue.

— Je devrais peut-être téléphoner à l'un de nos hommes de la brigade des stupéfiants pour qu'il puisse lui aussi vous entendre.

— Pas ce soir. Je dois m'en aller. Non, sincèrement, inspecteur, je serai plus qu'heureuse de collaborer avec qui vous voudrez, mais je dois être au Temple pour le service de ce soir. Même si j'en manque la première partie, il faut que je sois là-bas lorsqu'il se terminera, parce qu'il n'y aura pas d'autre réunion avant lundi et que le temps presse.

En 1921, la police acceptait moins facilement l'aide de civils que vingt ans auparavant, alors que Holmes était au faîte de sa renommée. Elle craignait de tomber sur des incompétents qui saboteraient son travail. Mais je savais qu'avec mon passé et la caution de Holmes, Lestrade appuierait, quoique de mauvaise grâce, les actions que j'entreprendrais. Partant du principe que le fait de demander un soutien ne peut que provoquer un refus, je me contentai de lui exposer mes plans.

— Donc rien ne justifie, pour l'instant, une enquête officielle. Elle ne réussirait qu'à effrayer tout le monde. Je suis déjà dans la place, ce qui me permettra d'observer toute réaction suspecte et de réagir en conséquence. Tout ce qu'il me faut, c'est un moyen de vous prévenir pour que vous interveniez immédiatement en cas d'urgence. Si vous surveillez le Temple ou si vous essayez de l'infiltrer, ce que j'ai déjà fait, cela pourrait compromettre l'enquête et me mettre en danger.

En clair, cela signifiait : « Je me suis confiée à vous. N'en profitez pas pour garder mes informations et me trahir. » Il comprit très bien, même si c'était le cadet de ses soucis.

— Restez au moins jusqu'à l'arrivée de Tomlinson, pour qu'il écoute votre témoignage.

— Je vous ai révélé l'essentiel, inspecteur Lestrade. Il est beaucoup plus important pour moi d'assister à cette réunion du premier cercle que d'attendre votre collègue.

— Il pourrait décider d'arrêter Margery Childe sur l'heure.

— Ce serait stupide de sa part et il risquerait de se retrouver sergent de ville. Dites-lui que c'est l'opinion de Sherlock Holmes. Si vous voulez, organisez une rencontre pour demain. Ou à minuit, ce soir.

Je lui donnai le numéro de mon appartement, dont j'avais provisoirement gardé la ligne. Il me laissa gagner la porte avant de me poser la question capitale.

— Croyez-vous qu'elle ait tué ces femmes ?

J'éprouvai une répulsion soudaine pour mon nouveau personnage et pour la décision qui m'avait amenée jusqu'ici.

— Franchement, non, murmurai-je d'une voix lasse. Mais vous devriez ne pas la perdre de vue. Elle est le lien entre les trois victimes et la femme qui a eu un peu plus de chance. Elle sait tout sur ses collaboratrices. Elle sait que Veronica et les autres ont rédigé un testament en faveur de son Église. Elle connaît, au *Clarion*, quelqu'un qui aurait pu la renseigner sur les mutilations infligées aux cadavres. Elle habite sur place, dans des appartements privés où elle se retire souvent, gardée par une duègne redoutable. Elle a très probablement sa propre entrée. Elle a aussi entamé une vaste campagne publique qui, espère-t-elle, lui assurera un certain pouvoir politique. La bonne marche des dispensaires, des programmes d'alphabétisation et des foyers nécessite d'autres ressources que les quêtes effectuées pendant les services. Il me semble qu'un examen plus approfondi des finances du Temple serait approprié, ainsi qu'une étude minutieuse des rapports sur l'accident de la route et la noyade. L'inspecteur Tomlinson se fera sa propre idée. Maintenant, je m'en vais. Bonsoir, inspecteur Lestrade. Merci pour les cocktails.

Je croisai Tomlinson dans le couloir : grand, vêtu avec élégance, peut-être trop conscient de sa virilité, ce qui, me dis-je, ne l'aiderait guère dans ses investigations.

15

Samedi 15 – vendredi 21 janvier

*La femme ne doit pas dépendre de la protection
de l'homme ; il faut lui apprendre à se protéger
elle-même.*

SUSAN B. ANTHONY

Dès ce samedi soir, je m'immergeai dans le Temple. Arrivée juste à la fin du service, je me joignis aux femmes du premier cercle alors qu'elles se dirigeaient vers la salle de conférences. Ignorant les sourcils froncés et les regards lourds, j'annonçai à Margery mon intention de remplacer Veronica dans toutes les tâches dont je serais capable, jusqu'à son retour.

Je me retrouvai donc mêlée à l'ensemble des activités de la ruche. Bien sûr, je ne pouvais effectuer les tâches administratives assurées par Ronnie. Mais je savais enseigner. J'enseignai donc. Je fis aussi les courses, tapai des lettres, répondis au téléphone et évoluai d'un secteur à l'autre, devenant un peu la bonne à tout faire de tout le monde. Dès ce premier soir et sans que cela fût contesté par personne, j'intégrai le premier cercle. Ce nouveau statut m'amena à m'associer humblement à une démonstration politique prévue de longue date. Je participai à l'impression des tracts et les distribuai le lundi devant le Parlement avec les autres manifestantes. Heureusement, nous ne fûmes pas interpellées.

Être interrogée par la police m'aurait placée dans une situation délicate. Mes compagnes me furent reconnaissantes d'avoir pris les mêmes risques qu'elles, ce qui renforça leur affection, bien plus que ma participation aux travaux les plus ingrats.

Au fil des jours, la fébrilité et l'amitié enthousiaste que me témoignait Margery m'amenèrent à me demander si je n'avais pas imaginé les étranges événements du 6 janvier. Le Temple œuvrait pas à pas et de façon rationnelle, décidé à venir en aide aux plus démunis et à changer le monde. Dès lors, l'idée que puisse se dérouler derrière ses murs des guérisons miraculeuses me paraissait comique, presque indécente.

Je devinai quand même, à l'approche du mardi, une forme d'attente. La journée se déroula néanmoins comme tous les autres mardis. À 17 heures, Margery s'enferma pour méditer. Après son habituel sermon sur l'amour, elle se retira de nouveau à l'étage, seule avec Marie.

Je ne regagnai mon appartement qu'à la tombée de la nuit. Le mercredi, je fis un saut à Oxford, pour un entretien avec Duncan qui, dans tous ses états, me tendit un télégramme : les Américains lui annonçaient joyeusement que six de leurs collègues européens proposaient de les accompagner et d'assister à la présentation de notre travail. J'eus deux rencontres clandestines avec Holmes, la première le lundi, la seconde le mardi, après qu'il eut escorté Miles et Veronica jusqu'en Écosse et avant son retour dans le Sussex, prévu pour le vendredi.

La réunion du lundi se déroula en présence de Lestrade et de Tomlinson, tous deux d'humeur exécrable. Ils me communiquèrent un numéro où je promis de leur téléphoner régulièrement pour les informer et où, me garantirent-ils, je pourrais les appeler au secours en cas de besoin.

Ma vie avait un côté schizophrène qui ne me troublait pas. Car mon travail au Temple me comblait. Je découvris que mes compagnes du premier cercle n'étaient pas uniquement des aristocrates éthérées nées avec une cuillère

194

d'argent dans la bouche et fières de voir leur nom figurer dans le *Debrett's Peerage*, bible de la noblesse britannique, mais des femmes intelligentes et rudes à la tâche, dont la réserve tenait plus de la timidité que de l'arrogance. Collaborer avec elles me stimula. Je dénichai pour elles des citations à inclure dans nos proclamations, comme celle qu'adopta Margery pour son sermon du samedi : « Le pouvoir sans amour équivaut à la mort. Mais l'amour sans pouvoir ne peut être que stérile. » Je vécus des jours merveilleux. Et je dus décliner, faute de temps, d'innombrables invitations à dîner.

Je me souviendrai toujours du cours d'alphabétisation que je donnai le vendredi, dans une salle dotée du chauffage central et où cinq élèves se penchaient sur les manuels nouvellement imprimés. Toutes ânonnaient en silence, syllabe après syllabe, l'index sur les lignes, les mots qu'elles déchiffraient. Soudain, l'une d'elles releva la tête. Et elle lut, sans la moindre hésitation :

– « Le petit garçon sert une tasse de thé à sa mère. »

Elle répéta la phrase puis éclata de rire, les yeux emplis de la magie des mots enfin compris. Elle avait les cheveux gris, les dents gâtées, le teint blafard. Mais, en cet instant, elle était belle.

À 16 h 30, je pris le thé avec les membres du premier cercle. S'apprêtant à aller passer le week-end à la campagne, elles pestèrent contre le brouillard qui risquait de les empêcher de partir. Effectivement, j'aperçus par une fenêtre les nappes qui commençaient à envahir la rue. Je décidai de rentrer chez moi dès la fin de ma leçon à Margery, sans assister à l'office.

Je confiai à mon élève l'émotion que j'avais ressentie devant la pauvresse éblouie par sa découverte de la lecture. Elle en parut touchée. Et je m'interrogeai, une fois encore, sur ce qui s'était passé deux semaines plus tôt.

La leçon du jour portait sur le prophète Jérémie. Elle fut soudain interrompue par un coup sec frappé à la porte, suivi de l'entrée de Marie, qui tendit une feuille de papier à sa maîtresse.

– On a téléphoné, madame. J'ai pensé que vous souhaiteriez en être informée aussitôt.

Elle m'ignora et se contenta de jeter un œil méprisant vers le livre ouvert sur la table. Margery parcourut le message, prit un air consterné.

– Merci, Marie. Vous avez bien fait. Pourriez-vous m'apporter mes affaires et demander à Thomas de sortir la voiture ?

La duègne acquiesça. En se retournant, elle me lança un regard satisfait et hargneux. Margery ne remarqua rien. Je me dis que si cette gardienne prenait ombrage de chaque seconde d'attention accordée par sa maîtresse à quelqu'un d'autre, elle devait ruminer en permanence sa jalousie et sa rancœur. Sauf, bien sûr, si elle ne haïssait et ne craignait que moi.

– Je suis navrée, Mary, déclara Margery. Je dois vous quitter. Il s'agit d'un message urgent. Tenez, voyez vous-même.

Je pris la note, écrite en français par Marie, de son écriture d'écolière : « Mlle Goddart vient de téléphoner. Elle est confrontée à une sombre histoire de famille et souhaite ardemment votre présence, le plus tôt possible. L'adresse est : 16, Norwood Place, porte 3. »

Marie revint avec un manteau et un chapeau sur les bras.

– Madame, annonça-t-elle d'un air embarrassé, j'ai le regret de vous informer que nous n'avons pas d'automobile. Mlle Archer n'est pas rentrée de Cambridge. Elle nous avait pourtant assuré qu'elle serait de retour à 16 heures. J'ai appelé un taxi, mais on m'a répondu que cela prendrait du temps. Il y a du brouillard et...

Je l'interrompis.

– Norwood Place n'est qu'à vingt minutes de marche d'ici. Avec ce brouillard, ce serait sans doute plus rapide qu'un taxi.

Elle me fusilla du regard, mais Margery parut convaincue.

– Vous savez où c'est ?

– C'est sur mon chemin, affirmai-je en exagérant légèrement.

– Indiquez-le-moi. Il n'y a aucune raison pour que vous partiez maintenant. Dînez ici tranquillement, ou prenez au moins un verre.

– Non, je vous accompagne.

Norwood était un quartier peu recommandable, surtout pour une femme seule et élégamment vêtue. L'escorter jusqu'à la porte était le moins que je puisse faire.

– Voudriez-vous m'apporter mon manteau, Marie ?

Partagée entre le désir de m'arracher à sa maîtresse et la certitude qu'elle serait plus en sûreté avec moi, la duègne hésita. Au terme de sa réflexion, elle protesta avec véhémence. Margery la fit taire.

– Non, vous resterez ici. Mlle Russell m'accompagnera. Il n'est que 17 h 30. Je suis sûre d'être de retour dans deux heures... Très bien, Marie. Je vous promets de ne pas rentrer seule, ni à pied. Quand le taxi arrivera, payez-le, et si Thomas n'est pas encore revenu, demandez au chauffeur de continuer jusqu'à Norwood Place. Il me ramènera... Oui, je téléphonerai s'il ne m'attend pas devant le perron... Non, je suis sûre qu'il y a un téléphone à proximité. Mlle Goddart en a bien utilisé un pour appeler ici... Ou la personne qui nous a prévenues. Marie, cessez de me harceler et allez chercher le manteau de Mlle Russell !... Désolée, me souffla-t-elle. Elle se comporte parfois avec moi comme une mère poule. Elle déteste que je sorte le soir... Merci, Marie, à plus tard. Non, je n'ai pas le temps de prendre une tasse de thé. Oui, oui, je vous préviendrai en cas de retard. Mais cela ne se produira pas.

La Belge me tendit mon manteau tout neuf. Ses mains hostiles ne purent gâcher le plaisir que j'éprouvai à sentir contre ma nuque ce col en peau de phoque dont le noir s'harmonisait si bien à la soie bleue de ma robe, sur laquelle Margery, qui en mourait d'envie depuis longtemps, s'extasia enfin.

– Elle est superbe, Mary. Chanel, n'est-ce pas ?

Je la détrompai, lui parlai brièvement des lutins.

– Demandez-leur s'ils ne pourraient pas exercer leurs talents sur moi. Ce chapeau vous sied à ravir. Il épouse à merveille la forme de votre visage. Le mien, ajouta-t-elle alors que nous quittions le Temple, est plutôt épais, vous ne trouvez pas ?

Il faisait nuit. Les réverbères et les phares des voitures qui roulaient au pas parvenaient à percer le brouillard et nous évitaient de buter sur les pavés ou de nous heurter aux murs. Les rues étaient calmes, désolées. Seuls les sabots d'un cheval, le bruit d'un moteur, les talons de Margery et le claquement plus discret de mes semelles troublaient le silence. On distinguait vaguement la silhouette inclinée des cochers ou la tête des automobilistes penchés à leur portière, sondant la poisse jaunâtre qui s'épaississait devant eux. Me fiant à ma mémoire, je me lançai hardiment dans ce dédale et, prenant le bras de Margery, en profitai pour l'interroger sur sa duègne.

– Vous m'avez dit que Marie n'aimait pas vous voir sortir le soir. Sa réticence a-t-elle une raison précise ?

– Pas vraiment. Elle ne cherche qu'à me protéger. Vous vous demandez pourquoi je la supporte ? Ne riez pas. Sous ses dehors de cerbère, elle a bon cœur. C'est une cousine éloignée, que j'ai recueillie il y a six ans. Sa famille venait d'être massacrée par les Allemands lors de la prise de son village. Elle veille sur moi. C'est important pour elle. Et je dois avouer qu'elle me facilite souvent la vie.

– Sauf quand vous avez envie de sortir le soir... Vous appelle-t-on souvent à l'extérieur ?

– Non, encore que mes amies sachent qu'elles peuvent compter sur moi chaque fois qu'elles en ont besoin, comme aujourd'hui. Mais avec tant d'autres choses à...

Je n'entendis jamais la fin de sa réponse. Tout en marchant, j'avais enregistré d'instinct tout ce qui nous entourait, peut-être avec plus d'acuité que d'habitude, à cause des dangers causés par le brouillard. Lorsque le pas paisible qui nous suivait s'accéléra au milieu de la ruelle déserte, je ne pris pas le temps de réfléchir. Je repoussai brutalement Margery, me retournai et me retrouvai face à un jeune homme efflanqué, à la fine moustache noire et aux yeux sombres. Dans sa main droite, sans gant, luisait une lame d'acier.

Ma vivacité, à laquelle il ne s'attendait pas, le pétrifia. Puis il fit un pas de côté pour chercher Margery, qui s'affaissa sur les talons.

– Margery, ne bougez pas ! criai-je. Restez où vous êtes.

Les yeux de l'homme revinrent vers moi. Le sourire qui, dans la lumière diffuse, jouait sur son visage, me glaça le sang. Mais lorsque le couteau se rapprocha de moi, mon corps réagit de lui-même. La lame glissa le long de mes côtes. L'homme, lui aussi, était rapide. Il se rétablit aussitôt, bondit en arrière afin de se maintenir hors d'atteinte, et darda vers moi la lame de son poignard, qui s'avançait et se rétractait comme la langue d'un serpent.

Si j'avais été seule, je me serais efforcée de rester hors de sa portée et de ne pas trébucher, jusqu'à ce que je trouve un objet que j'aurais pu utiliser comme arme. Je n'avais pas de sac à main. Je ne pouvais me permettre un instant d'inattention pour déboutonner mon manteau et, Margery étant derrière moi, je n'osais pas bouger. J'arrachai mon chapeau de ma tête pour le transformer en bouclier, au moins pour ma main. Cependant, je ne pus esquiver la lame qui, plus tranchante qu'un rasoir, perça mon manteau et la manche de ma robe avant de déchirer mon bras.

Aucune douleur ; simplement la violence du coup. Sans quitter l'homme du regard, je remuai ma main pour m'assurer qu'elle fonctionnait toujours, sentis alors la brûlure de la blessure et une bouffée d'air froid sur ma peau. Tout à coup, la colère me submergea. Je saignais, Margery et moi étions en danger de mort. Mais ce n'était rien comparé à la rage provoquée par l'accroc infligé à mon beau manteau et à ma robe de soie. Cet iconoclaste moustachu allait me le payer. Jamais personne ne lacérerait une deuxième fois ma garde-robe.

– Salopard !

Je ne sais lequel de nous trois fut le plus interloqué par ma fureur. L'homme hésita, puis s'élança. Cette fois, je ne cherchai pas à l'éviter. Je bondis sur lui, pivotai et, au prix d'un nouvel accroc, ma manche étant fichue de toute façon, saisis ses poignets à deux mains. Tandis qu'il luttait pour se dégager, je me projetai violemment en arrière. Son nez s'écrasant contre mon crâne craqua de façon délectable, son couteau alla rouler sur les pavés. L'homme se relâcha une seconde. Je le fis tournoyer et lui tordis le bras dans le dos en grondant à son oreille :

– Tu bouges, et ça casse.

Il ne m'écouta pas ; les types de ce genre n'écoutent jamais. Il s'arracha brutalement de mon étreinte et son coude se brisa net. Il hurla, beugla plus fort encore quand je rabattis son poignet. Le laissant accroupi au milieu de la rue, j'allai aider Margery à se relever. Elle s'était écorché le genou. Rien de grave ; elle était juste sous le choc, surtout à cause des gémissements de notre agresseur, qui serrait son bras droit avec un soin touchant.

– Mon Dieu, Mary, que lui avez-vous fait ?

– Rien. Il s'est cassé le coude tout seul.

– Il souffre !

D'ici une minute, elle serait à genoux, la tête de l'homme sur les cuisses. Je marchai jusqu'au trottoir, ramassai le couteau. Margery écarquilla les yeux. Je compris qu'elle n'avait pas encore aperçu le poignard puisque, en la protégeant, je lui avais bouché la vue. Ses pupilles s'agrandirent un peu plus quand elle remarqua la tache noire qui s'élargissait sur mon bras gauche.

– Il vous a blessée, dit-elle stupidement.

– Il essayait de vous tuer, Margery.

Si elle avait été seule... Pensant soudain à Iris, je me tournai vers le jeune tueur. Je faillis ainsi manquer l'extraordinaire expression qui modifia les traits de Margery.

Elle avait d'abord accusé le coup. La peur vint presque tout de suite après. Entre les deux, il y eut cette reconnaissance fugace, non de son agresseur, mais de quelque chose que voyait son œil intérieur et qui s'évanouit très vite. En proie à une frayeur rétrospective, elle se réfugia sous un porche, tremblant de tous ses membres.

Un bobby apparut, attiré par le vacarme. Je lui expliquai ce qui venait de se passer. Il fallut tout raconter une nouvelle fois au poste, où j'acceptai les premiers soins mais refusai un médecin, ma blessure n'étant que superficielle. J'eus un entretien en tête à tête avec l'inspecteur de service. Après quelques coups de téléphone, son incrédulité soupçonneuse se transforma en une incrédulité respectueuse. Je demandai qu'on arrête le virtuose du couteau après sa visite à l'hôpital, où on le plaça sous bonne garde. On envoya un agent au 16, Norwood Place. Je ne fus que modérément surprise quand il déclara, vérification faite, que le numéro 16 n'existait pas et que personne, là-bas, n'avait jamais entendu parler d'une Mlle Cynthia Goddart. Des policiers escortèrent Margery jusque chez elle, où elle arriva à peine en retard pour son dîner. Quant à moi, je restai seule dans un poste de police en proie à une intense agitation, face à un inspecteur rubicond et courtois mais aux yeux de marbre. Avec un léger sourire, il m'interrogea une nouvelle fois sur les événements de la soirée.

– Bien, mademoiselle Russell, conclut-il quand j'eus terminé. On m'assure en haut lieu que vous n'êtes pas fiable. Dois-je vous croire ?

Je réfléchis, haussai les épaules et grimaçai. Je ne me souvenais pas d'avoir trop tiré sur mon épaule. Pourtant, j'avais mal.

– Au point où nous en sommes, j'ignore si cela a la moindre importance.

D'un doigt courtaud, il remua le fatras étalé sur le buvard de son bureau et composé de tout ce dont l'infirmière du poste m'avait délestée en vidant sans violence mais avec fermeté les poches de mon manteau. Il saisit mes rossignols, les étudia d'un œil expert.

201

– Y a-t-il eu d'autres blessures que votre estafilade au bras ? s'enquit-il sans se départir de sa courtoisie.

– Rien de plus. J'ai une mauvaise épaule.

Il scruta la gauche, puis la droite. Même si son visage avenant ne trahit en rien ce qu'il pensait, je me dis qu'il savait très bien qui j'étais et pourquoi une de mes épaules me faisait souffrir. J'avais sauvé la vie de Holmes, et la mienne, au prix d'une clavicule en miettes. Deux ans plus tard, des éclats d'os continuaient à affleurer à la surface avec une régularité déprimante. Il hocha la tête.

– Certains de ces objets sont illégaux, reprit-il sur le ton de la conversation.

– Pour les citoyens ordinaires. De plus, certains d'entre eux ne deviennent illicites que lorsqu'on s'en sert.

– Hum... Et vous n'êtes pas une citoyenne ordinaire.

– Si je voulais commettre un cambriolage, ou même un meurtre, monsieur l'inspecteur principal, je n'aurais pas besoin d'attirail.

Je soutins son regard.

– Donc ce n'était pas un accident, murmura-t-il au bout d'un moment.

– Je vous l'ai déjà dit.

– Mais vous n'aviez pas l'intention de lui casser le bras.

– Je l'ai prévenu : « Tu bouges, et ça casse. » Il a bougé. S'il n'avait pas tenté de nous tuer, je me serais contentée de l'assommer. À présent, il ne pourra plus poignarder de femmes avant longtemps. Une dernière chose avant que je m'en aille. Scotland Yard enquête sur le meurtre d'Iris Fitzwarren. Vous devriez offrir à ses limiers, comme un os à ronger, le petit épisode de ce soir.

Je me levai, rassemblai mes affaires.

– Il faudra que vous passiez signer votre déposition, mademoiselle Russell.

– Demain, inspecteur. Je viendrai dans la matinée. S'il vous plaît, ne laissez pas cet homme vous échapper.

– Non.

Je perçus un peu de chaleur dans sa voix.

– À demain, donc, mademoiselle Russell.

– Bonsoir, monsieur l'inspecteur principal.

Ma réputation, ou plutôt celle de Holmes, ayant fait le tour du poste, je sortis sous des regards curieux. Le brouillard, ce fléau de Londres qui imprègne les vêtements et encrasse les poumons, demeurait toujours aussi dense, aussi suffocant. Je descendis sans les voir les quatre marches du perron, risquai dans la rue quelques pas hésitants avant de m'appuyer contre un mur de brique adouci par mon chapeau rabattu sur ma nuque. J'étais exténuée. Hormis le café amer qu'on m'avait servi pendant l'interminable interrogatoire de l'inspecteur Richmond, je n'avais rien avalé depuis des heures. L'humidité ravivait la douleur de mon épaule, la blessure de mon bras me taraudait, ma tête, qui avait cogné la face du tueur, me faisait mal. J'essuyai mes lunettes avec mon mouchoir, les replaçai sur mon nez. Vaguement éclairé par la lumière de l'entrée du poste, ce carré de linge blanc formait la seule tache visible dans la purée de pois qui m'entourait. Du fond de la rue me parvint un bruit de tôles froissées, suivi d'un cri d'effroi poussé par une femme et d'un hennissement apeuré. Deux hommes s'insultèrent. Un taxi venait de percuter une voiture à cheval.

Je poussai un gros soupir. En réponse, une voix émergea du brouillard, à ma droite.

– Russell ?

Je sursautai et lâchai mon mouchoir, qui se perdit pour toujours dans les ténèbres du trottoir. Si Holmes ne s'était pas trouvé à dix pas de moi, je crois que je lui aurais sauté au cou pour l'embrasser. Je dus me contenter d'un grand sourire – idiot, compte tenu de l'ambiguïté des sentiments que j'éprouvais à son égard depuis quelques semaines. Mais mon cœur bondit dans ma poitrine, comme si la porte de ma propre maison venait de s'ouvrir au milieu de la rue.

– Bon Dieu, Holmes, comment faites-vous ? Vous devez avoir des pouvoirs paranormaux ou le meilleur manuel de prestidigitation du monde !

Ses pas se rapprochèrent, aussi assurés que par un clair matin de mai. Son visage émergea peu à peu, tel celui d'un noyé.

– Tout simplement un frère, dont les grandes oreilles sont partout à la fois. Voilà une heure, Mycroft m'a fait savoir que la police avait coffré une dangereuse jeune femme. J'ai pris le métro, qui fonctionne encore, quoique au ralenti. Si vous n'étiez pas apparue d'ici une demi-heure, je serais venu à votre rescousse. Mais j'ai pensé qu'il serait moins compliqué de vous laisser négocier votre relaxe. Vous n'avez pas été blessée ?

– Pas grièvement, ni par le tueur, ni par la police, merci. Qu'est-ce que vous fabriquez à Londres ? Vous m'avez dit hier que comptiez passer quelques jours dans le Sussex.

– Je ne suis jamais parti, même si la capitale de l'Empire n'a pas entrevu l'ombre de Sherlock Holmes.

J'eus une brève image de lui se faufilant comme un crabe à travers la ville, sous tous les déguisements possibles.

– Basil le cocher ?

– Ou l'un de ses cousins. Les expériences qui m'attendaient chez moi m'ont paru moins importantes que l'affaire qui m'occupe ici.

– Et dont je vous éloigne.

– Non. C'est vous, l'affaire.

Avant que j'aie pu savoir si cela m'inquiétait ou m'allait droit au cœur, il ajouta :

– Vous deviez vous rendre à Oxford. Vous avez changé d'avis ?

– Holmes, je ne peux pas modifier mes projets. Je l'ai promis à Duncan.

– Parfait. Dans ce cas, je me chargerai, avant votre retour, de la fin de l'enquête londonienne. Peut-être pas à l'intérieur de votre Temple, mais à proximité. Encore que, tout bien réfléchi, vos amies puissent avoir besoin d'un homme à tout faire. Ou d'une femme de ménage.

— Holmes, je préférerais que vous vous absteniez.

— Vraiment ? Vous avez peut-être raison. Après tout, il s'agit de votre enquête. Puis-je me rendre utile d'une façon ou d'une autre ? affecta-t-il de demander poliment, comme s'il pouvait envisager de rester en coulisse, dans l'attente d'une invitation.

J'en ris presque.

— Pour l'instant, j'aurais surtout besoin de me réchauffer quelque part. J'ai froid, Holmes, et je meurs de faim.

Je distinguais mal ses traits, mais je suis sûre que mon ton plaintif ne le fit pas sourire. Il cala mon bras sous le sien et m'entraîna.

Il me soutint pendant tout le trajet, le long de rues entre-coupées de passages étroits et nauséabonds que je reconnus aux odeurs et aux bruits. Ce fut lui qui parla. Inspiré par le brouillard, il me raconta une de ses expériences les plus hallucinantes : il avait vécu en aveugle pendant huit semaines, jour et nuit, les yeux couverts de verres totale-ment opaques et guidé par le jeune Billy.

Je l'écoutai sans l'interrompre. Je reconnus enfin, à la façon dont il renvoyait l'écho de nos pas, le mur qui mas-quait son refuge. J'entendis le bruit de la clé, le grincement de la paroi qui s'ouvrait. Je saluai aimablement, comme de vieux amis, le Constable et le Vernet, avalai la nourriture que Holmes posa devant moi, bus le cognac qu'il me mit dans la main et me laissai conduire jusqu'à la chambre. La porte se ferma derrière moi. Sans gêne, sans me poser de questions, je fis glisser jusqu'au sol ce qui restait du chef-d'œuvre des lutins, me coulai avec soulagement entre les draps et m'endormis.

16

Samedi 22 janvier

Souvenez-vous que tout homme, dès qu'il en a la possibilité, se comporte en tyran. Si on n'accorde pas une attention particulière aux femmes, nous sommes déterminées à fomenter une rébellion ; et nous ne nous sentirons liées par aucune loi que nous n'aurons ni votée ni approuvée.

ABIGAIL ADAMS

En m'éveillant, je trouvai devant la porte un sac de voyage contenant des vêtements venus de mon appartement. Je préférai, pour l'heure, enfiler une vieille robe de chambre élimée que je découvris dans l'armoire, assez longue pour me couvrir tout entière, chevilles comprises. Holmes m'attendait assis devant le feu, une tasse sur le bras de son fauteuil, sa pipe à la main et un livre sur les genoux.

— Le célèbre détective au repos, persiflai-je. Quelle heure est-il ?

— Presque 10 heures.

— Seigneur, quelle paresse de ma part !

— Choquante, en effet. Thé ou café ?

— Il y a du lait ?

— Il y en a.

— Le grand luxe. Du thé, alors. Je le préparerai moi-même. Je m'en voudrais de troubler votre lecture.

Quand je saisis la bouilloire et la boîte à thé, mon bras se rappela à mon souvenir par quelques élancements, moins prononcés que je ne m'y attendais. Holmes m'observait. Je ne m'en rendis compte que lorsqu'il bougonna :

– Votre blessure semble en voie de guérison.

– Tant mieux. Elle me brûle, bien sûr, mais j'ai eu de la chance.

– Plus que votre agresseur. Il est mort.

– Quoi ? Mais je n'ai... Ah... Assassiné ?

– Sur son lit d'hôpital, à 4 heures ce matin. Non par l'épée dont il s'était servi, pour citer l'Évangile, mais d'une façon que l'autopsie déterminera. En tout cas, les médecins eux-mêmes ne croient pas à une mort naturelle. Un intrus revêtu d'une blouse blanche a dû se servir d'une aiguille ou d'un oreiller pendant que le garde de faction allait se chercher une tasse de thé.

Cela paraissait moins le perturber que l'agacer.

– Du travail rapide. L'inspecteur Richmond va en avaler son dentier. Et vous, voulez-vous une tasse ?

– Volontiers, merci. Asseyez-vous. Je vais préparer votre petit déjeuner.

Il fut un hôte parfait : œuf à la coque cuit à la seconde près, toasts et confiture d'orange, pêches en conserve, café. Il redevint le Sherlock Holmes de toujours, mon ami, mon complice. Nous n'avions pas eu depuis longtemps l'occasion de deviser paisiblement. Ce matin-là, il se rattrapa, et moi aussi. Nous parlâmes de tout, de mon travail à Oxford, de ses monographies, de ses abeilles, de ses expériences de chimie, sans oublier les derniers développements de la médecine légale, qui nous passionnaient tous les deux.

Il ne fit aucune allusion à Margery Childe. Je soupçonnai que sa présence devant le poste de police n'avait rien à voir, contrairement à ce qu'il m'avait affirmé, avec l'affaire elle-même. Dès lors, pourquoi m'avait-il attendu là-bas ? Parce que je lui manquais ?

J'en oubliai ma blessure. En me levant pour aller m'habiller, je poussai un petit gémissement de douleur. Il insista pour examiner mon bras. J'hésitai. Je ne portais, sous sa miteuse robe de chambre, que mes sous-vêtements de soie. « Allons, Russell, pensai-je, ne fais pas ta mijaurée. Il t'a vue bien plus déshabillée que ça. » Pourtant, le contact de ses doigts sur ma peau, où la plaie se cicatrisait déjà, me fit frissonner. Lui ne se troubla en rien, comme s'il palpait sa propre chair.

Fermement, je me dis que c'était mieux ainsi.

Nous étions amis. Qu'exiger de plus ?

Le propriétaire de l'immeuble de bureaux où Holmes avait établi son refuge avait des idées progressistes et respectait scrupuleusement la loi. Le samedi, il libérait donc son personnel en milieu de journée et laissait l'endroit désert dès 14 heures.

Je filai un de mes bas en traversant l'armoire, tout en rêvant du jour béni où les femmes pourraient enfin porter des vêtements aussi peu encombrants que ceux des hommes. Holmes m'accompagna au poste de police, où je signai ma déposition avant de m'éclipser et d'échapper aux questions de l'inspecteur Richmond sur une mort dont je ne savais rien. Holmes m'offrit un café dans un établissement bondé et bruyant où personne ne fit attention à nous. Une fois sur le trottoir, j'eus l'impression que, bizarrement, il n'avait pas envie de me quitter.

– Vous ferez examiner ce bras dans un jour ou deux, n'est-ce pas ?

– Je vous l'ai promis...

– Vous êtes sûre que vous ne voulez pas que... ?

– Holmes, il ne s'agit que d'une petite semaine. Six jours. Veronica est en sécurité et je suis déjà dans la place. Je ne tiens pas à ce que vous vous déguisiez en femme de ménage. Dès la présentation terminée, je rentrerai et me remettrai à l'ouvrage.

– Je n'aime pas ça, murmura-t-il.

– Holmes, ça suffit ! Vous avez dit vous-même que c'était mon enquête. De votre côté, essayez d'élucider les deux autres décès. Même pour un homme comme vous, ces deux morts classées comme accidentelles devraient représenter un défi. Je vous accorde une semaine. Ensuite, nous nous attaquerons tous les deux au Temple, en conjuguant nos efforts.

Ses yeux suivirent un haquet chargé de tonneaux de bière qui négociait un virage dans une ruelle. Il chuchota :

– Je n'ai jamais reçu d'ordres de personne.

– Il faut un début à tout, Holmes, répliquai-je avec rudesse. Il se peut que je sois à Londres mardi ou mercredi. Dans le cas contraire, je vous verrai samedi prochain à mon appartement.

Je pivotai et m'éloignai.

J'eus moins de succès avec Margery. Elle avait retrouvé son sang-froid et minimisait le danger qui la menaçait. Je la raisonnai, la suppliai, la rudoyai. Peine perdue. Elle maintenait que l'agression n'était qu'un hasard et qu'elle ne risquait rien. Elle ne restreindrait pas ses mouvements, ne louerait pas de garde du corps. Excédée, je lui criai :

– Je refusais jusqu'à présent de vous considérer comme une femme stupide. Je me trompais ! Que votre sort vous soit indifférent, passe encore. Mais avez-vous pensé au mien ? J'aurais pu me faire tuer. À un millimètre près, j'aurais perdu l'usage de ma main droite. Et la prochaine fois ? Qui sera avec vous ? Que laissera dans la prochaine agression celle qui vous accompagnera ? Un joli manteau ou sa vie ? Margery, demandez à l'inspecteur Richmond une garde rapprochée, ne serait-ce que pour une semaine ou deux, jusqu'à ce que la police ait résolu l'affaire. Le martyre flatte l'ego, mais je n'y ai jamais vu que du gaspillage.

Elle m'écouta, rigide sur son siège, en se demandant si elle devait ordonner ou non à Marie de me flanquer dehors. Ma fureur finit par l'emporter. D'un ton calme, elle répondit :

– J'y songerai, Mary.

Et la leçon se poursuivit sans heurt.

17

Samedi 22 janvier – mardi 1ᵉʳ février

> *La Nature les a ainsi faites : faibles, fragiles,*
> *impatientes, insensées. Et l'expérience nous a*
> *appris qu'elles sont inconstantes et cruelles, sans*
> *rigueur, insensibles aux conseils et à toute forme*
> *de discipline.*

JOHN KNOX

La plupart des passagers descendirent à Reading. Le train resta en gare quelques minutes avant de repartir. Plongée dans ma rêverie, tout à la joie de retrouver ma paisible existence d'Oxford, partagée entre l'excitation et l'appréhension à la perspective de ce qui m'attendait le vendredi, je ne m'en aperçus même pas.

Je me sentais déjà très loin de Londres, de Margery Childe et même de Holmes. Les événements qui s'étaient déroulés depuis Noël me faisaient un peu l'effet de grandes vacances. J'avais vécu un interlude intéressant, passionnant, même, et pimenté par un meurtre. J'avais renoué avec une vieille amitié, j'avais eu le privilège de rencontrer Margery Childe, personnage déroutant et captivant. Maintenant, il était temps de passer aux choses sérieuses. La journée de ce vendredi serait à marquer d'une pierre blanche. Je poursuivais un but précis ; je connaissais les obstacles qu'il me faudrait surmonter. Tout était clair. Mes contradicteurs s'opposeraient à moi au grand jour, sans perfidie. J'avais un rude défi à relever, mais je m'y étais préparée dès mon entrée à Oxford, à l'âge de dix-sept ans. Margery Childe, Veronica Beaconsfield, Miles Fitzwarren et Sherlock Holmes étaient à présent dans une boîte portant l'étiquette : « Londres ». Ce court voyage en train me permettrait d'en refermer le couvercle, ne fût-ce que provisoirement, et de la ranger sur une étagère.

On ne devrait jamais penser des choses pareilles.

Ma béatitude se dissipa lorsqu'un homme de taille moyenne, vêtu d'un ulster de tweed et visiblement affublé d'une fausse barbe noire, ouvrit sans bruit la porte de mon compartiment. Il pointait sur moi le canon d'un pistolet. Son postiche, qui dissimulait le bas de son visage, soulignait ses yeux. J'en avais déjà vu de semblables. Cet homme était un tueur. Pis encore, il y avait de l'intelligence dans son regard ; et de la jubilation. Je me figeai sur la banquette. L'homme referma la porte derrière lui.

— Mademoiselle Russell, dit-il d'une voix presque professionnelle, vous avez le choix entre deux possibilités. Soit je vous tue tout de suite, soit vous avalez le mélange que j'ai sur moi et je vous garde prisonnière quelques jours. Que je n'aie pas encore utilisé mon arme prouve que je préférerais la seconde solution. Les balles manquent de subtilité et mutilent le corps de façon répugnante. D'un autre côté, les détonations pourraient me mettre en mauvaise posture. Toutefois, cela ne changerait rien pour vous. Car vous ne seriez plus en mesure de vous réjouir de mon arrestation. Je suggère que vous optiez pour le somnifère.

Le côté irréel de son intrusion et l'aspect théâtral de son discours me laissèrent sans voix. Je le fixai, bouche bée.

— Qui êtes vous ? murmurai-je enfin.

— Si je vous le disais, je pourrais difficilement envisager de vous libérer.

— Me libérer ? Une fois que j'aurai tranquillement absorbé le poison et effectué le travail à votre place ?

— Vous choisissez donc la mort par balle. Un choix bien définitif... Aucune chance de vous en sortir, d'échapper à vos geôliers ou de les corrompre, de me faire changer d'avis...

Il arma le pistolet.

– Non ! Attendez.

Il n'est guère facile de réfléchir avec un revolver sous le nez. J'avais, à n'en pas douter, affaire à un voyou, avec un vernis de bonne éducation que démentait son accent des faubourgs. Mais il y avait de la finesse derrière sa brutalité. Et ça, c'était mauvais.

– Que contient ce mélange ?

– Un somnifère ordinaire utilisé en médecine, versé dans du cognac. Du bon, si cela peut vous consoler. Vous aurez l'haleine d'une femme ivre et vous dormirez deux ou trois heures, selon votre sensibilité à la drogue. Je vous accorde une minute, ajouta-t-il, toujours debout devant la porte.

– Pourquoi ?

– Nous avons besoin de vous écarter un moment. Nous avions d'abord songé à vous kidnapper en vous couvrant la tête d'un sac ou le visage d'un tampon imbibé de chloroforme, ou encore en vous piquant avec une seringue au milieu de la foule. Mais votre petite démonstration d'hier nous a éclairés sur votre capacité à vous défendre. Nous avons donc décidé d'agir de façon plus discrète.

Dans ses propos se mêlaient vérité et mensonge. Je pensais qu'il disait la vérité en évoquant le somnifère ou en parlant de me garder prisonnière. Mais il mentait quand il affirmait qu'il me relâcherait. Je croyais savoir qui il était. Même si je ne l'avais jamais vu, Ronnie me l'avait décrit. « Un homme superbe, brun, méditerranéen, aux allures de truand. » Le qualificatif « superbe » me paraissait un peu exagéré. Pourtant, ce ne pouvait être que lui : le gangster de Margery Childe. Jamais je ne m'étais sentie aussi seule.

– Trente secondes, annonça-t-il sans regarder sa montre.

Peut-être, si je pouvais le pousser à se rapprocher... Je hochai la tête et tendis le bras.

Il plongea la main gauche dans sa poche intérieure, en sortit une petite flasque d'argent gravé. Contrairement à ce que j'espérais, il ne me l'apporta pas mais la laissa tomber sur la banquette. Je reposai mon livre et m'en emparai, sentant dans ma paume la chaleur du tueur, dont elle s'était imprégnée. J'ôtai le bouchon, reniflai. Du cognac et quelque chose d'autre. Pas d'odeur de poison connu. Je portai le goulot à ma bouche, humectai ma langue. Là encore, aucun poison identifiable ; simplement un arrière-goût amer, qui me rappela l'hôpital. Ce goût, je ne le connaissais que trop. Tout, en moi, aussi bien mon corps que mon esprit, me criait de ne pas boire. L'idée de me retrouver inconsciente entre les mains d'un tel homme était intolérable, impossible. Se servirait-il de son arme ou était-ce un bluff ? Je lus la réponse dans ses pupilles : il ne bluffait pas. Lutter dans ce compartiment eût été suicidaire. Dès lors, que choisir : la balle ou le risque d'empoisonnement ? J'en savais assez sur les poisons pour être certaine que la flasque ne contenait ni arsenic, ni strychnine. Cela en laissait des centaines d'autres, depuis l'aconitine, dont une dose infime vous envoie dans l'autre monde, jusqu'à...

— Dix secondes.

Si c'était un poison, il devait agir très vite, car le train n'allait pas plus loin qu'Oxford ; et si on me découvrait vivante, je pourrais être secourue, donner à la police le signalement de mon agresseur. La décision s'imposa d'elle-même, provoquée moins par un raisonnement logique que par une conviction irrationnelle : l'homme me disait une part de vérité et il valait mieux être captive que morte. Je levai la flasque au moment même où il raidissait son bras, avalai une grande gorgée.

— Buvez tout.

J'obéis. L'alcool me fit tousser, remplit mes yeux de larmes. Je retournai le flacon, pour bien montrer qu'il était vide. Une goutte tomba par terre. Mais l'homme ne me quitta pas du regard.

— Posez-la sur la banquette et détendez-vous. Cela prend quelques minutes.

Il ne bougea pas de la porte. Je continuai à le fixer. J'eus l'impression, au bout de quelques miles, de me trouver dans une de ces pièces françaises d'avant-garde, si prisées dans les milieux intellectuels. « Peut-être est-ce le moment d'énoncer une remarque pénétrante sur l'âge du Soleil », pensai-je juste avant de ressentir les premiers frissons.

Un mouvement derrière mon futur geôlier m'inspira une folle espérance, avant que je me rende compte que l'individu qui me scrutait par-dessus l'épaule de tweed portait lui aussi une fausse barbe. Je voulus leur signaler qu'ils auraient pu, tous les deux, se montrer un peu plus imaginatifs. À ma grande consternation, ce qui sortit de ma bouche ne ressemblait en rien à de l'anglais. Le nouveau venu parla, à une grande distance :

– Pas encore dans le cirage ?

– Une minute. Elle n'en est pas loin.

Le compartiment se referma sur moi. Mon champ de vision se rétrécit. Les filets à bagages, les banquettes et les deux silhouettes qui bouchaient la porte disparurent. Ne restèrent que deux têtes et un torse, puis la petite cicatrice qui dépassait de la fausse moustache et plissait la lèvre supérieure du premier homme. Le mot « loin » résonna dans mon cerveau, s'étira, se dilua, s'estompa lui aussi et s'envola très loin, si loin, si loin, avant de s'évanouir tout à fait, comme moi.

Quand je repris conscience, j'étais aveugle.

En proie à la nausée, couchée sur une surface froide et dure. Avec un gémissement, je me retournai. Je notai alors que presque tout mon corps était en contact avec les pierres. « Aveugle, en sous-vêtements et malade comme un chien, me dis-je confusément. Mary Russell, ça va être très désagréable. » Je posai mes joues chaudes sur les pierres humides et cessai de penser.

La deuxième fois que je m'éveillai, j'étais toujours aveugle, toujours à demi nue et toujours mal en point. Je ne vomis pas, malgré l'âcre puanteur de l'air et le goût fétide que j'avais dans la bouche. J'écartai de mon visage mes cheveux emmêlés, fis d'instinct, à deux doigts, le geste de rehausser les lunettes que je ne portais plus et, à grand-peine, me redressai. Je le regrettai aussitôt. Une douleur lancinante me vrilla le crâne. Mon estomac se souleva, l'obscurité me parut plus profonde. Je m'obligeai pourtant à rester assise et, lentement, repris mes esprits.

J'étais vivante. C'était déjà quelque chose. Au milieu des ténèbres, dans un endroit inconnu, retenue prisonnière pour une raison que j'ignorais, par des ennemis non identifiés, en culotte et combinaison, sans même les verres de mes lunettes et mes épingles à cheveux pour me défendre ; mais vivante.

Qu'on m'eût épargnée n'était en soi guère rassurant. La tête entre les mains et les oreilles bourdonnantes, j'essayai de réfléchir. Au bout d'une demi-heure, je n'étais parvenue qu'à deux conclusions. Premièrement, mon ravisseur était un homme remarquablement intelligent, efficace, audacieux et, en dépit de l'affectation de ses manières, qu'il n'avait certes pas acquises en prison, un criminel avéré. En cherchant dans la bonne direction, on pourrait remonter jusqu'à lui, à supposer que je réussisse à lui échapper. Ensuite, l'une de ses phrases me revint à l'esprit. Il m'avait dit que les balles manquaient de subtilité. Je ne pus m'empêcher de conclure de ces paroles en apparence anodines qu'il n'avait pas uniquement l'intention de me faire croupir dans ce trou. Et cette perspective n'avait rien de réjouissant.

Je ne le connaissais ni personnellement, ni par ouï-dire, ce qui m'amena à me poser une autre question : pour qui travaillait-il ? Ou avec qui ? Qui avait conçu mon enlève-ment ? À première vue, mon agression avait un rapport avec le Temple. Encore me fallait-il des certitudes. Ma vie était assez compliquée pour que je puisse envisager d'autres pos-sibilités. Un fantôme surgi du passé, se vengeant d'un affront dont Holmes et moi aurions été responsables, des années plus tôt ? Ou se servait-on de moi comme d'un leurre, destiné à attirer Holmes dans un piège ? Étais-je victime d'une haine plus récente ? Marie me détestait assez pour s'en prendre à moi. Peu probable : elle aurait agi de façon plus expéditive, m'aurait fait écraser par un camion ou abattre sans autre forme de procès. Avais-je été kidnappée par un des Américains en cheville avec Berlin et résolus à m'empêcher de présenter mon travail ? Par un rival personnel, ou un ennemi de Duncan acharné à nous perdre tous les deux ? Ou par... ma tante, projetant de me rendre folle avant de me placer sous tutelle et de récupérer ma fortune ?

Grotesque. Certes, ma tante était cupide. Mais elle était trop bête et n'avait pas les relations nécessaires pour monter une telle opération. Que j'aie pu envisager une telle hypothèse prouvait que mon esprit s'égarait. Je secouai la tête pour recouvrer un peu de bon sens, pestai contre mes cheveux de sorcière et me forçai à me redresser. Mieux valait essayer de savoir où je me trouvais.

Plus noir, donc, que le ventre d'une baleine, l'endroit était froid mais non pas glacé, pavé de grosses pierres inégales et, pensai-je, vaste. Pour m'en assurer, je m'éclaircis la gorge et criai quelques mots, plus pour en percevoir l'écho que pour obtenir une réponse.

– Eh, oh ! Il y a quelqu'un ?

Le plafond n'était pas très haut et les murs pas trop éloignés. Je me levai avec précaution, sentis mon mal de crâne diminuer. Les oreilles toujours bourdonnantes, je me mis à marcher lentement, les mains en avant. Je m'attendais à heurter des rats silencieux, des toiles d'araignées ou des mains lubriques me palpant dans l'obscurité. Je ne rencontrai qu'un mur de pierre. J'eus envie de l'embrasser, avec la fougue d'un naufragé jeté sur une plage.

Je tournai à droite puis, me ravisant, à gauche, ma main gauche tâtant le mur et la droite devant moi, progressant jusqu'à un autre mur qui semblait faire angle avec celui que je venais de longer. Je le flattai de la paume, comme je l'aurais fait d'un chien, avant de pivoter et de refaire le trajet en sens inverse pour évaluer, grâce à mes pas, les dimensions de ma prison. Mes pieds mesurant dix pouces et demi, j'en conclus que mon premier mur était long de vingt-huit pieds. Je continuai sur ma gauche et, sept pieds et demi plus loin, butai sur quelque chose de mou. Grâce à Dieu, il ne s'agissait pas d'un corps, mais de deux sacs de jute à moitié pourris et bourrés de paille. M'accroupissant et cherchant à tâtons, je tombai sur un objet rond et lourd qui oscilla quand je le touchai. Je le ramassai, l'explorai avec ma main gauche, dévissai le couvercle. C'était une gourde remplie d'une eau qui, malgré sa fadeur, me parut merveilleusement fraîche. Je me fis violence pour ne en pas boire une grande lampée. Je me contentai de quelques gouttes, la serrai contre moi et poursuivis mon exploration. Mes doigts découvrirent une forme plus douce, dont la texture m'était familière : une petite miche de pain. Je m'appuyai contre le mur, entourant mes trésors de mes bras.

Je ne tardai pas à me juger ridicule. Je bus encore un peu, mâchai un morceau de pain lourd et sans goût, sans sucre ni sel. Je me forçai ensuite à lâcher mes trésors, que j'avais du mal à quitter, et à reprendre mon exploration.

Lorsque j'eus fait le tour de la pièce, je découvris, à mon grand soulagement, que ma couche et mes provisions se trouvaient exactement là où je les avais laissées, à sept pieds et demi du second angle. Ma prison mesurait environ vingt-huit pieds sur soixante. Il n'y avait aucune fenêtre à ma portée, pas même une lucarne bouchée, pas la moindre ouverture autre que la porte creusée dans le mur face à mon lit, aussi solide que les pierres qui me cernaient. D'une hauteur irrégulière, le plafond était bâti, d'après l'écho, en pierre ou en brique : une cave à vin, voûtée, à température constante et totalement silencieuse.

Une cave à vin ; par conséquent, une grande maison... Si elle avait été située en ville, ou même dans un bourg, j'aurais perçu des bruits de roues et de sabots, ou du moins leurs vibrations. J'étais donc enfermée dans la cave d'une maison de campagne. Cela ne m'aidait peut-être en rien, mais c'était bon à savoir.

On ne m'avait pas emprisonnée ici pour que j'y meure de faim ou de soif. On ne laisse pas de l'eau et du pain à une captive qu'on a l'intention d'abandonner à son sort.

Ils viendraient à moi.

Quels qu'ils fussent.

Et quel que fût le supplice raffiné qu'ils comptaient m'infliger.

Je me recroquevillai sur les sacs. Une main sur la gourde, l'autre autour de la miche de pain, je m'endormis. Lorsque je m'éveillai, la claustrophobie et la terreur d'être enterrée vivante m'envahirent.

Je me redressai en vacillant, gagnai tant bien que mal le coin le plus proche. Je commençais à m'habituer à l'obscurité, car mes oreilles me guidaient à mesure que je m'approchais du mur. Était-ce cela que Holmes avait expérimenté quand il avait vécu comme un aveugle ? Je m'écartai de la paroi et, un pas après l'autre, m'enfonçai dans l'espace vide de la cave. Au-dessus de moi, rien. Devant moi, rien. Sur le sol, toujours de la pierre, de la poussière, et du gravier.

Je regagnai mon grabat. J'avais ramassé quelques gravillons, des bouts de bois, des éclats de verre et de porcelaine que j'entassai au sommet de ma couche. J'avais aussi découvert le premier des gros piliers qui, je le savais, soutenaient la voûte. Il devait en exister deux ou trois, sans autre intérêt que la possibilité de se cacher derrière l'un d'eux. Plus instructif : mes doigts en avaient deviné la présence avant de le toucher. Comme si Holmes m'avait, d'un pas sûr, guidée à travers le brouillard.

Une gorgée, un peu de pain. Et on recommence. Je localisai le second pilier. Y en avait-il un troisième ? Je revins vers mon lit. Même si je marchais toujours les mains en avant, je réussissais à m'orienter de façon approximative. Mon butin s'accumulait. Il s'était enrichi de deux cailloux de la taille d'une noix, d'un bouton de corne et, trésor inestimable, d'un clou rouillé de deux ou trois pouces. Je fourrai le tout sous mon lit puis, mue par une inspiration subite, allai en mettre la moitié à l'abri dans un des coins, derrière une pierre surélevée. Je me redressai, replaçai sur mon nez mes lunettes manquantes et regagnai mon lit.

Depuis quand croupissais-je dans cette fosse ? Le tueur barbu m'avait affirmé que l'effet de la drogue se prolongerait deux ou trois heures, mais j'ignorais combien de temps il avait fallu pour me transporter jusqu'ici. Mettons quatre heures sous l'emprise du somnifère, plus une demi-heure de sommeil après mon premier éveil, puis un peu plus de quatre heures passées à explorer la cave. En gros, entre huit et dix heures depuis que j'avais bu le contenu de la flasque. Nous étions donc dimanche matin. J'avais pourtant l'impression qu'il était beaucoup plus tard que cela.

Combien de temps avant qu'ils reviennent ?

Tendant le bras vers la gourde, je ressentis un tiraillement, non de ma blessure, qu'on avait, semblait-il, entourée d'un pansement frais, mais dans le creux de mon coude gauche. Mon mal de tête et ma nausée m'avaient empêchée, jusqu'à présent, d'y prêter attention. À présent, en approchant ma main droite, je sus que, si on avait allumé la lumière, j'aurais discerné sur ma peau, au niveau de la veine, une marque rouge et, au centre, une piqûre d'épingle ; ou, plutôt, d'aiguille.

Quelqu'un m'avait fait une injection (une prise de sang paraissait peu probable). Que m'avait-on injecté ? Une deuxième dose de somnifère ? Mais pourquoi dans la veine ? Et combien de temps avais-je réellement dormi ? Que se passait-il ?

Seule certitude : ce qui m'arrivait avait quelque chose à voir avec Margery Childe. Était-ce elle qui cherchait à me neutraliser ? Ou avait-on l'intention d'attenter une nouvelle fois à sa vie, en me mettant pour cela hors d'état de nuire ? Impossible : je m'étais moi-même retirée du jeu en prenant le train pour Oxford. Avait-on prévu de me libérer, ainsi que me l'avait déclaré mon geôlier, uniquement pour que je sois accusée de sa mort, ou découvrirait-on deux cadavres, avec des indices bien visibles à l'intention de la police ? Restait une troisième possibilité : que je sois relâchée, mais après avoir été rendue inoffensive.

Incapable, peut-être, d'identifier mon ravisseur.

Privée de la vue ? Plongée dans mes propres ténèbres alors que mes gardiens épiaient, à travers une lucarne par où filtrait la lumière, les moindres faits et gestes d'une créature à demi nue, au corps couvert de cicatrices et aux cheveux en désordre, pataugeant dans son vomi, cherchant à tâtons une cruche d'eau croupie et un morceau de pain rassis, rassemblant compulsivement à la tête de son lit de dérisoires cailloux ?

Il n'y eut pas de bruit ; simplement des vibrations dans les pierres, dans l'air qui effleurait mes joues. Je remis en hâte la gourde à sa place, posai près d'elle le reste de la miche, la croûte intacte en direction de la porte. Et je m'allongeai par terre, simulant la mort.

Une clé glissa dans une serrure, tourna une fois, puis deux, faisant sauter le verrou. Des gonds grincèrent. Et la lumière m'éblouit. Un juron... Je me rassemblai, prête à bondir, retenant ma respiration. Un souffle précipité, des pas...

– Ferme la porte.

C'était la voix de mon agresseur, toujours étouffée par la fausse barbe.

Les gonds grincèrent de nouveau. La porte se referma, des talons frappèrent les pierres. La lumière s'approcha, enroba mon visage. Je bondis, bousculai la lampe, courus vers la porte, agrippai la poignée. Une main me saisit par les cheveux, me tira violemment en arrière. Je frappai au hasard. L'homme grogna, maintint sa pression. Je tombai à genoux. Aussitôt, ils furent sur moi.

– Ne lui faites pas de mal, ordonna leur chef.

Ils me plaquèrent contre le mur. L'homme braqua sa torche sur mon visage.

– Tenez-la.

L'individu qui serrait mon bras gauche tordit mon poignet et, de son autre main, coinça mon épaule contre le mur.

– Amenez l'autre lampe.

Lorsque je vis ce que mon ravisseur extirpait de sa poche, je me débattis comme une possédée. Je parvins presque à me libérer. Mais que faire contre trois hommes ? Mordus, écorchés, frappés, ils m'immobilisèrent, me couchèrent de force. Leur chef écrasa sa main sur mon nez et ma bouche. J'essayai de le mordre, de le griffer. Il maintint sa main sur ma figure, m'étouffant peu à peu. Quand ma résistance cessa, il la retira et me laissa reprendre haleine. Et il se mit au travail.

Ses hommes me tenaient toujours. Je ne pus qu'assister, horrifiée, à ce qui suivit. L'homme noua un foulard de soie au-dessus de mon coude, ouvrit une boîte de velours sombre qui contenait une seringue hypodermique déjà remplie, palpa le creux de mon coude de ses doigts experts et pratiqua une injection directement dans la veine. Il desserra le garrot puis s'écarta.

Alors mon corps explosa. Toutes mes cellules reconnurent instantanément la substance qui les inondait et se déversait en moi, comme une vague qui me fit trembler des pieds à la tête et me plongea dans un état qu'on ne peut définir que par un mot : l'extase.

Une extase que je connaissais bien ; un bien-être salvateur, miraculeux, que j'avais éprouvé six ans et trois mois plus tôt.

L'accident, l'hôpital...

Une voix d'homme, américaine, autoritaire. « Infection, fièvre, dosage »... Ce n'est pas celle de mon père. Ce ne sera jamais plus la sienne.

– Maman ?

Je crie vers elle, je l'appelle. Mais aucun son ne sort de ma gorge. Qui sont ces gens qui se penchent ? D'où vient cette lumière blanche, insupportable ? Pourquoi cette douleur atroce qui transperce mes hanches, ma poitrine, ma tête ? Pourquoi ces mains sur moi ? Que m'enfonce-t-on

encore dans le bras ? Tout tourne, tourne... J'ai mal, si mal...
Mais c'est fini. Mon cœur s'apaise, mon corps se détend.
Je suis bien, si bien...

Le noir à nouveau, le froid. Tout était calme. L'écho du
verrou se perdait dans le lointain. Mes râles, la nausée... Je
vomis dans un seau de toile qu'on avait placé entre mes
paumes. Ensuite, tâtant le sol, mes doigts rencontrèrent le
rebord de ma paillasse. Je rampai jusqu'à elle, me couchai
en chien de fusil. Je tentai de reprendre mes esprits, de
dominer le tourbillon qui m'entraînait.

– *J'ai préparé mon lit dans les ténèbres*, dis-je à haute
voix.

Job... C'était de circonstance. Je me mis à rire. Puis,
nichant ma tête entre mes bras, j'éclatai en sanglots.

Je ne savais pas exactement ce qu'« il » m'avait injecté,
mais les effets de la substance ressemblaient assez à ceux
des analgésiques qu'on m'avait jadis administrés pour évoquer la morphine ou, plutôt, son dérivé le plus puissant,
l'héroïne. Le plan de mon ravisseur prenait forme : signes
tangibles d'usage de stupéfiants, traces de piqûres sur mon
bras, drogue dans mon sang. Pourtant, son but m'échappait
encore. Consistait-il à jeter le discrédit sur une déposition
que j'aurais pu faire ultérieurement ou à expliquer ma mort ?
J'entrevis une troisième possibilité : l'homme cherchait-il à
m'intoxiquer, à me rendre dépendante de l'héroïne ? Pourquoi ? En tout cas, s'il pensait y parvenir, j'avais tout intérêt
à le lui faire croire.

Il me fallut du temps pour m'y résoudre. Au début,
secouée de frissons, je me sentis incapable de bouger, sauf
pour vomir dans le seau. Mais, peu à peu je récupérai mes
facultés de raisonnement, même si mon corps demeurait
inerte.

Les opiacés paralysent la volonté. Au-delà de la première
demi-heure qui suit l'injection, la conscience revient. Mais

il est très difficile de *vouloir* bouger, manger, penser. On ne rêve que d'une chose : dormir.

Voilà ce que je devais à tout prix éviter. Seule ma volonté me sauverait, m'empêcherait de céder aux charmes de Léthé, de me laisser couler dans le fleuve de l'oubli. Je me levai en chancelant, forçai mes cuisses à s'affermir, à me soutenir tout autour de ma prison, encore et encore, jusqu'à ce que mes jambes m'appartiennent à nouveau. Tout effort me fut utile : le mouvement, l'acharnement à trouver mon chemin dans le noir, le fait de compter mes pas à chaque circuit, de convertir le nombre de circuits en miles. Trente circuits pour un mile. Je parcourus deux miles, terminant au pas de course sans presque toucher les murs, sauf deux ou trois fois, ce qui réveilla la douleur dans mon épaule. Mes orteils saignaient. Mais mes plantes de pied distinguaient à présent l'usure des pierres proches de la porte, au sud de la cave, la légère inclinaison de l'angle nord-est et la forme des pierres qui entouraient mon lit, différentes de celles du mur ouest.

Je me laissai tomber sur ma couche, bus une gorgée d'eau, mangeai un peu de pain. Mes cellules recouvraient lentement leur équilibre, mon esprit redevenait vif. Je m'assis contre le mur ; et je pensai.

Je pensai au sermon de Margery Childe sur la lumière et l'amour. Je pensai à Miles Fitzwarren, à sa vraie nature, à toutes les qualités qu'il devait posséder pour susciter chez Veronica un tel dévouement.

Je me rappelai les étranges accès de fièvre qui, après l'accident, m'avaient assaillie pendant des années, les crampes et les douleurs qui avaient continué à me torturer alors que mes blessures étaient guéries depuis longtemps et que les effets secondaires des médicaments n'étaient plus qu'un souvenir.

Je pensai à Margery. Je me demandais comment elle avait pu aimer mon geôlier, étancher la soif dont elle avait parlé avec un homme aussi brutal qui, à l'évidence, adorait faire souffrir.

Je pensai à ma petite enfance, à ce qu'aurait dit ma mère si elle avait vu sa fille dans cette cave, à la fureur de mon père, aux plans qu'aurait échafaudés mon frère pour me délivrer.

Je pensai à Patrick et à sa bonne amie Tillie, jusqu'à ce que le fumet du poulet préparé par cette cuisinière hors pair emplisse mes narines, chassant la puanteur de lampe à pétrole qui stagnait dans la cave.

Je pensai à Mme Hudson, à ses scones, à ses conseils sur ma façon de me coiffer.

Je bus encore, croquai la moitié da ma miche de pain avant de découvrir qu'on avait déposé près de mon lit une vieille pomme, à côté d'un autre baquet contenant de l'eau fraîche et un gant de toilette. Je dévorai la pomme jusqu'au trognon, fis bon usage de l'eau et commençai à me sentir redevenir moi-même, purifiée et forte.

Deux heures plus tard, selon mon approximation, mon geôlier revint ; et tout recommença.

Ainsi se déroula ma vie pendant neuf jours interminables, au cours desquels je subis une bonne cinquantaine d'injections. Dès lors, j'eus du mal à évaluer le temps. Je parvins à compter le nombre de piqûres d'après les cailloux que j'entassais, comme des repères, dans le coin sud-est de la cave. Après en avoir empilé une douzaine, je me rendis compte que les visites de mon ravisseur se faisaient plus fréquentes : d'une toutes les six heures les premiers jours, elles passèrent à une toutes les cinq, ou même quatre heures.

Ma notion du temps, très précise d'habitude, commençait à se lézarder sous l'effet de la drogue, des doses de plus en plus rapprochées et, compris-je, de plus en plus puissantes. Parfois, l'haleine de ses sbires me permettait plus ou moins de me repérer. Une odeur d'œufs au bacon indiquait le matin ; un relent de bière me prouvait que la nuit tomberait bientôt. Mais cela restait aléatoire. Quant aux changements dans mes menus – la pomme devenait quelquefois une carotte, un oignon, trois abricots, un morceau de fromage ou un œuf dur –, ils ne m'apprenaient rien.

Je ne ressentis vraiment le passage du temps qu'une seule fois. Après avoir accumulé une vingtaine de cailloux, j'en déduisis avec une morne résignation que la séance d'Oxford avait déjà eu lieu et que mes collègues en toge s'étaient réunis sans moi. Après cela, il me parut moins indispensable de maîtriser mon horloge intérieure. Il me sembla de plus en plus difficile d'effectuer mes soixante tours après chaque injection, de nouer mes cheveux, de me laver. Et j'estimai moins pénible de ne pas bouger le bras pour permettre à mon geôlier de me faire ma piqûre. S'il avait baissé sa garde et était entré sans ses acolytes, je l'aurais sûrement attaqué.. Mais tel ne fut pas le cas. Le pain qu'on me laissait perdit de son intérêt, et je me contentai de vivre d'eau croupie, de légumes et de fruits avariés.

Je tentai de réagir par de la gymnastique mentale. Je récitai des vers, me concentrai sur des subtilités grammaticales, des exercices de mathématiques et de logique. Cela ne dura pas plus de deux jours. Lassée, je dus inventer autre chose. Mes souvenirs revinrent en foule, et en désordre. Je me remémorai dans le détail mon premier dîner chez Margery, la robe qu'elle portait ce soir-là. Je savourai le vin au goût de miel que Holmes m'avait servi un jour de printemps, dans une autre vie. Je revis Watson décapitant ses œufs à la coque, Lestrade buvant sa bière, mon professeur de maths m'offrant du thé. Enfin, je pensai à Holmes.

À Holmes, que j'aimais. Ce n'était plus le moment de me voiler la face. Je l'aimais depuis le premier jour et je l'aimerais jusqu'à mon dernier souffle.

Étais-je pour autant amoureuse de lui ? Pensée ridicule, aussitôt rejetée. Les désordres et les affres d'une grande passion ne résistent pas à la lumière froide mais bienfaisante de la relation quotidienne.

L'amour, pourtant. Confortable, rassurant, plein de sollicitude. S'agissait-il d'un sentiment bien particulier, plus profond que la volupté charnelle ?

Je ne pourrais jamais, je le savais désormais, me laisser emporter par le désir. Margery m'avait accusée de froideur. Dans un sens, elle avait raison. Pourtant, elle se trompait. À mes yeux, l'instrument suprême de la passion, c'était l'esprit. Contre nature, peut-être, réducteur, mais vrai : sans l'intellect, il ne pouvait y avoir d'amour.

Quand j'eus empilé trente cailloux dans le coin, je pris conscience d'une nouvelle étape dans le cycle : l'attente. Elle se traduisit, au bout de quarante-huit heures, par une fébrilité qui, chaque fois que mon geôlier et ses affidés pénétraient dans la cave, n'avait plus rien de commun avec une velléité de résistance.

Enfin, entre la douce horreur du poison se répandant dans mes veines et l'attente avide de la prochaine injection, vint le dernier stade, auquel je ne peux donner que son nom chrétien : la grâce. Pendant un court instant, tandis que l'effet de la drogue s'atténuait, je jouissais d'une forme de répit. J'en profitais pour me nourrir. Je me surpris un jour à psalmodier à haute voix les formules de bénédiction du pain. Dès lors, je commençai à me ressourcer. Je percevais de plus en plus souvent l'invisible présence de Holmes. Il était là, à mes côtés, dans mon éternelle nuit. J'arpentais ma cellule en évitant les piliers et les murs comme si je marchais dans l'éclatante lumière du jour, à converser, à discuter, à rejouer les parties d'échecs que j'avais disputées avec lui, à réciter les prières et les psaumes que m'avait appris ma mère, folle en apparence, mais guettant mon heure.

18

Mardi 1ᵉʳ février

Ton mari est ton seigneur, ta vie, ton protecteur,
Ta tête, ton souverain ; celui qui veille sur toi
Et qui, pour ton bien-être, s'épuise
À de durs travaux, sur mer comme sur terre...
Tandis que tu gardes la maison, insouciante et
[tranquille...

SHAKESPEARE

J'en étais à quarante-cinq cailloux. Impatiente d'en rajouter un quarante-sixième à la pile, j'essayais de m'occuper en rassemblant les débris de l'œuf dur que je venais de manger lorsqu'une agitation inhabituelle, au-dessus de moi, me pétrifia. Je distinguais de mieux en mieux, quand j'étais en état d'écouter, les subtiles vibrations que les pas transmettaient à la pierre, le léger mouvement dans un des murs que j'attribuais à l'eau descendant le long des tuyaux et, plus rarement, l'écho d'une voix humaine se faufilant sous la porte.

Je m'en approchai, tendis l'oreille. Des talons martelaient l'escalier, différents de ceux de mes geôliers : un homme seul ; et pressé. Était-ce la mort qui venait à moi ?

Je me précipitai vers ma couche, ramassai mon clou et mes plus gros cailloux, me réfugiai derrière le pilier ouest. Les gonds couinèrent. Alors que je me préparais à défendre chèrement ma vie, la lumière crue d'une torche électrique inonda la cave. Éblouie, je tentai d'identifier la silhouette qui se profilait au bas des marches.

– Russell ?

Mon cœur bondit dans ma poitrine.

– Russell ! Vous allez bien ? Je ne vous vois pas !

– Il vaudrait mieux pour vous, Holmes, murmurai-je en m'écartant du pilier, une main devant les yeux.

La silhouette s'avança. Je reconnus, en même temps, les gros souliers d'un policier en uniforme dévalant l'escalier. La silhouette pivota, cria un ordre :

– Votre lampe ne sera pas nécessaire ! Retournez plutôt là-haut !

L'agent s'empressa d'obéir. Holmes me dépassa, s'arrêta devant ma couche, examina mes restes de nourriture et la gourde que, dans ma hâte, j'avais renversée. Enfin, il se tourna vers moi. Il me dévisagea sans émotion particulière, constata l'état de mes pupilles et de mes cheveux hirsutes, respira la puanteur de mes hardes. Je reculai, comme s'il m'avait fouettée. Il s'immobilisa. Puis, lentement, il s'empara de mon poignet, déplia mon bras, observa la boursouflure de mes veines avant de le lâcher. Pour toute réaction, un bref spasme crispa ses mâchoires.

– Je vais vous chercher de quoi vous vêtir. Ça ira ? Vous pouvez encore rester seule un moment ?

– Laissez la porte ouverte, suppliai-je.

– Bien sûr.

Il escalada les marches, revint au bout de trois minutes pour me retrouver recroquevillée contre la porte, tel un animal qu'on délivre et que sa liberté terrorise. Il apportait une paire de pantalons, une chemise de lin, des pantoufles. Je me contentai de les regarder.

– Il faudra un certain temps pour récupérer vos propres vêtements, annonça-t-il, se méprenant sur mon hésitation.

Je m'emparai des affaires en évitant sa main, m'enfonçai dans l'ombre pour les enfiler. Elles appartenaient à mon ravisseur. Je m'imprégnai de son odeur, de l'empreinte de son corps : curieuse intimité qui, bizarrement, ne me révulsa pas. Je me redressai, avançai d'un pas vers la lumière, quittai ma prison et m'engageai dans l'escalier brillamment éclairé, aussi dépaysée que la petite sirène découvrant ses jambes toutes neuves.

Holmes m'escorta dans la maison sans me toucher, me guidant par sa seule présence physique, aussi palpable qu'un de mes piliers. Dans le couloir principal, l'agent en uniforme s'avança vers nous. Il me considéra d'un air effaré, se reprit et s'adressa à Holmes.

— Monsieur, l'inspecteur Dakins m'a chargé de vous demander si la jeune personne est en mesure d'identifier les hommes que nous avons appréhendés. Selon lui, il en manque un ou deux et il serait heureux que la demoiselle nous donne leur signalement ; si elle s'en sent la force...

— Oui, je vais bien, répondis-je d'une voix qui me parut étrangère.

— Parfait, mademoiselle. Si vous voulez bien me suivre...

Holmes se tint près de moi pendant toute la confrontation, toujours sans me toucher mais en m'enrobant de sa chaleur. Une part de moi se délitait, et pas seulement à cause de la drogue. Sans sa présence à mes côtés, je n'aurais jamais pu affronter l'ironie perverse des truands que je reconnus sans peine malgré l'absence de leurs fausses barbes, et l'expression à la fois intriguée et désapprobatrice des policiers. Jamais je n'aurais été capable de décrire mon geôlier : un mètre soixante-quinze, quatre-vingts kilos environ, cheveux noirs, une petite cicatrice sur le côté droit de la lèvre, une autre sur le sourcil gauche ; originaire du Yorkshire mais élevé à Londres, à en juger par son accent, agrémenté toutefois d'une légère intonation française, plusieurs grains de beauté. Je n'aurais pas eu la force, ensuite, de gagner le salon anonyme du premier étage où l'agent monta un plateau de thé, de biscuits et de fromage qu'il installa maladroitement sur la table. Holmes le renvoya, remplit une tasse et me l'apporta devant la fenêtre, où, le front contre la vitre, je dévorais du regard un paysage de collines battues par la pluie. L'éclat de l'herbe verte contre le ciel gris, d'une intensité presque effrayante, me blessait les yeux. Holmes resta immobile près de moi avant de poser la tasse sur un guéridon et d'ouvrir la fenêtre. L'air froid, délectable, me fit frissonner.

– Quelle heure est-il ?

Sa montre heurta la monnaie qui encombrait sa poche, avec un tintement métallique que j'avais remarqué des milliers de fois et que j'avais cru ne plus jamais entendre.

– Il est 11 h 20.

Il souleva la tasse, la plaça entre mes mains, me la reprit tout de suite pour l'empêcher de passer par la fenêtre, la rapporta vers le plateau, y versa trois cuillerées de sucre et me rejoignit. Il la souleva lui-même jusqu'à mes lèvres et je bus. Lorsqu'il ne resta plus au fond qu'un petit tas de sucre, il referma sans bruit la fenêtre et me conduisit aux fauteuils disposés devant la cheminée. Je m'assis là où il m'était encore possible de voir au-dehors, réussis à boire seule une seconde tasse. En gémissant, je refusai les biscuits qu'il me proposait.

– Depuis quand n'avez-vous pas mangé ?

– Je n'en sais rien. Pas longtemps. Je n'ai pas faim.

– L'inspecteur Dakins souhaiterait vous interroger une fois que vous vous serez reposée.

– Mon Dieu ! Pas aujourd'hui.

– Je crains qu'il n'insiste.

– Vous pourriez peut-être arranger ça.

Son visage se détendit un peu. Pour la première fois, son aspect me frappa : émacié, gris, mal rasé. Fait rare, même son col de chemise était fripé. Il gagna la pièce voisine. J'entendis le grondement des robinets, le rugissement de l'eau chaude dans la baignoire. Holmes sortit de la salle de bains, environné d'un nuage de vapeur au parfum de fleurs.

– Vous y arriverez ?

– Oui. Je me sens bien. Un peu fiévreuse, sans plus.

– Préférez-vous que je reste là ou que je parte à la recherche de vos vêtements ?

– Je vous l'ai dit, je vais bien. Mais mes vêtements me seront fort utiles.

Je lui décrivis tant bien que mal ceux que je portais le jour de mon enlèvement.

– N'oubliez pas mes lunettes. Et ne... ne verrouillez pas la porte.

– Non, répondit-il simplement.

Une fois dans la salle de bains, je changeai d'avis et essayai désespérément d'actionner la clé. Je finis par y renoncer, poussai la porte, me débarrassai des affaires de mon ravisseur et de mes dessous crasseux, les fourrai dans le panier à linge et me coulai dans le bain moussant. Je ne pris pas la peine d'examiner mon corps en détail. Je m'aperçus néanmoins que la blessure que m'avait infligée l'agresseur de Margery était devenue une cicatrice nette et rose.

Engourdie par la chaleur, je gardai quand même un œil sur la porte, et sursautai en percevant du mouvement dans le salon.

– Russell ? Je peux entrer ?

Bien sûr. C'était pour cette raison qu'il avait versé dans l'eau une telle quantité de sels moussants. J'en étais couverte jusqu'au menton. Je lui donnai la permission. Il entassa mes vêtements sur la table de toilette, déplia mes lunettes sur une chaise, à ma portée, inspecta quelques tiroirs, trouva un peigne d'argent qu'il posa sur ma robe.

– Holmes ? Cela a duré combien de temps ?

– Vous avez été enlevée le 22 janvier. Nous sommes aujourd'hui le 1er février.

Il attendit d'autres questions, puis s'en alla.

Il resta dans le salon ; je savais néanmoins qu'il aurait préféré faire parler les truands ou dénicher des indices que la police avait sans doute ignorés et probablement détruits. Il y eut plusieurs coups discrets frappés à la porte, des mots échangés dans le couloir, des tintements de tasses contre des soucoupes. Je nettoyai ma peau à la brosse, me lavai plusieurs fois les cheveux, me rinçai à l'eau bouillante.

Peine perdue : en enjambant la baignoire après en avoir tiré le bouchon, je tremblais de la tête aux pieds. Le fait de retrouver mes effets et de remettre enfin mes lunettes, qui me permirent de voir distinctement les objets usuels rangés en bon ordre devant moi, me revigora un peu. Mais je grelottais toujours. J'emportai le peigne dans le salon. Holmes, qui feuilletait un livre, leva les yeux.

– Pourrions-nous allumer du feu ? bredouillai-je en claquant des dents. Juste pour sécher mes cheveux...

Bientôt, les bûches flambèrent. Pourtant, bien qu'enveloppée dans une couverture et assise presque dans la cheminée, je ne parvins pas à me réchauffer. Holmes tira vers mon fauteuil un guéridon avec une autre tasse de thé et prit place de l'autre côté de l'âtre, en face de moi.

– On porte de graves accusations contre vous, lança-t-il abruptement.

– Des accusations ? Ah... Bon Dieu, il va falloir que je les coupe, ces cheveux !

Il se redressa avec impatience.

– Donnez-moi ce peigne.

Debout derrière mon siège, il entreprit de démêler les nœuds de mes mèches mouillées qu'il tenait dans sa main gauche en remontant avec dextérité, par petits coups rapides, jusqu'à la racine. « Ce n'est pas la première fois qu'il le fait », pensai-je en tremblant de nouveau.

– Les quatre hommes interrogés en bas... poursuivit-il au bout d'un moment. Ils affirment que vous vous droguez depuis longtemps.

– Ils doivent avoir une bonne raison.

– Ils disent que vous étiez déjà intoxiquée en arrivant ici. Que vous vous piquiez vous-même. Qu'ils ignoraient que leur chef était votre fournisseur. Que vous vous enfermiez de temps à autre, pour des raisons mystérieuses, dans une cave inutilisée.

– Oh, je vous en prie, Holmes !

Je bondis sur mes pieds et échappai à ses mains. Je rajustai la couverture autour de mes épaules, arpentai le salon, sortis de la poche de ma robe le mouchoir que j'y avais mis dix jours plus tôt et me mouchai.

– Votre conduite au cours de ces dernières semaines, précisa Holmes, plaide contre vous. Vous avez fréquenté un groupe de personnes dont l'une au moins prenait régulièrement des stupéfiants. Vous avez soudain hérité d'une grosse fortune et adopté tout de suite un style de vie qui débouche souvent sur une expérience de la drogue. Les marques sur votre bras suffiront à convaincre notre brave inspecteur. Au vu des symptômes que vous commencez à présenter, il vous coffrera.

Je me retournai pour le fixer sans un mot. Il ajouta :

– Considérant le nombre de jours qu'a duré votre absence, vos réactions sont remarquablement... avancées.

– Après l'accident, voilà six ans, on m'a administré de grandes quantités d'héroïne. On croyait à cette époque que les patients s'y accoutumaient moins qu'à la morphine.

– Très juste. Mais expliquer à notre bon inspecteur la cause de la prédisposition enfouie au fond de votre système nerveux serait un peu long et ne servirait à rien.

Il plongea une main à l'intérieur de son manteau, en extirpa la longue boîte de velours, étroite et sinistre, que j'avais déjà vue des dizaines de fois. Ses yeux, en rencontrant les miens, n'exprimèrent aucun jugement. Comme dans un rêve, il remonta ma manche. Il alla fermer la porte, revint avec un mouchoir immaculé qu'il transforma, en le torsadant, en une sorte de corde. J'allongeai le bras et il noua son garrot improvisé au-dessus de mon coude.

– Tenez-le, m'enjoignit-il en ouvrant la boîte.

La seringue était déjà prête, le piston tiré jusqu'au bout.

– Votre ravisseur, semble-t-il, l'avait préparée juste avant notre arrivée. Il vous donnait la totalité de la dose ?

– Oui.

Ma voix dérapa légèrement. Holmes fit mine de ne pas le remarquer.

– Je vais vous en injecter la moitié.

Il leva la seringue, chercha la veine, inséra prestement

l'aiguille sous ma peau. Il poussa le piston, s'arrêta à mi-chemin, retira l'aiguille, pressa le mouchoir contre la piqûre minuscule.

Je fermai les yeux, incapable de contrôler le flot de plaisir qui me raidit tout entière. Au bout d'une minute, j'exhalai lentement. Ouvrant les yeux, je vis dans ceux de Holmes toute l'angoisse que ses traits impassibles ne trahissaient pas. Je le regardai un long moment avant de baisser la tête vers la seringue abandonnée sur la table. Je m'en emparai, serrai mon poing autour d'elle, enfonçai l'aiguille dans le bois ciré, la retirai et la plantai de nouveau, jusqu'à ce qu'elle casse. Je la replaçai ensuite au creux de la doublure de soie, refermai la boîte, que je rendis à Holmes. Son visage n'avait pas changé, mais l'anxiété avait déserté ses pupilles.

Il acheva de me coiffer. Je rassemblai mes cheveux en un chignon austère, avalai deux biscuits accompagnés d'un morceau de fromage et descendis au rez-de-chaussée, Holmes à mes côtés.

L'inspecteur Dakins interrogeait l'un des malfrats, dont la vue me souleva le cœur. Holmes ne laissa pas au policier le temps de parler.

– Inspecteur, dois-je comprendre qu'on a accusé Mlle Russell de s'être volontairement et à plusieurs reprises injecté de l'héroïne ?

– C'est exact, monsieur Holmes, répliqua Dakins. C'est ce que me confirmait M. Bigley, ici présent.

– Ça pour sûr. J'l'ai vue de mes yeux. Faut dire qu'elle se cachait pas.

La candeur affectée du truand contrastait de façon grotesque avec la perfidie de son regard et le souvenir de sa brutalité à mon endroit. Je luttai pour ne pas m'abriter derrière Holmes, qui rétorqua sèchement :

– Elle se piquait elle-même, dites-vous ?

– Dans la bibliothèque. J'l'ai vue avec une lanière autour du bras, le bout entre les dents. Au début, j'savais pas ce qu'elle faisait. Elle avait aucune honte.

– La lanière autour d'un bras et une seringue hypodermique dans l'autre main ?

– Ben, ouais. Comment elle aurait fait, autrement ?

Sans un mot, Holmes saisit mon bras gauche, déboutonna l'extrémité de ma manche, la retroussa et maintint mon bras levé, exposant à la vue des deux hommes les marques de plus de cinquante piqûres entourées de bleus, dont plusieurs infectées. L'inspecteur ne cacha pas son ahurissement. Quant à Bigley, il n'en menait pas large. Holmes dénuda alors mon poignet et mon bras droits, à la peau intacte.

– Mlle Russell est gauchère ! Il est impossible qu'elle ait procédé à des injections dans sa propre veine, opération délicate, vous en conviendrez, en se servant de sa main droite. En revanche, les contusions de son bras gauche prouvent qu'on le lui a maintenu de force, ce qui, connaissant Mlle Russell, a dû nécessiter le concours de plusieurs hommes robustes et n'est pas sans rapport avec les traces de morsures que le sieur Bigley porte sur la main. Cela prouve que Mlle Russell a été droguée par un tiers.

Il ajouta, au cas où le brave inspecteur n'aurait pas compris :

– Contre sa volonté.

Dakins avait parfaitement saisi. Il jeta un œil noir à l'infortuné Bigley. « Peut-être est-il obsédé par des histoires de traite des Blanches », me dis-je en rabaissant ma manche.

– Vous souhaitez une déposition, inspecteur ? conclut Holmes.

– Évidemment.

Le policier se tourna vers l'agent en uniforme.

– Conduisez Bigley dans la pièce voisine. J'en finirai avec lui dans une minute.

Je lui dictai ma déposition, racontai ma captivité et insistai sur les effets de l'héroïne, ce qui le stupéfia. Oui, le chef de Bigley m'avait fait une dernière injection sept ou huit heures auparavant. Non, je ne pensais pas être devenue dépendante de la drogue, même si c'était le but affiché de mon ravisseur. Non, je n'avais pas la moindre idée des raisons qui l'avaient poussé à m'infliger un tel traitement... Dakins me dévisagea avec incrédulité. Je ne bronchai pas. La présence de Holmes et ma sincérité appuyée le dissuadèrent de m'interroger plus avant sur ce point. Non, repris-je, je ne ressentais aucun symptôme particulier, en dehors d'une extrême fatigue liée sans doute au manque de sommeil et de nourriture, sans compter la lumière du jour, qui, après une longue période d'obscurité, me désorientait.

Saisissant la balle au bond, Holmes se leva.

– Je vais vous enlever Mlle Russell, inspecteur. Elle a vécu une épreuve difficile. Son médecin lui prescrira sans doute quelques jours de convalescence. Vous pourrez lui téléphoner lundi si vous avez d'autres questions à lui poser. Bonne journée et bonne chance pour votre traque des deux autres individus.

À ma grande surprise, Q nous attendait dehors, avec la voiture. Le respect guindé qu'il me témoigna dissimulait mal son soulagement et son affection. L'effet de ma dernière injection commençant à se dissiper, je l'autorisai à étaler un plaid sur mes genoux. Au moment où Holmes allait monter dans l'automobile, l'agent de police l'appela. Il échangea quelques mots avec lui, revint vers moi, m'avertit qu'il en avait pour une minute et suivit le policier à l'intérieur de la maison. Q, qui s'apprêtait à fermer la portière, suspendit son geste et murmura :

– Il s'est fait un sang d'encre, mademoiselle. Il n'a ni dormi ni mangé. Ma femme a cru qu'il allait s'écrouler.

Il claqua la portière avant que j'aie pu répondre, s'installa au volant. Holmes réapparut quelques instants plus tard, s'assit à l'arrière. « Il a l'air aussi harassé que moi », songeai-je sans passion.

– Dakins a décidé qu'il avait également besoin de mon numéro de téléphone.

Il contempla mon profil.

– Sussex, ou votre appartement ?

– Où sommes-nous ?

C'était la première fois que je pensais à le demander.

– Dans l'Essex.

– L'appartement, donc, si vous jugez que j'y serai en sécurité.

– Vous le serez, répondit-il non sans laisser percer une légère ambiguïté.

Il se pencha pour donner ses instructions à Q. Alors que nous descendions l'allée, je me retournai. J'aperçus une grosse maison de campagne de pierre grise, trapue et laide. Rien ne la différenciait de centaines d'autres, hormis la certitude que j'avais laissé dans une de ses caves abandonnées les derniers vestiges de ma jeunesse.

19

Mercredi 2 – samedi 5 février

Car la Nature a divisé les bêtes en mâles dominateurs et femelles soumises, distinction restée inviolée.

SAINT JEAN CHRYSOSTOME

Les jours suivants furent chaotiques. J'avais déjà passé assez de temps à me remettre de blessures diverses et variées pour savoir que je finirais par retrouver ma vigueur. Ma convalescence se révéla physiquement moins pénible que les précédentes. Je supportai assez bien les tremblements, la fièvre, les crampes, les douleurs, le manque d'appétit. Mais ce qui me perturba le plus, ce fut cette maladie de l'âme, dont je ne savais comment guérir.

Après l'accident qui avait anéanti ma famille et dont je me sentais responsable, la culpabilité m'avait rongée pendant des années. Je m'étais effondrée une seconde fois, quand j'avais reçu dans l'épaule une balle destinée à Holmes, parce que la femme qui avait tenté de nous tuer était une personne que je respectais et qui, croyais-je, m'aimait. Mais jamais je n'avais éprouvé ce qui me submergeait à présent : la honte.

Pure, nue, accablante.

Tout mon corps réclamait le poison dont on l'avait nourri – la seringue maudite que je désirais avec une violence

239

inouïe. Ce désir qui m'humiliait, je le haïssais. Du mardi soir jusqu'au vendredi, je m'enfermai dans ma chambre, torturée par le manque, indifférente à la sollicitude de Mme Q, qui me suppliait d'accepter son thé et ses petits gâteaux.

Ma honte rejaillit sur les autres, me conduisit à détester tout le monde : Margery, par la faute de qui, d'une certaine façon, tout était arrivé ; Veronica, qui m'avait entraînée dans ce guêpier ; Holmes, qui m'avait vue déchue et dont la compassion m'avait brûlée au fer rouge. Je refusais de répondre au téléphone, chargeais Q d'expliquer que j'étais malade, que je ne voulais ni fleurs ni visites. J'entassais sans les lire les messages de Margery Childe, de Mme Hudson, de Duncan. Je vouais mon entourage aux gémonies, sauf, peut-être, celui que j'aurais dû exécrer, l'homme que j'appelais simplement « lui », ou « il ». Après tout, « il » avait agi à visage découvert, en ennemi véritable, et non en faux ami.

Qui d'autre que Holmes aurait pu me libérer de cette rancœur morbide ? Il se présenta à l'appartement le vendredi en fin de journée. Bien entendu, je lui interdis l'accès de ma chambre. Il passa outre, glissa un journal sous la porte puis enfonça une broche de cuisine par le trou de la serrure, faisant tomber la clé sur le papier, qu'il tira prestement jusqu'à lui. Mon pied nu contre la porte ne pesa pas lourd face à son épaule et je l'affrontai avec furie.

— Comment osez-vous ?

— J'ose beaucoup de choses, Russell.

— Sortez !

— Russell, si vous aviez réellement voulu m'empêcher d'entrer, vous ne m'auriez pas laissé m'emparer si facilement de votre clé. Mettez vos chaussures et votre manteau. Nous partons nous promener.

Si j'avais été moins épuisée, il aurait sans doute échoué. Mais, moitié de force, moitié par la persuasion, il réussit à me faire enfiler mon manteau et m'entraîna à Regent's Park. Là, nous marchâmes dans les allées. Holmes ne cessa de monologuer. Il me raconta l'histoire du parc, me parla des crimes qu'on y avait commis, des complots qu'on y avait ourdis, des curiosités botaniques qu'on pouvait y admirer. Il passa de la flore du nord de l'Inde aux différences entre le bouddhisme tibétain et celui du Népal, commenta ses dernières études sur les glaces des phares d'automobiles, les types de gin utilisés dans la préparation des cocktails, ses expériences d'enregistrement de moteurs de voitures de différentes marques, ce qui, pensait-il, aiderait les témoins interrogés par la police à identifier des véhicules roulant tous feux éteints la nuit, se montra plus que prolixe à propos de sa dernière monographie, où il comparait les flambées d'hystérie collective du Moyen Âge à l'engouement actuel pour des danses au rythme échevelé.

— Ça suffit, Holmes !

— Enfin !

Il s'écroula sur un banc, reprit son souffle.

— Même un homme comme moi ne peut pérorer jusqu'à la fin des temps.

Je me plantai devant lui, les bras croisés.

— Très bien, vous avez toute mon attention.

— Asseyez-vous, Russell.

J'hésitai, puis obéis.

— C'est mieux. Nous avons bien parcouru dix miles, ce soir. Je n'ai pas arpenté Regent's Park avec une telle frénésie depuis que Watson me forçait à sortir et à prendre de l'exercice ; pour les mêmes motifs, d'ailleurs, que ceux qui m'ont incité à vous amener ici... Je suis sûr que vous vous sentez mieux.

— Dieu du ciel, Holmes, n'êtes-vous pas fatigué d'avoir toujours raison ?

— Je vous l'accorde. Il n'était pas très judicieux de ma part d'insister sur le fait qu'oncle Sherlock sait tout mieux que tout le monde. J'aurais dû simplement vous demander si vous aviez retrouvé l'appétit.

— Pas tout à fait. Mais je dois avouer que l'idée de nourriture me paraît moins écœurante que tout à l'heure.

– Parfait. Maintenant, irons-nous au jardin zoologique pour y échanger des considérations philosophiques sur l'anthropomorphisme des singes, ou consentez-vous à ce que nous parlions de l'homme que vous désignez par un simple pronom personnel ?

– Quoi de neuf à son sujet ? Il a été arrêté ?

– N'ayez aucune inquiétude, Russell. Il court toujours. Et puisque vous avez choisi de ne rien faire, la police ne mettra jamais la main sur lui.

Nous demeurâmes un instant silencieux, à écouter les bruits nocturnes du parc, le grondement de la circulation mêlé à de lointains cris de bêtes. Je constatai que mes mains tremblaient moins.

– Touché, Holmes. Je suis payée de ma méchante remarque sur votre fils.

– Pas si méchante que ça. Parfois, un moteur a besoin d'une secousse pour démarrer.

– Le mien vient de repartir. Comment souhaitez-vous que j'agisse ?

– Par des voies détournées. Nous ne devons pas laisser une seconde chance à ce personnage.

– Mais que veut-il de moi ? m'écriai-je.

– Vous intéresserait-il de savoir que le bureau d'enregistrement de Somerset House a, voilà neuf jours, reçu et validé le testament d'une certaine Mary Judith Russell, signé devant témoins et daté du vendredi précédent ? Oui ? Je m'en doutais. Peut-être serez-vous également intéressée par le fait que vous laissez cinq mille livres à votre tante bien-aimée, la même somme à votre horrible cousine, à votre fermier et à votre collègue d'Oxford ; pas un penny, ai-je découvert avec tristesse, à votre vieil ami Sherlock Holmes. Tout le reste, les résidences, l'usine, l'or, les tableaux et la villa de Toscane, va au Nouveau Temple de Dieu.

– Fichtre ! murmurai-je.

– La signature était presque aussi parfaite que si je l'avais imitée moi-même. À mon avis, il s'agit de l'œuvre d'un faussaire connu sous le sobriquet de Penworthy : l'as du stylo.

Il poussa un gros soupir.

— Pauvre Mlle Russell... Sa richesse soudaine l'a conduite à une mort luxueuse...

— Je comprends maintenant pourquoi « il »... pourquoi l'homme n'a pas quitté la maison pendant ma captivité. Je me suis souvent demandé comment, s'il dirigeait une organisation criminelle, il s'arrangeait pour rester absent de Londres aussi longtemps. Dès lors qu'une fortune considérable comme celle de mon père était en jeu, il ne pouvait prendre le risque de s'en remettre à des seconds couteaux. Y a-t-il un lien entre mon enlèvement et le Temple, en dehors du testament ?

— Rien ne le prouve. Mais il en existe forcément un avec sa fondatrice.

— Seigneur ! Tout converge toujours vers Margery.

— En effet.

Il allait ajouter quelque chose puis se ravisa. Il s'ensuivit un nouveau silence.

— Vous avez bien fait, Holmes, mardi, là-bas... L'inspecteur Dakins n'aurait remarqué que les symptômes de mon accoutumance et n'aurait rien écouté d'autre. Mais j'ai détesté ça... Que vous m'ayez injecté cette dose. Je l'ai détesté.

— Et vous m'avez détesté, moi.

— C'est vrai.

— J'ai les épaules larges, dit-il gaiement.

— Alors, qui est-ce ?

— La maison ne lui appartient pas. Elle a simplement été louée il y a six mois par un individu répondant au nom de Calvin Franich.

— Ce M. Franich a-t-il une petite cicatrice sur la lèvre supérieure ?

— L'agent immobilier l'a confirmé. Plus intéressant encore : Scotland Yard connaît un autre gentleman doté d'une petite cicatrice sur la lèvre supérieure et d'une autre au-dessus du sourcil gauche. Il se fait appeler Claude Frankin.

— Et ce M. Frankin est...

— Un personnage assez mystérieux, aux activités multiples. Il a commencé par convaincre de vieilles veuves d'âge mûr de lui laisser un petit quelque chose à leur mort. Il a quitté le pays en 1912, alors que cela commençait à sentir le roussi pour lui, et s'est enrichi pendant la guerre en se livrant à de la contrebande en Méditerranée. On a récemment cité son nom à propos d'un trafic de drogue dans le sud de la France. Il semble qu'il ait tranquillement regagné l'Angleterre l'année dernière. Très discret, très intelligent et très dangereux ; ainsi le définit Scotland Yard, qui n'a pas appris son retour de gaieté de cœur.

— On peut le comprendre.

— Cela a-t-il aiguisé votre appétit ?

— Effectivement, je dînerais volontiers. Un repas sobre...

— Mais délicieux. Si je puis me permettre de mentionner cet organe peu délicat, ce n'est pas votre estomac qui rejette la nourriture ; c'est votre palais. J'ai découvert un nouveau restaurant, tenu par un cambrioleur affligé d'une malchance congénitale et qui, pour son bonheur, fut affecté à la cuisine du directeur de sa prison lors de son dernier séjour derrière les barreaux. Il a découvert sa vocation. Il prépare la meilleure soupe à l'oignon et les meilleures soles aux amandes du monde. Quant à son vin blanc, il est aussi inimitable que son côtes-du-rhône.

— Vous me mettez l'eau à la bouche. Toutefois, avant d'aller plus loin, déclarai-je avec gravité, il faut que je sache quelque chose. Le moment est peut-être mal choisi, mais je dois vous poser la question. Elle m'a obsédée pendant que j'étais enfermée dans le noir et, si je ne me jette pas à l'eau tout de suite, je n'en aurai plus le courage.

Je fixai mes mains gantées et choisis mes mots avec soin.

— Ces dernières semaines, depuis Noël, ont été assez étranges. J'ai commencé à croire que je ne vous connaissais pas aussi bien que je le pensais. Je me suis même demandé si vous ne me cachiez pas une part de vous-même pour mieux préserver votre indépendance. Je comprendrais très bien que vous ne me donniez pas de réponse ce soir et, même si j'admets qu'un refus de votre part serait blessant pour moi, mes sentiments personnels ne doivent vous influencer en rien.

Je le regardai bien en face.

– La question qui me brûle les lèvres, Holmes, est celle-ci : comment se portent les fées de votre jardin ?

Je vis, à la lueur jaune des lampadaires, ses traits se modifier peu à peu, passer de l'inquiétude la plus vive à un soulagement intense, avant de présenter tous les signes de la colère : yeux exorbités, joues cramoisies, lèvres pincées. Il s'éclaircit la gorge.

– Je n'ai aucun goût pour la violence, énonça-t-il posément, mais si ce Conan Doyle se présentait devant moi aujourd'hui, il faudrait s'y reprendre à dix fois pour m'empêcher de lui casser la gueule.

L'image était assez plaisante : deux messieurs d'un âge certain, le premier plus mince qu'un lévrier, l'autre bâti comme un bouledogue, se rouant de coups de poing.

– J'avais déjà du mal à supporter que les sempiternelles âneries débitées sur mon compte par Watson causent le plus grand tort à ma réputation de scientifique. À présent, quand les gens entendront mon nom, ils ne l'associeront qu'à cette petite fille grotesque aux yeux énamourés et aux ailes de papier. Je savais que Conan Doyle n'avait pas inventé la poudre, mais je ne l'aurais jamais cru bon pour la camisole !

Sa voix montait de plus en plus. Pour l'empêcher de hurler, je le coupai net.

– Allons, Holmes, voyez le bon côté des choses. Vous vous plaigniez depuis des années d'être harcelé par des gens qui vous supplient de retrouver leur petit chien fugueur ou le plumier qu'on a dérobé. Maintenant, le public anglais considérera les aventures de Sherlock Holmes comme des contes de fées aussi farfelus que ces photographies et vous laissera enfin en paix.

Je souris d'une oreille à l'autre, très fière de moi.

Pendant une longue minute, je me demandai s'il allait me tuer ou tomber raide mort, frappé d'apoplexie. Mais ce que j'espérais se produisit. Il renversa la tête et éclata de rire.

Alors, brusquement, je me serrai contre lui, enfouis mon visage dans le col de son manteau.

– Mon Dieu, Holmes, j'ai eu tellement peur ! Et la pensée qu'il se trouve quelque part, libre comme l'air, me terrifie.

Il ne bougea pas, me garda contre son épaule.

– Il n'y a qu'une solution, vous le savez, Russell.

– Oui. Je le sais.

Son écharpe blanche était douce contre ma joue ; il sentait la laine et le tabac. Je soupirai, m'écartai de lui. Sa main retomba contre son flanc.

– J'ai passé les dernières semaines à fuir. Maintenant, c'est impossible.

– Vous ne serez pas seule, m'affirma-t-il.

J'enroulai mon bras autour du sien et nous quittâmes le parc en accordant nos pas, à la recherche d'un taxi.

Le repas paracheva ce que notre promenade et notre conversation avaient entamé. Mais ce qui m'aida le plus, ce fut de recentrer ma colère sur la bonne cible. Après le dîner, nous traversâmes à pied Covent Garden tout proche avant de regagner mon appartement. Je fis du café et nous nous assîmes devant le feu, où je finis par m'assoupir. Holmes me réveilla et m'envoya au lit. Je ne dormis pas longtemps, mais profondément. Une fois réveillée, j'enfilai ma robe de chambre pour évoluer dans l'appartement, où flottait à présent l'odeur du tabac de Holmes. Contrairement à la veille, je me sentais calme. Quant à ma honte, elle ne me tourmentait plus. Je me préparai du lait chaud à la muscade, le bus devant la fenêtre en regardant, en bas, la rue déserte. L'agent de ronde apparut, sa torche à la main. Il contrôla les recoins et les portes, désarmé face aux agressions qui auraient pu le surprendre, mais tellement rassurant, si solidement anglais... Il s'éloigna. Je terminai mon lait puis, en respirant une nouvelle fois un parfum de pipe, retournai me coucher.

— Êtes-vous certaine d'être en état de vous lancer dans cette expédition, Russell ? questionna Holmes d'une voix pressante.

Pour toute réponse, je tendis ma main, paume ouverte au-dessus de la table du petit déjeuner. Pas un tremblement, notai-je avec fierté, remarquant pour la première fois ce que Holmes portait sur lui.

— Où avez-vous trouvé cette robe de chambre ?

— Ce bon M. Quimby me l'a prêtée.

— Très aimable de sa part. Je craignais que lui et sa femme ne s'offusquent de me voir recevoir un homme.

— J'ai raconté à votre gouvernante que j'étais garde du corps. Elle n'a pas insisté. Les femmes me jugent rassurant.

En règle générale, Holmes était aussi rassurant qu'un requin, mais je m'abstins de tout commentaire et me concentrai sur mes œufs et mes toasts, enfin alléchée par la vraie nourriture.

— Désirez-vous commencer tout de suite ? suggéra Holmes.

— Bien sûr. Nous n'avons pas de temps à perdre.

— Ne vous attendez pas à être tout à fait vous-même pendant encore quelques jours.

— Je m'efforcerai de ne pas me mesurer à six malfrats à la fois. Je plaisante... De toute façon, il n'y a personne à affronter au Temple, du moins la nuit. Le portier n'est qu'un vieillard somnolent.

— Mlle Childe a engagé des gardes du corps, répondit-il. Pendant la journée, elle est suivie en permanence par l'un ou par l'autre.

Je lui jetai un bref coup d'œil tout en mâchant rapidement les œufs de Mme Q.

– Et la nuit ? interrogeai-je.

– Apparemment, elle les libère après ses sermons, et plus tôt les autres soirs. En tout cas, il faudra tenir compte du portier, qui effectue des rondes dans le bâtiment.

– Merci de l'avertissement. Je ne crois pas qu'il soit de faction jusqu'à l'aube et je serai partie depuis longtemps quand il reprendra son service du matin.

– Emportez une arme, conseilla-t-il.

– Non. Elle risquerait d'être découverte. Et je ne courrai pas le risque d'abattre un veilleur de nuit ou l'horrible Marie uniquement pour calmer vos nerfs.

Il capitula à contrecœur.

– Vous avez trouvé le moyen de pénétrer là-bas incognito ? s'enquit-il.

– Il me serait difficile d'emprunter un ou deux enfants. Je me présenterai donc sous les traits d'une toute jeune péripatéticienne victime de son souteneur.

– Une pute cognée par son mac.

– Il me faudra de fausses dents et quelques bleus. À propos : qu'avez-vous mis sur mon bras pour imiter ces contusions qui ont trompé l'inspecteur Dakins ?

– Des algues prélevées dans les toilettes et mélangées avec un cure-pipe. Bel effet, non ? Je vous donnerai de quoi rallonger deux de vos incisives et une préparation dentaire jaune de ma composition. Elle restera sur l'émail de vos dents même si vous mangez, mais ne résistera pas au brossage. J'ai bien peur que son goût ne soit effroyable.

– Je n'en attendais pas moins.

Je me reposai en milieu de journée, m'alimentai de nouveau. Holmes revint. Q l'introduisit alors que j'avalais un dernier morceau de fromage. Sans se soucier des convenances, il posa sur la table un lot de vêtements et un vieux sac de toile crasseux. J'emportai les dessous dans ma chambre, retournai dans la cuisine, où je l'aperçus attablé devant son déjeuner.

– Merci, Mme Q ! m'exclamai-je.

– Perruque ou teinture ? questionna-t-il entre deux bouchées de poulet au curry.

– Teinture. C'est plus sûr. Des cheveux bien roux. C'est la couleur de l'emploi.

La teinture évoquait en fait un excès de henné, ce qui convenait très bien. Il faudrait que je me débrouille sans mes lunettes, que je garderais dans ma poche en cas de nécessité. Peau éclaircie, deux dents postiches et le reste recouvert de la répugnante mixture. Mme Q assista à ma transformation avec curiosité, mais sans un mot. Holmes et moi jouâmes aux échecs tout l'après-midi en buvant du café. Ensuite, après un dîner frugal, j'allai m'habiller.

Le soutien-gorge pigeonnant mettait ma poitrine outrageusement en valeur. La robe était pathétique, surtout avec tout le poids que j'avais perdu depuis quinze jours. J'exagérai le gonflement et le désordre de ma coiffure. Holmes m'aida à étaler les faux bleus sur ma peau, rougit l'un de mes yeux. Je reculai et guettai son approbation. Son visage restait toujours aussi fermé, mais ses mâchoires se contractèrent brièvement.

– Je suppose qu'il faudra que je m'habitue à cette éventualité, murmura-t-il.

– Je n'ai pas l'intention de me vêtir ainsi en permanence, protestai-je.

– Il ne s'agit pas de vos vêtements, mais de la fosse aux lions où vous vous apprêtez à sauter. Vous feriez mieux de vous en aller avant que je sois tenté de vous enfermer dans votre chambre.

Avec un bredouillement indigné, j'enfilai le manteau mité et claquai la porte. Que le concierge ne se saisisse pas immédiatement de moi pour me conduire au poste me confirma ce que j'avais soupçonné sur la vie de bohème qu'on menait dans l'immeuble.

Je gagnai à pied la station de métro de Russell Square, ce qui m'attira des regards scandalisés et l'attention de plusieurs sergents de ville, avant de m'enfoncer dans les profondeurs puantes jusqu'à Liverpool Street. Là, je grimpai dans un omnibus qui me conduisit à Whitechapel. Le quartier était toujours aussi lugubre, aussi oppressant. Une nouvelle nausée entama ma résolution. La tourte chaude que j'achetai à un marchand des rues ne me rasséréna guère. Je voulus en donner le reste à un chat errant mais un gamin s'en empara en ne laissant à l'animal que le temps de la renifler.

Je déambulai pendant une heure, insultée et renvoyée d'un coin à l'autre par les occupantes attitrées du trottoir, approchée par deux hommes qui, l'un et l'autre, s'enfuirent en entendant ma toux de poitrinaire. Après m'être assurée que personne ne me suivait, je me mêlai aux musiciens ambulants, aux acrobates et aux camelots qui affluaient vers l'entrée principale du Temple, guettant la fin du service. Les nains acrobates s'étiraient le dos, tout en se querellant avec leur musicien qui serrait un étui à violon sous son bras. Flasques et déformées, les tourtes qui attendaient les fidèles ne payaient pas de mine. Indifférents à la rivalité féroce en vigueur dans la profession, les deux marchands de fleurs devisaient avec une amabilité surprenante. Arriva alors une grosse femme à la robe de satin couleur canari, tendue par d'énormes seins qui trônaient au-dessus d'une corbeille remplie de bimbeloterie. Avec la dignité compassée des ivrognes, elle traversa la rue pour s'installer en face du Temple. Dès que les portes s'ouvrirent et laissèrent sortir les premiers fidèles, elle se mit à chanter à tue-tête, en faisant tressauter les perles noires de son chapeau jaune vif :

– J'm'appelle P'tit Bouton-d'Or, précieux p'tit bouton-d'or, vous dire pourquoi, ça s'rait pas conv'nable...

Elle remporta un franc succès, vendit sans peine sa camelote. Lorsque la foule se fut clairsemée et que les saltimbanques plièrent bagage, je me dirigeai vers elle et examinai son bric-à-brac. Elle beuglait à présent : « Le printemps est de retour, c'est le temps de l'amour, imitons les p'tits oiseaux... » Elle s'interrompit et me décocha un sourire hideux, me souffla au visage son haleine chargée de gin. Touillant avec dédain le fatras de chaînettes et de broches qui s'entassait dans sa corbeille, je choisis une bague au chaton de verre rouge dont l'anneau de fer-blanc aurait déteint sur ma peau d'ici le lendemain matin et la glissai à mon doigt.

– Ravissante, ma chérie, un vrai rubis. Tu la garderas toujours.

– J'en doute, répliquai-je sèchement avant de ramener à un penny le prix exorbitant qu'elle en demandait.

Je la payai, fourrai ma bourse à moitié vide dans ma poche, me tournai vers la double porte.

– Je resterai dans la rue jusqu'à ce que vous sortiez, Russell, m'assura Holmes en reprenant sa voix normale.

– Comme vous le savez, murmurai-je, la main devant ma bouche, il y a une embrasure en haut de la rue.

– Si vous trouvez la voie bloquée, ne cherchez pas à passer en force. Nous reviendrons.

– Vous chantez comme une casserole et votre chapeau est affreux. Je suis quand même heureuse que vous soyez là. Je vous verrai dans quelques heures.

– Si vous n'êtes pas réapparue à l'aube, je prendrai d'assaut la cité des furies, lança-t-il avec une jovialité qui sonnait faux.

Je m'éloignai.

Vingt minutes plus tard, alors que les pubs des environs s'apprêtaient à fermer, je me réfugiai dans un coin sombre pour procéder à mes ultimes préparatifs. Aussi parfait fût-il, mon maquillage n'abuserait pas un médecin et j'étais à peu près certaine qu'on m'examinerait au foyer. Je sortis de la poche de mon manteau une petite bouteille au large goulot, l'appliquai contre ma bouche et la suçai jusqu'à ce qu'elle colle à mes lèvres. Je la laissai là une minute. Lorsque je la retirai, je sentis ma chair gonfler instantanément. Je desserrai mes épingles à cheveux, déchirai les manches de ma robe, me débarrassai de mes lunettes, appliquai une couche

251

de crasse sur mes joues et mes hardes, posai la bouteille par terre, jetai un coup d'œil précautionneux autour de moi et me hasardai sur le trottoir. Me tenant les côtes comme si elles me faisaient mal, je marchai vers le foyer pour femmes de Margery Childe.

20

Samedi 5 – dimanche 6 février

*Moi, le feu à qui les sacrifices agréent, les ravis-
sant à leurs ténèbres, je donne la lumière.*

SAINTE CATHERINE DE SIENNE

On lisait au-dessus de la porte, sur une petite plaque de
cuivre :

NOUVEAU TEMPLE DE DIEU
FOYER TEMPORAIRE POUR FEMMES ET ENFANTS EN BAS ÂGE

Je montai les marches du perron et sonnai.

Les poivrots n'ayant pas encore rejoint leurs familles
bien-aimées après la fermeture des pubs, il ne régnait pas
une activité intense au foyer. La femme devant laquelle je
me présentai ne vit qu'une prostituée malchanceuse qui avait
besoin d'être soignée et remise dans le droit chemin. Elle
ne reconnut pas la jeune héritière qui avait distribué avec
elle des tracts devant le Parlement avant d'aller dîner dans
les appartements de Margery. Ruby Hepplewhite me toisa
avec une condescendance polie.

Je palpai ma bague, passai ma langue sur mes lèvres tumé-
fiées et essayai de me couler dans mon rôle.

– Eh bien, mademoiselle...

– LaGrand, m'dame. Annie LaGrand.

253

— Mademoiselle LaGrand. Est-ce vraiment votre nom ?
Je triturai furieusement la bague.

— Euh, enfin, non, m'dame. C'est Mudd. Annie Mudd.
L'autre, c'est... parce que ça sonne mieux.

— Je vois. Bien, mademoiselle Mudd... Annie. Vous
comprendrez que vous êtes dans un foyer temporaire pour
les femmes et leurs enfants provisoirement sans abri. Pas
dans un hôtel.

— Je sais, m'dame. J'ai entendu parler de vous dans la
rue, du travail que vous faites. Et quand ce... quand j'ai...
j'ai pensé à venir ici, achevai-je faiblement.

Pour la première fois, elle prêta attention à l'état de mon
visage et de mes nippes.

— Je vois. Asseyez-vous, Annie. Quel âge avez-vous ?

— Vingt et un ans, m'dame.

— Ce foyer est tenu par le Nouveau Temple de Dieu,
Annie. Ce que nous demandons en priorité, c'est la vérité.

— Désolée, m'dame. Dix-huit, m'dame... à mon prochain
anniversaire, en avril.

— Vous avez donc dix-sept ans. Où habitez-vous ?

— J'ai pas d'chez moi. Plus maintenant. J'retournerai
jamais là-bas, m'dame. Vous pouvez pas m'forcer à ça. J'me
jetterai dans la Tamise d'abord, j'le jure devant Dieu.

— Calmez-vous, Annie. Personne n'a l'intention de vous
obliger à faire quoi que ce soit. Vous feriez peut-être mieux
de tout me dire. Pourquoi ne pouvez-vous pas rentrer chez
vous ? On vous a frappée ?

— C'est parce que j'ai dit que je l'referais plus. Y voulait
que j'continue à...

Je cherchai un mot graveleux, y renonçai.

— J'ai dit que j'voulais pas. Que j'le referais plus jamais.
Alors, y m'a cognée et y m'a enfermée dans ma chambre.
J'suis passée par la fenêtre et ch'uis descendue le long d'la
gouttière. Et me v'là.

— Parlez-vous de votre... souteneur ?

— Mon quoi ?
Je m'amusais beaucoup.

– Votre mac, rectifia-t-elle presque joyeusement, pensant sans nul doute à la réaction qu'aurait eue sa mère en l'entendant prononcer ce mot à haute voix.

– Oh... C'est ça, oui.

– Où est votre famille, Annie ? En avez-vous une ?

– Sûr. Enfin, si on veut. Maman est morte, mais ma frangine, elle crèche à Bristol. C'est là que j'pense aller, quand j'aurai économisé le fric.

– Et votre père ? Il est mort ?

– Nom de Dieu, j'aimerais bien ! S'cusez, m'dame, mais c'est lui qu'a fait ça.

Je tâtai prudemment ma lèvre boursouflée.

Elle cligna des paupières, se renversa contre son siège.

– Votre père, chuchota-t-elle. Seigneur Jésus...

Son éducation britannique reprenant le dessus, elle se ressaisit vite. Elle se leva, me dit d'attendre et, d'un pas vif, traversa le vestibule. Suivirent, à un rythme accéléré, tous les stades de l'admission. Je subis d'abord une visite médicale rapide. L'infirmière rechercha surtout d'éventuelles blessures. Comme elle ne s'attendait pas à tomber sur des preuves tangibles d'un abus de stupéfiants, je réussis à lui cacher mon bras sans éveiller sa méfiance. On me donna un bain, des vêtements propres, un repas chaud et un lit protégé par un rideau. À ce moment-là, l'activité nocturne battait son plein ; personne ne me vit dérober un assortiment d'oreillers et de couvertures que je dissimulai sous mon lit de fer. J'errai dans le couloir proche du magasin d'habillement, attendis qu'il fût désert pour m'emparer d'une robe et d'un chapeau qui, eux aussi, atterrirent sous le lit. Les lumières – des lampes électriques – étaient encore allumées ; le bâtiment retentissait de voix féminines et de cris d'enfants. J'enlevai mes chaussures, m'allongeai sur le mince matelas et fermai les yeux. Taraudée par l'immoralité et l'illégalité de l'acte que je m'apprêtais à commettre, je crus que je ne dormirais pas. Certaines fins ne justifient pas les moyens. Toutefois, quelqu'un devait violer l'intimité de Margery et cela ne pouvait être que moi.

Je dus quand même m'assoupir. J'entendis un bruit de pas. Tout à coup, je me retrouvai dans la cave, sur le grabat bourré de paille. Je me dressai d'un bond. Contre le rideau, Ruby Hepplewhite me fixait d'un air affolé.

– Annie, que se passe-t-il ?

Je repoussai les cheveux qui tombaient sur mon visage.

– Rien, m'dame. Juste un rêve.

– Pas très agréable, semble-t-il. J'imagine que vous ne souhaitez pas porter plainte contre votre père ou contre l'autre homme ?

– Aller chez les poulets ? Oh, m'dame, me forcez pas à faire ça ! Pour le coup, y m'tuerait !

– Je vous l'ai dit, Annie. Personne, ici, ne vous obligera à agir contre votre gré. Nous vous conduirons demain à la gare et vous mettrons dans le train de Bristol. Si vous nous promettez que votre sœur est d'accord pour vous recevoir...

– Vous feriez ça, m'dame ? Vraiment ? Oh, Dieu vous bénisse ! Sûr qu'elle me veut ! Quand son bébé est né, elle m'a écrit pour me dire de venir, mais y m'a pas laissée partir. J'économiserai et je vous renverrai le pognon, m'dame. Parole.

– Ce ne sera pas nécessaire. Je vous donnerai également le nom d'une femme à Bristol. Vous irez la trouver si votre père se manifeste ou si vous avez le moindre problème. Bien... J'étais venue vous dire qu'il y a du cacao et des tartines de saindoux dans le réfectoire, si vous voulez...

– Avec joie, m'dame, répondis-je en réprimant un haut-le-cœur. Le temps de lacer mes souliers.

– J'ai beaucoup de choses à faire, mais je vous verrai demain, Annie. J'espère que vous passerez une bonne nuit.

– Merci, m'dame.

Elle s'en alla. Je me penchai pour mettre mes chaussures. Le côté amusant de ma situation commençait à s'estomper et j'avais hâte d'en finir. Je descendis au réfectoire, m'assis à côté d'enfants aux grands yeux, leur offris mes horribles tartines et chantai avec eux quelques joyeux cantiques. De retour dans mon alcôve, je griffonnai quelques mots sur une feuille de papier que j'avais chipée au passage sur un bureau. Ensuite, j'éteignis ma lumière et je m'allongeai, attendant l'extinction des feux.

Enfin, les pas cessèrent. Les voix se muèrent en chuchotements, le dernier bébé arrêta de pleurer. Quelques femmes ronflaient. Je laçai de nouveau mes chaussures neuves aux semelles de crêpe (personne n'avait remarqué, dans la rue, que la souillon marchait sans faire claquer ses talons) et, pour suggérer une forme humaine, étalai sous la couverture ce que j'avais entreposé sous le lit. J'accrochai ma vieille robe trop grande par-dessus mon manteau afin de faire croire que l'alcôve était encore occupée, posai le chapeau sur la table. De la ceinture de flanelle que je portais à même la peau et que j'étais parvenue à conserver au moment du bain et de la visite médicale, j'extirpai deux ustensiles indispensables à mon expédition nocturne : mes lunettes et mes rossignols. Holmes m'avait suggéré d'emporter aussi, outre le revolver, une torche et une pince-monseigneur, mais je savais qu'on les aurait découvertes. En prenant soin de ne pas les faire cliqueter, je mis les rossignols et les lunettes dans la poche qui contenait déjà un petit porte-monnaie, un mouchoir bon marché, un bout de crayon, une boîte d'allumettes, des cigarettes et la feuille de papier où j'avais écrit d'une main appliquée, pour soulager ma conscience :

Cher Madame Rubi Hebelwite, merci pour votre aide, je vais allé a Bristol avec un ami qui y va lui aussi. Je vous écrirais de labas. Votre Annie Mudd.

PS Cette bague en Rubi est pour vous, elle est comme votre nom.

J'enroulai le mot autour de l'anneau, glissai la bague sous le chapeau, tirai le rideau et m'aventurai dans le couloir.

Le foyer ne communiquait avec le reste du Temple que par la porte principale du rez-de-chaussée et une autre plus petite, au second étage, utilisée pendant la journée par le personnel de nettoyage et fermée à clé la nuit. Les dortoirs occupés par les femmes et les enfants étaient situés au premier, entre le rez-de-chaussée où se trouvaient des bureaux, une cuisine accolée à une infirmerie et où régnait toujours une certaine activité, et le second, qui servait surtout de remise et de logement pour quelques membres de l'équipe. À 1 heure du matin, cet étage devait être silencieux.

Mes semelles de crêpe crissèrent sur les planches nues de l'escalier, plus bruyantes que des chaussettes mais moins difficiles à justifier si quelqu'un me surprenait. Cela étant, comment aurais-je pu expliquer ce que faisait là une jeune prostituée, avec des lunettes sur le nez, des chaussures dernier cri aux pieds et des rossignols à la main ? Mieux valait ne pas y penser. Et mieux valait ne pas me faire prendre.

La porte du palier comportait une serrure solide mais rendue inoffensive par la clé pendue à un crochet dans la réserve adjacente. Je l'ouvris, remis la clé à sa place, pénétrai dans le bâtiment central, refermai la porte avec d'infinies précautions et attendis dans le noir que mes yeux distinguent la faible lumière que je savais être là. Au bout d'un moment, un rectangle à peine visible apparut, comme si le fond du couloir avait été éclairé par la lumière du dessous. Je restai immobile deux minutes encore ; puis je m'avançai lentement, les ongles de ma main gauche frôlant le papier peint.

Au bout de six pas, j'avais retrouvé mon assurance. Soudain, je m'arrêtai. Quelque chose ? J'étendis les mains, ne rencontrai que le vide. Je m'accroupis. Mes doigts entrèrent en contact avec du métal froid : un grand seau de fer-blanc et un balai-brosse posé tout à côté, attendant que je transforme, d'un coup de pied, mon expédition en vaudeville. Je les contournai et marchai plus prudemment vers la lumière.

Un grand coffre-fort n'est pas facile à cacher. Je cherchais quelque chose de plus modeste, réservé aux bijoux ou, je l'espérais, aux actes notariés, aux contrats et à la correspondance. Il me paraissait peu vraisemblable que Margery l'eût placé au rez-de-chaussée, dans une des salles publiques. D'un autre côté, j'espérais qu'elle ne l'avait pas installé dans sa chambre. Même si j'avais pris jadis des leçons avec un monte-en-l'air de haut vol qui affirmait, à mon avis sans mentir, avoir un jour verni les ongles d'un homme endormi, la perspective d'inspecter une chambre occupée ne me souriait guère.

Le bâtiment où vivait Margery était une construction de brique coincée entre le foyer et l'ancien théâtre transformé en salle de conférence. Comme pour le foyer, le dernier étage servait surtout de remise. Les appartements de Margery étaient au premier. Quant au rez-de-chaussée et au sous-sol, ils groupaient les bureaux du Temple, les salles de réunion et la future bibliothèque. L'escalier se trouvait à l'arrière du bâtiment. Un large couloir le reliait à la chambre et à la garde-robe de l'édile, qui donnaient sur la rue, et aux autres pièces : sur la gauche, la salle où se réunissaient les membres du premier cercle, puis la chapelle de leur prêtresse ; à droite, au-delà d'un petit débarras, son bureau où nous nous retrouvions pour nos leçons, et enfin la chambre de Marie la Gorgone, juste avant les deux portes de sa maîtresse, au fond du couloir, au-dessus desquelles brillait une lampe.

Dans le bâtiment, on n'entendait que les bruits lointains de la rue. Je descendis quelques marches et jetai un œil dans le couloir éclairé, avec sa moquette abricot et ses aquarelles contre les murs. Quelques marches encore : le couloir s'étirait devant moi, telle une plante carnivore guettant sa proie.

Mes semelles couinèrent sur la moquette. Mon anxiété s'accentua à mesure que j'approchais des portes de Margery. J'étais convaincue qu'elle et Marie m'observaient et bondiraient sur moi dès que j'aurais le dos tourné.

Désormais en pleine lumière, je tournai très lentement la poignée de la porte de la chapelle. Elle était ouverte. L'éternelle bougie brûlait sur l'autel, éclairant mon chemin jusqu'à la porte de la garde-robe. Celle-là était fermée.

Mes rossignols en vinrent rapidement à bout, ce qui corrobora mes soupçons : la pièce ne contenait rien d'autre que les vêtements suspendus dans l'armoire ; tous hors de prix,

Worth et Poiret pour la plupart, plus quelques Chanel, plus modernes, dont la valeur aurait fait pleurer les lutins.

Une inspection poussée ne m'apprit rien, sinon que Margery avait des goûts particulièrement exotiques en matière de sous-vêtements, et qu'elle ronflait. Je sortis, verrouillai la porte et retraversai la chapelle jusqu'au couloir.

Le bureau était, lui aussi, fermé à clé. Cette fois, la serrure tint bon. Il me fallut vingt minutes pour la neutraliser : mille deux cents secondes pendant lesquelles, en sueur, je redoutais à chaque instant de voir surgir Marie et me préparais à courir pour sauver ma vie. Enfin, le verrou céda. Je me coulai à l'intérieur du bureau, repoussai la porte et attendis, haletante, trois longues minutes. La Gorgone dormait.

Sur le point de s'éteindre, le feu projetait quelques vagues lueurs qui me permirent de constater que rien n'avait changé depuis la dernière leçon. Je progressai jusqu'au dos du canapé, saisis le châle de cachemire abandonné à sa place habituelle, revins sur mes pas pour le déployer au bas de la porte. J'enfonçai ensuite le bout de mon mouchoir dans le trou de la serrure. Dès lors, je pouvais allumer en toute sécurité.

La pièce familière s'illumina. J'avais repéré, pendant mes entretiens avec mon élève, trois endroits possibles pour cacher un coffre. Le deuxième s'avéra le bon : à l'extrême gauche du linteau de la cheminée, un bloc qui formait une corniche décorative se laissa ôter sans difficulté, révélant un petit coffret de fer doté d'une poignée sur un côté et, au milieu, d'un cadran. Pas de clé.

Je m'assis sur le bras du canapé, fixai le coffret avec hébétude. « Tu aurais dû écouter Holmes, pensai-je, le laisser agir à ta place. » Je savais qu'une bonne combinaison ne se révèle pas à l'oreille mais au toucher. Il fallait, pour la trouver, des nerfs d'acier, une patience et une concentration infinies avant de ressentir au bout des doigts, selon l'expression du cambrioleur qui m'avait initiée, « cette indicible légèreté qui précède l'instant où le mécanisme d'ouverture se libère ». Or, la concentration et le calme, voilà précisément ce dont je manquais le plus. Cinq jours plus tôt, j'étais enfermée dans une cave, droguée, à moitié affamée. Jamais je n'aurais la force d'ouvrir ce coffre. Et pourtant... Pouvais-je renoncer maintenant, si près du but ?

Je me massai les paumes, me frottai vigoureusement le bout des doigts contre le linteau pour augmenter leur sensibilité. Et je me mis au travail.

Je fus bientôt en nage, moins à cause des charbons qui achevaient de se consumer que de la tension nerveuse. Au bout d'une demi-heure, le tremblement des muscles de mon dos se transmit à mes mains. Je dus m'arrêter, effectuer une série de mouvements de gymnastique.

Une heure s'écoula, puis deux. La joue contre la cheminée, les yeux clos, tout mon être focalisé sur la parcelle de peau qui caressait le cadran, je travaillais dix minutes. Ensuite, le tremblement de mes muscles m'empêchait de poursuivre. Exténuée, je me redressais, m'étirais, m'allongeais sur le canapé, me relevais, reprenais mes exercices d'assouplissement avant de revenir au coffre.

Enfin, à 5 h 20, trois heures et six minutes après que j'eus commencé, l'impalpable douceur allégea le cadran et le mécanisme se libéra.

Je m'assis, me frictionnai le visage. Je ne sentais plus mes joues ni mes doigts. Je chaussai mes lunettes puis transportai le contenu du coffre jusqu'à la table.

Les secrets de Margery Childe étaient peu nombreux mais significatifs. J'ai une excellente mémoire visuelle. Toutefois, après l'effort harassant que je venais de fournir, je préférai noter, avec son propre stylo, tous les éléments de sa vie cachée. Il y avait, dans l'ordre chronologique :

Un extrait d'acte de mariage, célébré le 23 mai 1915 avec un commandant Thomas Silverton.

Une Military Cross attachée à son ruban pourpre et blanc.

Un télégramme commençant par : « Nous avons le regret de vous informer », envoyé le 3 novembre 1916.

Un second extrait d'acte de mariage, cette fois en français, daté du 9 décembre 1920 – à peine deux mois auparavant. Margery apparaissait sous son nom de jeune fille, sans mention de celui de Silverton. Son mari s'appelait Claude de Finetti et avait une adresse à Londres. Profession : « Rentier ».

Un testament olographe, rédigé par Margery. Marie et une autre femme, peu instruite d'après son écriture, avaient signé comme témoins. Margery léguait la moitié de ce qu'elle possédait à son mari, l'autre moitié au Nouveau Temple de Dieu.

Un autre testament, écrit de la même main que celle qui avait signé « Claude de Finetti » sur l'acte de mariage, daté du même jour que celui de Margery et validé par les mêmes témoins. Finetti laissait tous ses biens à son épouse.

Je scrutai longuement l'écriture de cet homme qui usait d'un faux nom. Elle dévoilait son opportunisme, son égoïsme et sa duplicité. La forme de ses « *m* », de ses « *t* », ses traits et ses boucles trahissaient son absence de scrupules, sa perversité. Je sus alors, sans l'ombre d'un doute, qu'il s'agissait de mon ravisseur.

– Claude, grommelai-je, nous te tenons.

Il y avait également quatre brèves missives adressées à « Ma femme chérie » et signées simplement « C ». Après un coup d'œil à la première, je la lâchai comme si elle m'avait brûlée. Mon impulsion initiale fut de les jeter toutes au feu, la seconde de m'en détourner sans les lire. Ensuite, à contrecœur, je les parcourus. Il s'agissait, pourrait-on dire, de lettres d'amour, si l'on donne à ce mot le sens le plus large possible. Je relevai les détails les plus intéressants – « jeudi dernier » ; le titre d'une pièce ; un restaurant – puis les repliai en ayant l'impression de me salir les doigts. Elles expliquaient, dans une certaine mesure, les allusions étranges et ferventes de Margery au don de soi et à la discipline.

Il était 5 h 37. Je me hâtai de tout ranger, effaçai mes empreintes du manteau de la cheminée, au cas où j'aurais dérangé quelque chose sans m'en apercevoir, replaçai le fauteuil devant la table, le stylo de Margery dans le plumier.

Il fallait que je m'en aille. Pourtant, l'ouverture du coffre avait insufflé un peu de vie dans mon cerveau et une question me vint à l'esprit : comment Margery pénétrait-elle dans cette pièce, échevelée et maculée de sang, sans être vue dans la rue ?

Le mur de la bibliothèque dissimulait-il une ouverture ? Non. Un examen approfondi ne révéla aucun interstice.

Je scrutai alors la corniche qui cachait le coffre, puis l'autre extrémité de la cheminée.

Là s'alignaient des étagères couvertes de photographies et de divers bibelots. Supposant que la personne qui avait conçu la niche avait le sens de la symétrie, j'appuyai doucement sur le motif décoratif qui masquait le coffre. Il se produisit un léger déclic et, de l'autre côté, derrière les étagères, le mur bougea.

Alors que j'admirais fièrement mon œuvre, un autre bruit me parvint depuis le couloir. Je réagis sur-le-champ. Je me précipitai vers la porte, la déverrouillai, éteignis la lumière, arrachai mon mouchoir du trou de la serrure, ramassai le châle, le jetai sur le dos du canapé, gagnai silencieusement le panneau secret, le tirai à moi et me faufilai dans le noir. Je ressortis aussitôt, débarrassai la table de mes notes, retournai vers le passage. Une fois de l'autre côté, je ramenai la porte dérobée vers moi. Elle tourna sur ses gonds bien huilés, se referma avec un petit claquement sec au moment même où la lumière jaillissait dans la pièce. Un rayon effilé traversa le mur et glissa sur mon épaule. J'appliquai mon œil contre le trou, percé sans doute pour permettre à Margery de s'assurer, quand elle avait emprunté le passage, que l'accès du bureau était libre.

Elle entra, d'une démarche fatiguée, vêtue d'une robe de chambre miroitante, ébouriffée et bouffie de sommeil. En dépit de son âge, elle était bien plus belle dans cette attitude relâchée que figée dans son personnage officiel. Avec la sensation de me comporter en voyeuse, je la regardai s'approcher du feu, ajouter du charbon dans l'âtre avant de se laisser tomber sur le canapé en se grattant la tête. Elle replia ses jambes sous elle, attrapa d'un air absent le châle roulé en boule derrière elle et s'en enveloppa les épaules, sans remarquer son désordre.

J'étais sauvée, du moins pour le moment. Margery ne s'apprêtait pas à me suivre dans le passage, qui, à en juger par le courant d'air qui me frôlait les chevilles, s'enfonçait très loin derrière moi, ni à aller travailler à sa table, où la chaleur de la lampe lui aurait appris que quelqu'un s'en était servi récemment.

Elle resta assise, à fixer le feu sans le voir. J'entendis du mouvement dans la chambre de Marie : de l'eau qui coulait, une porte qui se fermait. Elle apparut quelques minutes plus tard, impeccablement coiffée, engoncée dans son uniforme gris et portant un plateau. Elle salua sa maîtresse, posa près d'elle le nécessaire à thé, activa le feu, puis laissa Margery à ses songeries et moi à mon dilemme.

J'avais prévu, à l'origine, de descendre les escaliers et de sortir par l'entrée principale en passant, courbée, devant le veilleur de nuit endormi, en escomptant que le mystère d'une porte déverrouillée, sans trace de cambriolage, serait vite oublié. À présent, j'étais piégée.

À moins que...

Non. J'avais eu ma dose d'endroits sombres. J'attendrais que Margery aille s'habiller, puis je sortirais. Le Temple, en ce dimanche matin, serait quasiment désert.

Combien de temps ? Deux, trois heures ? Grâce au thé du foyer, ma vessie allait éclater.

Ce fut, je dois l'avouer, la perspective d'avoir à me soulager sur place qui, jointe aux sordides souvenirs de ma captivité, me décida à plonger dans les ténèbres.

Je brandis ma boîte d'allumettes, comme un talisman contre la nuit. J'en craquai une, avançai rapidement jusqu'à ce qu'elle me brûle les doigts. Je savais que, si je m'étais fiée à mes sens, ils m'auraient guidée, mais je préférai me raccrocher à ma faible lumière. Il me restait trois allumettes quand je parvins au bout du passage.

Il aboutissait à une porte étroite. Elle s'ouvrit facilement sur un autre passage tout aussi exigu et qui, merveille des merveilles, était à ciel ouvert. Je me faufilai entre deux bâtiments, débouchai sur un trottoir et humai enfin l'air du matin.

Parallèle à celle de l'entrée principale du Temple, la rue me donna un avant-goût du paradis. La brume de l'aube était le souffle de Dieu, les premiers passants ressemblaient à des anges. Je tournai au coin du dernier pâté de maisons et, talonnée par la crainte de tomber sur un sergent de ville ou des adeptes de Margery, remontai l'autre rue jusqu'à ce que je rejoigne Holmes. Petit Bouton-d'Or avait disparu depuis longtemps, remplacée par un ouvrier anonyme. Je lui saisis la main, ce qui me surprit autant que lui.

Plus incroyable encore, je ne la lâchai qu'une fois dans l'appartement.

21

Dimanche 6 février

Ton mari ne sollicite de toi d'autre tribut
Que l'amour, la loyauté et l'obéissance,
Faibles gages pour tout ce que tu lui dois...
SHAKESPEARE

Ce geste ridicule sembla convaincre Holmes que j'étais à bout, aussi bien physiquement que moralement. Il insista pour que je me déshabille et que je prenne un bain avant de faire honneur au petit déjeuner que Mme Q m'apporta dans ma chambre. Toujours affublé de sa panoplie d'ouvrier, il s'assit sur le rebord de mon lit de cocotte, resta silencieux jusqu'à ce que j'aie avalé ma dernière tartine. Sa sollicitude me stupéfia. D'ordinaire, il traitait mes faiblesses comme les siennes : en les ignorant. Peut-être, ainsi que l'avait suggéré Q, les jours précédents avaient-ils été aussi pénibles pour lui que pour moi. Les yeux frôlant le bord de ma tasse, je lui racontai par le menu les événements de la nuit, l'informai de ce que j'avais découvert dans le bureau de Margery. Il s'installa dans un petit fauteuil de satin rose d'un goût douteux, m'écouta les yeux fermés. Mon récit terminé, j'attendis sa réaction. Il ne bougea pas, comme endormi. Je reposai bruyamment ma tasse dans sa soucoupe et ses paupières se soulevèrent.

266

– Holmes, je ne vous ai jamais demandé... Comment m'avez-vous trouvée, dans cette maison de l'Essex ?

Il se pencha, se servit de café. Je crus qu'il ne me répondrait pas. Il porta sa tasse à ses lèvres. Puis il déclara :

– Ma carrière est jalonnée d'erreurs que Watson, tout à ses hagiographies, a passées sous silence. Mais jamais, Russell, je ne me suis montré aussi incompétent que lors de votre enlèvement. Figurez-vous que je n'ai pris conscience de votre disparition que le vendredi matin.

– Quand on ne m'a pas vue à la présentation de mon travail universitaire. Pourquoi Duncan ne s'est-il pas alarmé plus tôt ? Nous avions prévu de passer le mercredi ensemble... Holmes ! Vous y étiez !

– J'y étais, effectivement, et pas même déguisé. J'ai perçu dans la salle un mouvement de panique typiquement oxfordien : murmures indistincts, molles torsions des mains. Margery Childe était là, elle aussi. Votre collègue Duncan m'a avoué, après de multiples circonlocutions, qu'il ne vous avait pas croisée depuis une semaine. Quant à Mlle Childe, que j'ai abordée, elle m'a confié sa déception. Vous lui aviez promis de passer au Temple mais, retenue sans doute par d'autres obligations, vous ne l'aviez pas fait. Je suis allé interroger votre logeuse, qui m'a assuré que vous n'aviez pas couché dans votre chambre depuis neuf jours. Il m'a fallu le reste de la journée du vendredi pour apprendre que vous étiez montée dans le dernier train du samedi précédent, la matinée du lendemain pour réunir une équipe d'enquêteurs. Ils ont retrouvé un chef de gare qui se souvenait d'avoir croisé des Londoniens ivres encadrant une femme inconsciente. Le groupe était parti dans une Ford. Vous n'imaginez pas le nombre de fermiers qui se rappelaient avoir entendu passer une Ford sur les routes de campagne aux petites heures de la matinée du dimanche, et ce aux quatre coins du comté que j'ai quadrillé dès le lundi, avec...

La sonnerie du téléphone lui coupa la parole. Q répondit, avant d'apparaître sur le seuil et de me montrer le récepteur fixé près de mon lit, sans doute pour la commodité de dames

267

somnolant jusqu'à midi. Je n'entendis, en portant l'écouteur à mon oreille, qu'une cacophonie de voix masculines.

– Je ne comprends rien ! Qui est-ce ?

– Mademoiselle Russell ? Eddie à l'appareil. Elle est sortie. M. Homes est là ? Il m'a demandé d'appeler si elle s'en allait. Mon cousin la suit, mais il m'a chargé de vous prévenir, ainsi que M. Holmes. Il est là ?

– Eddie, où êtes-vous ?

Holmes se figea.

– Devant le Temple, mam'selle. Elle se dirige vers la Tamise. Billy est sur ses talons. Elle est sortie avec le dragon. Elle a tourné deux ou trois fois dans le quartier, puis elle a renvoyé l'autre bonne femme et s'est tirée.

– Restez où vous êtes, Eddie ! Nous serons là dans cinq minutes.

Je posai l'écouteur, sautai hors du lit. Holmes était déjà devant la porte.

– Russell, vous n'êtes pas en état de...

– La ferme, Holmes ! Commandez un taxi !

Lorsque je commençai à ôter le peu de vêtements que j'avais sur le dos, il s'empressa de disparaître.

En guise de taxi, je trouvai Q au volant de la voiture, Holmes sur le siège avant. Je bondis à l'arrière et l'auto démarra avant que j'aie claqué la portière.

Aux abords du Temple, déserts en ce dimanche matin, un échalas de seize ans, en planque devant un marchand de journaux, nous adressa un signe. Je lui ouvris la portière et il monta près de moi. Après m'avoir saluée d'un bref hochement de tête, il s'adressa à Holmes avec la même fébrilité qu'au téléphone.

– 'Jour, m'sieur Holmes. Billy m'a dit de vous dire qu'il a fait ce que vous lui avez dit, m'sieur. On a laissé des p'tits cailloux partout où elle est passée. Lui, il la quitte pas.

Des petits cailloux, il y en avait effectivement tout le long du chemin. Nous les ramassâmes en cours de route, en commençant par une petite fille de six ans et en finissant par un vieillard appuyé sur sa canne. J'avais déjà serré la main de huit des innombrables cousins de Billy lorsque Holmes ordonna d'un ton sec :

– Baissez-vous !

Tout le monde obéit. La voiture dépassa lentement Billy, puis Margery Childe, avant de se garer contre le trottoir, une rue plus loin. Je descendis en même temps que Holmes.

– Q, dis-je à mon majordome, je veux que vous rameniez tous ces gens chez eux. Si vous trouvez un salon de thé ouvert en chemin, offrez-leur d'abord un petit déjeuner. Je vous rembourserai.

Sans tenir compte de leurs protestations, je leur claquai la portière au nez. Tandis que l'auto s'éloignait, Holmes et moi nous pressâmes contre l'encoignure d'une porte en attendant le passage de Margery. Nous interceptâmes ensuite Billy et lui demandâmes de rester en arrière.

Sans aucun doute possible, elle se dirigeait vers le fleuve. Elle se retourna deux fois, mais Holmes et moi anticipâmes son mouvement et elle ne nous vit pas. Elle alla droit vers la Tour de Londres, s'engagea sur le pont. Nous la suivîmes au-dessus des eaux glacées et grises, en gardant nos distances. Une fois sur la berge, elle s'achemina vers l'est, jusqu'aux chantiers navals de la rive sud. Il nous fallut presque courir pour ne pas la perdre dans ce dédale de venelles crasseuses où le soleil ne pénétrait jamais.

Nous nous trouvions près de Greenwich quand, nous dépêchant pour la rattraper alors qu'elle venait de tourner à l'angle d'un entrepôt, nous eûmes juste le temps de voir son manteau disparaître.

– Enfin ! grommela Holmes. J'ai cru qu'elle allait marcher jusqu'à Douvres. Restez là. Suivez-la si elle réapparaît. Je vais placer Billy à l'autre extrémité du bâtiment, au cas où il y aurait, au fond, une porte de sortie.

Il se fondit dans l'ombre.

Un bobby consciencieux peut être, à Londres, la pire des calamités. L'un d'eux tomba sur moi au bout de cinq minutes. Jaugeant mon costume d'homme et mes cheveux teints au henné, il me demanda rudement ce que je faisais là. Je le toisai d'un air condescendant avant de répondre, avec l'accent le plus snob possible :

– Apprenez, mon jeune ami, que vous parlez à Margaret Farthingale Hall. Lady Margaret Hall. Vous avez devant vous la rescapée d'une soirée interminable et assommante donnée hier soir par Jeffie Norton, la star de cinéma américaine. Un bal costumé, ainsi que vous pouvez le constater. La dernière fois que je l'ai vu, mon chevalier servant était déguisé en danseuse des Folies Bergère. L'auriez-vous croisé, par hasard ? Non, ce serait trop beau. Le connaissant, il attend, tapi dans un coin, que vous passiez votre chemin. C'est un garçon charmant, mais excessivement conformiste quand le champagne ne le déride pas. Aussi, si vous aviez la bonté de poursuivre votre ronde...

Je lui tournai le dos. Un agent plus âgé aurait insisté, mais j'avais intimidé celui-là, plus sensible à ma voix et à mon attitude qu'à mon apparence. Après m'avoir fait la morale, il me laissa à ma surveillance.

Un quart d'heure plus tard, la silhouette de Holmes se profila dans l'encadrement de la porte par où Margery s'était volatilisée. Je courus vers lui et me glissai à l'intérieur.

Je butai, juste à l'entrée, sur un corps étendu, ligoté et bâillonné.

– Le seul garde ? murmurai-je.

– Il y en a un autre à l'arrière. Aidez-moi à pousser celui-là.

Je saisis l'homme par les pieds, le lâchai presque en détaillant ses traits.

– Holmes, c'est le complice de mon geôlier.

– Bien, dit-il.

Ce fut sa seule remarque, mais il ne manifesta aucune douceur en tirant le corps dans un bureau attenant.

– Elle est là-haut, chuchota-t-il. Deuxième étage, d'après l'intensité des bruits. L'endroit paraît désert.

– Peut-être sont-ils tous à l'église.

L'entrepôt s'élevait sur deux étages. Il ne contenait, apparemment, que de gros rouleaux de corde et des ballots

270

d'étoffes. Des voix indistinctes et chargées de colère nous parvenaient du second. Elles se précisèrent à mesure que nous montions les marches en silence : un homme qui menaçait, une femme qui criait. Même si je ne l'avais jamais entendue s'exprimer de la sorte, je reconnus Margery. Quant à l'homme, c'était Claude Franklin, mon ravisseur : son mari.

Je me sentis vaciller. Holmes me retint par le coude.

– Prenez le revolver, chuchota-t-il en me le tendant.

Je m'en emparai machinalement, puis le remis dans sa main.

– Gardez-le, murmurai-je. Je serais capable de me tirer une balle dans le pied.

Il le glissa dans sa ceinture. Nous poursuivîmes notre ascension, le craquement de nos pas sur les vieilles marches étouffé par les voix. Il semblait n'y avoir personne d'autre dans le bâtiment.

– Comment as-tu pu penser que je ne découvrirais rien ? vociférait Margery. Je me suis peut-être montrée incroyablement stupide, mais quand j'ai appris, vendredi, la captivité de Mary et, ensuite, l'existence de son testament... C'est à cause de cela que tu as été absent tout ce temps, n'est-ce pas ? Avais-tu l'intention de... L'aurais-tu tuée ? Pour son argent ? s'écria-t-elle.

– Pauvre idiote ! Pourquoi crois-tu que je t'aie épousée ? Pourquoi crois-tu que je t'attendais dans ce bouge tous les mardis soir ? Pour ta conversation ?

Si nous avions deviné un mouvement dans la pièce pendant le long intermède qui suivit, nous serions intervenus. Mais il ne régnait que le silence. Enfin, Margery parla, cette fois aussi maîtresse d'elle-même qu'au cours de nos leçons.

– Cet homme au poignard... C'est toi qui l'as envoyé, n'est-ce pas ? Les coups ne te suffisaient pas. Je l'ai tout de suite compris, même si je refusais de l'admettre. Pourtant, c'était vrai. Et cet homme est mort. Tu l'as éliminé, lui aussi ? Tu voulais ma mort pour t'emparer de l'argent du Temple. Mon Dieu, quel genre de monstre es-tu ?

Je regardai Holmes, aussi tendu que moi.

— Il va la tuer, murmurai-je.

— C'est peut-être ce qu'elle cherche.

— Ce qui signifie, poursuivit Margery, qu'après avoir appris qu'elle avait rédigé un testament, tu aurais tué Mary. Pourquoi ris-tu ?

— Tu es vraiment trop bête !

— Pourquoi ?

— Elle n'a jamais fait de testament. Je l'ai écrit à sa place.

Le silence fut plus bref que le premier, comme si Margery commençait à s'habituer à un scénario trop machiavélique pour elle.

— Tu as décidé de me tuer pour mon argent. Elle m'a sauvé la vie. Alors tu l'as enlevée et tu as fabriqué un faux testament. Tu l'aurais supprimée si la police ne l'avait pas retrouvée. Ensuite, tu aurais tenté une nouvelle fois de m'assassiner. Tu n'es pas un être humain, Claude. Ta propre femme, pour hériter d'elle...

Elle s'interrompit. Puis elle reprit, exprimant pour la première fois une horreur absolue :

— Iris ! Mon Dieu, tu as tué Iris ! Est-ce cela qui t'a donné l'idée ? Qu'elle m'ait légué sa fortune ?

— Margery, répliqua-t-il d'un ton presque affectueux, j'ai programmé tout cela l'été dernier. Bien avant notre mariage.

— Delia ? gémit-elle. Oh, non, non !

— Écoute, je dois m'en aller. Je ne veux pas te faire de mal, Margery. Je t'appréciais, vraiment... Maintenant, tout est foutu. Un an de travail anéanti par cette maudite Russell. Il va falloir que je garde un profil bas pendant au moins deux ans. Impossible de prendre le risque de revendiquer ta succession.

— Je ne te laisserai pas partir ! s'exclama-t-elle.

— Tu n'as pas le choix.

— Si tu m'abats, tu mourras.

Il y avait de la détermination dans sa voix ; pas de la peur.

Holmes et moi avions déjà bondi. Nous enfonçâmes la porte une seconde avant le coup de feu. Le vieux bois céda sous nos deux poids. Nous nous précipitâmes à l'intérieur, Holmes le revolver pointé et moi roulant au sol, coordonnant nos gestes comme si nous les avions répétés. Assis derrière un lourd bureau de chêne, Franklin visait Margery. Il braqua son arme vers nous, tira deux fois. Une troisième détonation retentit derrière moi. Je me redressai à temps pour voir Franklin chanceler, puis s'affaisser. Il y eut un sifflement derrière le bureau, suivi d'un choc sourd. Holmes fit trois pas de côté. Puis il s'immobilisa et reprit son souffle.

Franklin s'était évaporé.

Une traînée de sang maculait le sol. Je repris mes esprits et me tournai, accroupie, vers Margery. Holmes faisait courir ses mains sur la paroi, cherchant le panneau secret.

– Comment va-t-elle ? questionna-t-il par-dessus mon épaule.

– Elle s'en sortira, répondis-je en me redressant. La balle a traversé sa clavicule, sous l'articulation, mais la blessure semble propre.

– Nous n'avons plus rien à faire ici, grommela-t-il.

– Nous aurions dû nous douter qu'il y aurait, ici aussi, un passage secret.

– Si nous l'avions su, cela n'aurait rien changé. Pouvez-vous la laisser là ?

– Oui.

Nous dévalâmes l'escalier, laissant toutes les portes ouvertes, déboulâmes dehors et nous retrouvâmes nez à nez avec le servent de ville.

– Qu'est-ce que c'est que ce raffut ?

Holmes l'esquiva et le dépassa. Quant à moi, je réussis à échapper à son étreinte.

– Vous trouverez une femme blessée au deuxième étage. Elle a besoin d'un médecin. Nous poursuivons l'homme qui l'a abattue. Je suis pressée.

Bien entendu, cela ne lui plut pas et il se mit à courir lourdement derrière moi. Billy avait, hélas pour lui, choisi ce moment pour se joindre à la traque. Il fut capturé tandis que je continuais, en dépit de mes jambes pesantes, à gagner peu à peu du terrain sur Holmes. Je le rattrapai sous une grue, au milieu d'une jetée entourée de barges de charbon. Haletant, incapable de parler, il me montra le fleuve.

Poussée par le courant, une petite yole aux rames rentrées s'éloignait du flanc luisant d'une vedette, légèrement en amont. La vedette toussa, cracha un nuage de fumée poussif. Je cherchai désespérément des yeux une embarcation que nous aurions pu voler. Sans hésiter, Holmes ôta son manteau et se baissa pour délacer ses chaussures. Je l'imitai, tout en essayant de le dissuader.

– Il y a un bateau amarré au quai suivant. Il vaudrait mieux sauter dedans et foncer prévenir la police fluviale. Si elle télégraphiait à tous les postes de la Tamise, on pourrait l'intercepter avant qu'il n'atteigne la mer. Holmes, nous ne le rattraperons jamais à la nage.

– Vous ne nagerez nulle part. Dans votre état, vous couleriez à pic. Et que deviendrais-je ?

– Ne discutez pas. Je viens avec vous, affirmai-je en délaçant mon second soulier.

Ma vision se brouilla un instant, puis redevint claire. Holmes se tenait toujours à mon côté, observant mes efforts.

– Pas question, dit-il.

Quelque chose d'incroyablement lourd heurta ma tête et je sombrai aussitôt dans le noir.

Je revins à moi peu à peu, comme si je me hissais au sommet d'une falaise. Je levai enfin ma tête tournoyante, sur les planches à la puanteur de goudron, de crottin et de poisson pourri. Je n'avais perdu conscience qu'une minute ou deux. La vedette était encore là, qui pivotait vers l'aval tandis que ses amarres se libéraient. Une silhouette trapue, aux cheveux noirs, descendit le pont en direction de la barre. Alors que le canot continuait à pivoter, une seconde silhouette apparut, un homme mince et de haute taille qui escaladait la coque comme une araignée, le bas du corps encore immergé. La silhouette trapue passa devant lui sans le voir. Holmes se hissa sur le pont et se précipita sur lui.

Il avait agi une seconde trop tard ou trop lentement. Peut-être Franklin était-il trop rapide. Holmes réussit à agripper son arme. Les deux hommes s'affrontèrent sur le pont tandis que le bateau virait paresseusement et que les autres embarcations se croisaient sur le fleuve sans que leurs équipages se rendent compte de ce qui se passait. Le bateau filait à présent dans le sens du courant. Les deux hommes disparurent de ma vue. Un coup de feu résonna, puis un autre. Sans résultat : lorsque le canot tourna de nouveau, les deux hommes se battaient toujours. Franklin était robuste. Mais Holmes était plus grand que lui et le canon du revolver était pointé vers le pont. Une troisième détonation retentit ; le bateau tourna encore une fois. Une barge à voile, chargée de crottin de cheval, voguait vers lui. Les mariniers crièrent pour que la vedette s'écarte. Trop tard. Les deux embarcations se heurtèrent avec violence.

Je ne sus jamais si la troisième balle perça le réservoir de la vedette ou s'il se brisa en percutant la barge ; mais la fumée qui s'échappait de sa cheminée changea d'aspect. Quelques secondes plus tard, des étincelles en jaillirent, puis des flammes, suivies d'une explosion sourde. En trente secondes, la vedette s'embrasa. Les mariniers hurlèrent. Ils réussirent à repousser le bateau avec des perches, en le tenant à distance.

Il lui fallut seulement deux ou trois minutes pour brûler jusqu'à la ligne de flottaison et couler.

Mes genoux se dérobèrent sous moi. Je m'effondrai au bout de la jetée, sur un gros rouleau de corde. Devant moi, des hommes s'agitaient sur des embarcations de toutes sortes, criaient, couraient, juraient, gesticulaient, hélaient une vedette de la police. Les mariniers de la barge formaient une rangée le long du bastingage, subjugués, figés dans l'attitude de ceux qui contemplent la mort.

Les yeux rivés sur les fragments de planches en flammes et sur les autres vestiges fumants de la vedette, je restai immobile, insensible à ce qui m'entourait. Comme c'était étrange ! Je regardais les bateaux se regrouper, attendant que l'horreur m'envahisse, qu'une impulsion me précipite en hurlant dans le fleuve, ou dans la folie, mais je n'éprouvais rien. J'étais vide.

Après un long, très long moment, l'eau remua sous mes pieds. Je baissai la tête. Près de moi flottait une silhouette ovale surmontée d'un fouillis sombre, coiffée de débris et d'écume. Elle s'adressa à moi avec l'accent traînant des faubourgs :

— Donnez-moi un coup d'main, ma jolie.

— Holmes ? murmurai-je.

Je m'agenouillai, allongeai le bras, le plongeai dans l'eau et tirai à moi la carcasse ruisselante d'un homme en manches de chemise, pieds nus, la moitié des cheveux arrachés, couvert d'huile, de saletés, et exposé à toutes les maladies d'Europe. Après l'avoir aidé à se redresser, je lui sautai au cou et plaquai ma bouche contre la sienne. Pendant une longue minute, nous ne fîmes qu'un.

Tout d'un coup, je reculai ; et je le frappai. Rien de très original : une bonne gifle traditionnelle, bien féminine, assénée de toutes mes forces. Elle l'atteignit en pleine mâchoire et le renvoya presque dans l'eau. Je lui jetai un regard furibond.

— Ne refaites jamais ça ! Jamais !

— Russell, je n'ai pas...

— M'assommer et me laisser derrière vous... Holmes, comment avez-vous pu ?

— Nous n'avions pas le temps de discuter.

— Ce n'est pas une excuse. N'envisagez même pas de recommencer.

— Vous auriez fait la même chose si vous aviez eu le choix.

— Jamais ! Enfin, probablement pas.

— Je vous demande pardon d'avoir pris la décision à votre place, Russell.

— J'exige votre parole !

— Très bien, je le jure. La prochaine fois, je laisserai le criminel s'échapper pendant que nous débattrons pour savoir qui fait quoi.

— Bien. Merci.

Il se massait le maxillaire. Je tâtai la bosse qui gonflait mon crâne.

— Ma tête me fait mal. Avec quoi m'avez-vous frappée ?

— Ma main. Je crois que je me suis cassé un os, ajouta-t-il en la pressant doucement.

— Ça vous apprendra.

J'enlevai de sa joue un morceau de paille pourrie, ôtai un bout de papier journal imbibé d'huile qui collait aux restes carbonisés de son col. Il sortit de sa poche un mouchoir dégoulinant, le déplia et le passa sur son visage, ses cheveux et ses mains. Puis il l'examina distraitement, constata qu'il était devenu plus noir qu'un chiffon de mécanicien, le laissa tomber dans le fleuve et se tourna de nouveau vers moi, le visage impénétrable.

— Un bain et quelques piqûres ne seront pas de trop, Holmes, commentai-je.

Je n'eus pas le temps d'aller jusqu'au bout. Au troisième mot, il fit un pas en avant, enroula ses bras autour de moi. Sa bouche se posa sur la mienne avec toute la force dont le tranchant de sa main avait fait preuve sur ma tête, et avec exactement le même effet sur mes genoux.

Comment pouvait-il le savoir ? Comment pouvait-il connaître mon corps mieux que moi ? Comment pouvait-il prévoir que l'ongle d'un pouce remontant le long de ma colonne vertébrale...

— Seigneur, dit-il en embrassant mes cheveux, j'ai envie de faire ça depuis que j'ai posé les yeux sur vous pour la première fois.

... arquerait mon corps contre le sien, fermerait mes yeux, bloquerait ma respiration dans ma gorge ? Que ses lèvres

*à l'intérieur de mon poignet ou au creux de ma joue bou-
leverseraient tout mon être...*

— Holmes, objectai-je en reprenant mon souffle, quand
vous m'avez vue pour la première fois, vous m'avez prise
pour un garçon.

*... que sa bouche au coin de la mienne serait si cruelle-
ment tentante, qu'elle m'enflammerait au point...*

— Ne croyez pas que cela ne m'ait pas plongé quelques
minutes dans la consternation la plus profonde, avoua-t-il.

*... qu'un seul baiser déclencherait en moi le désir irré-
sistible d'en recevoir d'autres ?*

Quand il s'écarta de moi, il laissa, heureusement, ses
mains sur mes épaules.

— Mesurez-vous à quel point toute cela est catastro-
phique ? Je suis vieux, acariâtre, maniaque. Je vous donnerai peu d'affection et vous causerai beaucoup d'exaspération. Vous savez déjà combien je peux être insupportable.

— Vous fumez un tabac infâme, vous disparaissez dans
les bas-fonds pendant des jours. Ne parlons pas de vos répu-
gnantes expériences chimiques... Holmes, s'agit-il d'une
demande en mariage ?

— Vous faut-il une sollicitation dans les règles ? Voulez-
vous que je mette un genou en terre ? Je le ferai si vous le
souhaitez, même si mes rhumatismes viennent de se rappeler à mon bon souvenir.

— Ils vous perturbent lorsque cela vous convient, Holmes.
De toute façon, si vous me proposez de m'épouser, autant
rester calé sur vos pieds. Très bien, j'accepte ; à la condition
expresse que vous ne cherchiez plus à m'épargner un danger
en me donnant un coup sur la tête ou en employant la ruse.
Je n'épouserai pas un homme dont je devrai me méfier
chaque fois qu'il marchera derrière moi.

— Russell, je vous fais le serment d'essayer de contrôler
mes impulsions chevaleresques. De votre côté, vous devrez
accepter qu'il puisse y avoir des moments, uniquement à
cause de ma plus grande expérience, je m'empresse de le

préciser, où je serai forcé de vous intimer un ordre sans réplique.

– Si vous le donnez à votre assistante et non à votre épouse, j'obéirai.

Ces négociations sur les clauses de notre contrat de mariage étant terminées, nous nous regardâmes droit dans les yeux. Et nous nous serrâmes vigoureusement la main.

Post-scriptum

> *Étant regardés comme imposteurs, quoique*
> *véridiques, comme inconnus, quoique bien connus,*
> *comme mourants, et voici, nous vivons ; comme*
> *châtiés quoique non mis à mort ; comme attristés,*
> *et nous sommes toujours joyeux ; comme pauvres,*
> *et nous en enrichissons plusieurs ; comme n'ayant*
> *rien, et nous possédons toute chose.*

SAINT PAUL
Seconde Épître aux Corinthiens, 6, 8-10

Il ne peut y avoir de fin définitive à une histoire comme celle-ci. Il faut pourtant y mettre un terme. Toutefois, à l'intention de ceux qui désireraient en savoir plus, je rapporterai deux conversations que j'eus dans le cours de l'année.

La première se tint à la fin du printemps, six ou huit semaines après les ultimes rebondissements de cette affaire, lorsque Veronica me téléphona dans le Sussex. Miles était parti en voyage aux États-Unis, mais elle venait de recevoir un télégramme de lui, expédié de Washington.

— Il rentre plus tôt au pays. Il revient vers moi, Mary.

— L'a-t-il dit ?

— Voici ses mots exacts : « Qu'est-ce que je fais chez ces goujats ? » Il sera bientôt là.

– J'en suis très heureuse, Ronnie. J'espère que ce sera un beau mariage.

– Avec nos deux familles, tu peux y compter. Il n'y aura sans doute pas de bal, à cause d'Iris. Mais c'est mieux ainsi. Miles danse presque aussi mal que moi.

Ils se marièrent dans un nuage de roses blanches. Elle le garda trois ans et lui donna un enfant avant de le perdre en 1924, tué en Irlande par un tireur embusqué.

L'autre conversation eut lieu quelques mois plus tard.

L'enquête qui suivit le repêchage du corps de Claude Franklin, alias Calvin Franich, alias Claude de Finetti, aboutit à l'inculpation, pour complicité, de deux membres du premier cercle, Susanna Briggs et Francesca Rowley, et des hommes arrêtés dans l'entrepôt, tous deux impliqués dans mon enlèvement. Margery Childe ne fut pas inquiétée. Rien ne prouvait qu'elle était au courant des crimes et des assassinats perpétrés par son mari. Après l'échange verbal que Holmes et moi avions surpris, même l'inspecteur Lestrade dut admettre que, si elle avait été aveugle, elle n'avait rien à se reprocher. La justice ne retint aucune charge contre elle. Elle, en revanche, refusa de s'absoudre. En signe de pénitence, elle se dépouilla de tout. Elle rendit l'argent qu'on lui avait légué aux familles des femmes assassinées, laissa le reste des avoirs du Temple aux membres du premier cercle qui lui demeuraient fidèles. Elle s'embarqua pour la côte occidentale de l'Afrique, où, appréciée pour son charme et sa compétence, elle ne fit que du bien autour d'elle et fut aimée de tous, jusqu'à son décès lors d'une épidémie de choléra, en 1935.

Je lui rendis visite le soir qui précéda son départ, dans la pension de Portsmouth où elle logeait. En robe de tweed et cardigan de laine, mornes vêtements qui symbolisaient son renoncement, elle me reçut dans le salon poussiéreux de sa logeuse, me servit du thé dans une théière ébréchée à fleurs. Une pluie lugubre battait les fenêtres.

– Je croyais accomplir la volonté de Dieu, me confia-t-elle d'une voix éteinte. Je pensais la connaître. J'étais même sûre que, parfois, Il me parlait. L'orgueil, le pire des péchés mortels... Et vous qui, justement, sembliez pétrie de cet orgueil et indifférente à la personne sacrée de Dieu, vous aviez raison. Je ne comprends pas. Pas du tout.

Elle n'exprimait ni hargne ni peine. Simplement de la stupeur. Je me sentis pleine de compassion pour elle. Effectivement, elle n'avait péché que par orgueil.

— Margery, rabbi Akiba raconte cette histoire. Un roi avait deux filles. La première était belle et douce. Chaque fois qu'elle demandait quelque chose à son père, il prenait son temps avant d'accéder à sa requête, pour pouvoir admirer sa grâce, se délecter de sa voix musicale et de sa vivacité d'esprit. Sa malheureuse sœur, elle, était une harpie vulgaire et laide. Dès qu'elle se présentait devant le roi, il criait à ses ministres et à ses serviteurs : « Donnez-lui ce qu'elle veut et qu'elle disparaisse ! »

Margery mit un moment à comprendre. Enfin, elle s'esclaffa. Pour la dernière fois, j'entendis son rire si prenant, si étrangement rauque. Et que cela se termine ainsi me réchauffa le cœur.

— Vous partez demain ?

— Jusqu'au bateau, oui. Nous appareillerons pendant la nuit.

— J'ai donné pour instruction à mon notaire de transférer chaque mois deux cents livres à votre mission. S'il vous en faut davantage, écrivez-lui ou faites-le-moi savoir.

— C'est trop, Mary.

— Ce n'est pas à vous que j'offre cet argent. L'Afrique est capable d'absorber tout l'or qu'on voudra bien y déverser.

Elle finit par incliner majestueusement la tête, geste d'acquiescement que je connaissais bien. Nous bûmes notre thé ; et je ne pus résister à la tentation de lui poser une dernière fois la question qui me hantait :

— Margery, dites-moi. La cicatrisation... L'ai-je vraiment vue ?

— Bien sûr, Mary.

– Pourquoi l'avez-vous niée ?

– Je ne l'ai pas niée. Je vous ai dit que Dieu s'adressait à nous. Il accorde parfois Sa grâce sans contrepartie, même à ceux d'entre nous qui la méritent le moins.

Je m'en allai peu après. Devant le perron, Margery se dressa sur la pointe des pieds et m'embrassa sur la joue. Je ne l'ai plus revue.

Et, oui, Holmes et moi nous nous sommes mariés, nous aussi. Même si ce ne fut pas un mariage conventionnel, ni sans nuages, il ne fut jamais ennuyeux. Et je pourrais dire pour conclure, en paraphrasant Shakespeare :

« Que la femme choisisse un époux plus âgé. Ainsi, elle le comblera d'un amour égal au sien. Car ses sentiments sont plus tendres, plus profonds et moins versatiles que ceux des jeunes gens de son âge. »

Composition PCA
44400 – Rezé

Impression réalisée sur CAMERON par

BRODARD & TAUPIN

GROUPE CPI

La Flèche

pour le compte des Éditions Michel Lafon
en octobre 2004

Imprimé en France
Dépôt légal : octobre 2004
N° d'impression : 26361
ISBN : 2-7499-0184-7
LAF : 523